HAND

voor we

Vrijwilligerswerk & natuurbehoud

HANDBOEK

voor wereldwijd

Vrijwilligerswerk
& Natuurbehoud

Fabio Ausenda

ELMAR

Colofon
Handboek voor wereldwijd Vrijwilligerswerk & Natuurbehoud
is een uitgave van
Uitgeverij Elmar B.V., Rijswijk – 1999
Oorspronkelijke titel: Green Volunteers
Oorspronkelijke uitgave: Green Volunteers, Milaan (Italië) – 1998
© Fabio Ausenda – 1998
© Ned. editie: Uitgeverij Elmar B.V., Rijswijk – 1998
Vertaling: Studio Imago, Aat van Uijen
Ned. bewerking: Natour Stichting
Verzonken Kasteel 22, 5071 KD Udenhout, Nl.
Foto's: Ecovolunteer Program
Vormgeving omslag: Studio Raster B.V., Rijswijk

ISBN 90 389 07613

VERANTWOORDING

De uitgever bedankt alle personen en organisaties die deze publicatie mogelijk hebben gemaakt. Dit zijn met name Roel Cosijn van The Ecovolunteer Network, die de uitgevers heeft gestimuleerd deze gids samen te stellen en er vervolgens ook bij heeft geholpen, Anita Prosser van de British Trust for Conservation Volunteers voor haar hulp en aanmoediging, en het Expedition Advisory Centre van de Royal Geographic Society. Bijzondere dank gaat uit naar het kantoor van de Species Survival Commission and Social Policy Group van de World Conservation Union in Gland in Zwitserland voor hun waarderende steun. De bovengenoemde organisaties worden verderop in de gids vermeld.

WAARSCHUWING!

De informatie in deze gids is verkregen van de betrokken organisaties en andere openbare bronnen. De programma's in deze gids kunnen inmiddels zijn gewijzigd. De gebruiker moet alle gegevens met betrekking tot duur, periode, kosten, plaats, accommodatie en werk verifiëren. De telefoon- en faxnummers en e-mail-adressen kunnen eveneens zijn gewijzigd. De uitgevers zijn niet verantwoordelijk voor enige verkeerde informatie die hieruit voortvloeit.

Eenieder sluit zich voor eigen verantwoordelijkheid aan bij een organisatie en neemt op eigen risico deel aan een project. De uitgever is niet verantwoordelijk voor enig ongeluk dat de vrijwilliger overkomt of enige schade die hij oploopt als gevolg van deelname aan projecten of lidmaatschap van organisaties die in deze gids worden vermeld.

Onze excuses als uw organisatie of project niet in deze editie is opgenomen.

Als u een organisatie of project vertegenwoordigt en u wilt in de volgende editie van deze gids worden vermeld (wat kosteloos is), neem dan contact op met **Natour Stichting** op het op de bladzijde hiervoor vermelde adres.

5

INHOUD

Inhoud

VOORWOORD

WAAROM DIT HANDBOEK?

De laatste jaren is de vraag naar vrijwilligers voor natuurbehouds-projecten en met name dierenbeschermingsprojecten sterk toegenomen. Natuurliefhebbers krijgen door vrijwilligerswerk de gelegenheid om betrokken te raken bij het natuurbehoud over de hele wereld. Studenten kunnen ervaring opdoen met het oog op een carrière in het natuurbehoud of ideeën opdoen voor een scriptie. Tot voor kort werden de meeste mogelijkheden door grote organisaties geboden, maar de eigen bijdrage beperkte het aantal vrijwilligers. Er zijn echter veel kleinere projecten die voortdurend geld-gebrek hebben en dringend behoefte hebben aan vrijwilligers om te helpen bij onderzoek en het werven van fondsen. De bijdrage van vrijwilligers kan een project vaak jaren draaiend houden. Het project om gibbons uit te zetten in Thailand loopt bijvoorbeeld al sinds 1992, alleen dankzij de bijdragen en hulp van internationale vrijwilligers. Tot nu toe hadden deze projecten geen wereldwijd platform. Via deze gids kunnen toekomstige vrijwilligers kennis-maken met verschillende nuttige projecten en vice versa.

Het doel van dit handboek is informatie te verschaffen om de communicatiekloof tussen mensen die aan interessante en nuttige projecten in de hele wereld willen deelnemen en projecten die vrijwilligers nodig hebben te overbruggen. Daarom beschouwt de Species Survival Commission van de World Conservation Union in Génève (de instelling die de 'rode lijst' van bedreigde soorten publiceert) dit handboek als een nuttig instrument ter ondersteuning van natuurbehoudsprojecten in de gehele wereld.

INLEIDING

Dit handboek is een uit twee delen bestaande gids, een deel met de organisaties en een deel met projecten. **Organisaties** spelen een belangrijke rol in het verschaffen van mogelijkheden voor vrijwilligerswerk. Opgenomen zijn organisaties die projecten bieden die zich richten op een breed scala aan soorten en leefgebieden op diverse plaatsen, en tegen verschillende vergoedingen (van gratis tot een paar duizend euro). De organisaties worden in alfabetische volgorde opgevoerd. Als de organisatie een afkorting heeft, bijvoorbeeld ATCV, BTCV en WWF, wordt deze gebruikt om de plaats in de alfabetische volgorde te bepalen. In het tweede deel worden de projecten van enkele grotere organisaties en enkele extra interessante projecten uitgebreider beschreven. Deze projecten worden aan het eind van de beschrijving van de organisatie vermeld onder de kop **Geselecteerde Projecten**. Vanwege de beperkte ruimte in deze gids zijn er van de meeste organisaties geen projecten in het tweede deel opgenomen. Gegadigden wordt daarom aangeraden rechtstreeks contact met de organisatie op te nemen en informatie over lopende projecten aan te vragen. Lees Tips voor het in contact komen met organisaties en projecten.

Het deel over de **Projecten** beschrijft de programma's die de betreffende organisaties bieden, evenals programma's die niet bij een van de grote organisaties behoren. Een derde deel, **Overige Projecten**, geeft enkele projecten en organisaties die niet in de twee andere delen passen. Deze projecten overwegen vrijwilligers in te schakelen en verstrekken graag informatie aan gegadigden.

INTRODUCTIE

door Natour Stichting

INLEIDING

Wat maakt vrijwilligerswerk als vakantiebesteding zo anders dan het reguliere vrijwilligerswerk? En waarom willen mensen zich tijdens hun vakantie inzetten voor wilde dieren? Wat zijn de achtergronden van de natuurwerkvakanties? Dat leest u in de navolgende paragrafen.

VRIJWILLIGERSWERK IN DE NATUUR

Vrijwilligerswerk kent in westerse landen een lange traditie, vanaf de Middeleeuwen in de zorgsectoren, en in de twintigste eeuw inmiddels massaal in sportclubs, jongerenclubs en in natuur- en milieuclubs. Hoewel vrijwilligerswerk als vakantie toch een duidelijk geprofileerd 'product' kan zijn, besteedt de reisbranche er maar weinig aandacht aan. Zo zijn reisboeken zoals deze zeldzaam (dit is het eerste in Nederland en België), het toeristisch vakonderwijs besteedt er geen aandacht aan en er is nauwelijks onderzoek naar gedaan.
Vrijwilligerswerkvakanties bestaan al lang, vooral op sociaal gebied. Meer recent ontwikkelen zij zich ook ten behoeve van natuurbehoud.

De laatste jaren is het besef gegroeid dat een ongebreidelde groei van het toerisme ten koste gaat van natuur en milieu. Op veel toeristische bestemmingen is het beleid er inmiddels op gericht de negatieve gevolgen van het toerisme zoveel mogelijk te beperken. Daarnaast wordt gezocht naar methoden om de toerist te betrekken bij de bescherming van natuurlijke en culturele waarden op de vakantiebestemming. De toerist is immers niet alleen een potentiële bron van inkomsten, maar ook het tastbare bewijs voor de belangstelling voor de natuurlijke en culturele rijkdom van zijn vakantiebestemming. Zijn aanwezigheid kan daarom een belangrijke reden zijn tot behoud en bescherming van deze rijkdom.

Toerisme & wilde dieren

Evolutie en ecologie zijn thema's die niet alleen de biologie, maar de hele samenleving hebben veroverd. De emotionele reactie van mensen op wildlife is sterk: mensen in westerse landen voelen zich steeds meer aangetrokken tot wilde dieren.

Tot voor enkele decennia waren wilde dieren eng en gevaarlijk, tot in de jaren zestig en zeventig de natuurorganisaties de knuffelbiologie tot ontwikkeling brachten. Voorheen als gevaarlijk ervaren dieren ondergingen een sterke verandering van het publiek imago, hetgeen nodig was om de bescherming van die dieren politiek tot stand te brengen en om daartoe een maatschappelijk draagvlak te ontwikkelen. Gorilla's werden van King Kong tot onze zachtaardige naaste verwant, walvissen werden van Moby Dick tot intelligente reuzen in de oceaan, wolven werden van bloeddorstig tot sociale sleutelfactoren in de regulering van ecosystemen. Natuur werd van chaotische wildernis tot samenhangend ecosysteem[1,2]. Het genieten van wilde dieren als zodanig komt sterk tot ontwikkeling. Dit recreatief-toeristisch genieten van wilde dieren is een nieuwe ontwikkeling in de relatie tussen mensen en wilde dieren: natuurreizen, ecotoerisme.

Naast de rechtvaardiging in het 'werk'-aspect, bieden natuurwerkvakanties ten opzichte van dit (eco)toerisme een meer authentieke ervaring, een toegevoegde waarde door de combinatie van drie sleutelfactoren: naast 1) visualisering, een 2) ondergaan van de beleving en 3) interactiviteit in die ervaring (met onderzoekers of met de dieren zelf).

Nederlanders en Vlamingen en de natuur
De betrokkenheid van Nederlanders en Vlamingen bij de natuur is vooral passief en uit zich in uitzonderlijk hoge ledenaantallen van natuurbeschermingsorganisaties. In andere landen, zoals de Verenigde Staten, zetten mensen zich veel actiever in voor natuurbescherming[3]. Toch zijn er ook veel Nederlanders die helpen bij landschapsonderhoud, zoals het knotten van wilgen, het plaggen en steken van heide, het onderhouden van de bewegwijzering van routes en het opruimen van (zwerf-) afval langs het strand, in bossen en langs rivieren. Ook zijn er vrijwilligers actief bij het opvangen van zeehonden, wolven, papegaaien en apen, vogeltellingen en het begeleiden van de paddentrek.

Wanneer Nederlanders en Vlamingen op vakantie gaan, willen ze wel genieten van de natuur, maar dat betekent niet dat ze actief willen bijdragen aan het natuurbehoud op hun vakantiebestemming. Uit onderzoek blijkt wel dat mensen het heel belangrijk vinden dat op hun vakantiebestemming flora en fauna worden beschermd. Natour Stichting deed in 1995 en 1996 onderzoek naar de bereid-

Vrijwilligerswerk & natuurbehoud

heid van toeristen bij te dragen aan de bescherming van zee-schildpadden in Griekenland en Turkije en grienden (een groot soort dolfijnen) bij Tenerife. Uit het onderzoek bleek dat 75% van de Nederlandse toeristen die op vakantie zijn bij Laganas, Zakynt-hos (Griekenland) en Dalyan (Turkije) het belangrijk vinden dat zeeschildpadden worden beschermd. Van die toeristen is 70 % ook bereid een financiële bijdrage te verstrekken aan de bescherming van zeeschildpadden. De vakantiegangers op Zakynthos willen ge-middeld 13 Euro bijdragen; de dagjesmensen die Dalyan aandoen gemiddeld 8,50 Euro[4]. Blijkbaar hebben dagjesmensen er minder geld voor over dan verblijfstoeristen. Ook op Tenerife blijken veel Duitse, Nederlandse en Engelse toeristen bereid een bijdrage te le-veren aan de bescherming van grienden[5].

Toch zijn in verhouding weinig vakantiegangers bereid om zich op vakantie in het buitenland actief in te zetten voor de bescherming van wilde dieren. Maar zij die wel geïnteresseerd zijn in internatio-nale natuurbescherming en de handen uit de mouwen willen ste-ken, kunnen deelnemen aan de natuurwerkvakantie.

KENMERKEN VAN HET VAKANTIEPRODUCT

Natuurwerkvakanties zijn reizen waarbij toeristen als betalend vrij-williger helpen bij natuurbeschermingsprojecten. Het gaat daarbij om activiteiten als voorlichting, biologisch veldonderzoek en na-tuurbescherming.
Bij deze vakanties is, vanuit het perspectief van de lokale natuur-beschermingsorganisaties, het toerisme volledig ondergeschikt aan de natuurbescherming. Het gaat hen er niet om vakanties aan te bieden, maar om extra hulp te krijgen bij het vele natuurbe-schermingswerk. Deze natuurbeschemingsorganisaties bepalen dan ook wat de ecovolunteers doen.
Bij de natuurwerkvakanties is het sociale aspect ook heel belang-rijk. Het gezelschap is internationaal en veel onderzoeks- en voor-lichtingsactiviteiten worden in teamverband verricht. Accommoda-ties worden vaak gedeeld en er wordt gezamenlijk gekookt en gegeten.
De prijs van de natuurwerkvakantie is opgebouwd uit drie onder-delen: (1) het programma ter plaatse, (2) de bruto marge voor de verkoper en (3) de kosten voor het internationale transport (vaak vliegreis). De kosten voor het programma ter plaatse bestaan uit kosten voor accommodatie en maaltijden, de begeleiding door de natuurbeschermingsorganisatie bij de activiteiten en het onder-zoek door de staf van het project. Daarnaast vragen sommige or-ganisaties ook een financiële bijdrage voor het natuurbescher-mings- of onderzoeksproject.

In dienst van het natuurbeschermingsproject

Volunteers zijn voor de projecten zo waardevol omdat er enerzijds ter plaatse vaak een tekort is aan (academisch) geschoolde krachten. Anderzijds bieden de fondsen, wereldwijd of lokaal, waarop de projecten een beroep (kunnen) doen onvoldoende bijdragen om vaste arbeidskrachten in dienst te nemen ten behoeve van het onderzoek.

Onderzoeksleiders op projecten geven dan ook aan dat zij, dankzij deze volunteers, in staat worden gesteld om op zeer grote schaal gegevens te verzamelen. Er zijn zelfs voorbeelden uit Oost-Europa bekend waarbij, als gevolg van politieke en economische hervormingen begin jaren negentig, lokale projectondersteunende bijdragen stopten. Desalniettemin ging het wetenschappelijk onderzoek voort, juist mede dankzij de inzet van vrijwilligers.

Ook de samenwerking met vrijwilligers met een verscheidenheid aan achtergrond en opleiding draagt bij aan het multidisciplinaire denken van de onderzoeksleiders, hetgeen hun wetenschappelijk onderzoek ten behoeve van het project bevordert.
Met vrijwilligers kunnen de creatievere, dat wil zeggen meer experimentele, onconventionele onderzoeken worden uitgevoerd, zonder dat daarbij sprake is van een verhoogd (financieel) risico op mislukken.

Zoals altijd bestaan naast financiële of economische voordelen van het inzetten van volunteers op een wetenschappelijk onderzoeksproject ook nadelen. Dit betreffen dan met name waarborgen die moeten worden getroffen of ingebouwd voor de betrouwbaarheid van de door de volunteers verzamelde gegevens. Daarnaast moeten, gegeven het vaak korte verblijf van de volunteers op de projecten, steeds nieuwe volunteers worden opgeleid en ingewerkt op de onderzoeksprojecten. Toch blijken voor de natuurbeschermingsorganisaties de voordelen steeds weer op te wegen tegen de nadelen.

Conceptontwikkeling

De 'zinvolle werkvakantie' is bepaald geen nieuw verschijnsel en niet innovatief, hoewel altijd beperkt gebleven tot niche markten. In Nederland zijn de werkvakanties in Israëlische kibboetsen en de programma's van de Stichting Internationale Werkkampen nog het meest bekend. Maar er zijn ook werkvakanties met een minder zware ideologische achtergrond, zoals de IVN-werkkampen en de ANWB-landgoedkampen. In de Angelsaksische landen worden al tientallen jaren werkvakanties georganiseerd met de nadruk op natuuronderzoek.

Thema

Ook het koppelen van het concept 'werkvakantie' aan het beschermen van, liefst bekende, bedreigde diersoorten is niet nieuw. De van oorsprong Amerikaanse organisatie Earthwatch biedt sinds 1970 onderzoeksvakanties aan. Het zijn dure groepsreizen met overnachtingen in soms luxe accommodaties, die vooral oudere deelnemers trekken. De reizen duren gemiddeld veertien dagen. De onderzoekers van de onderzoeksprojecten begeleiden deze reizen. Andere organisaties die dit soort reizen aanbieden zijn Raleigh en Frontier.

Productvorm

De meeste aanbieders bieden hun product aan in de vorm van de traditionele groepsreis. Het Ecovolunteer Program speelt in op de algemene trend van individualisering en innoveerde de productvorm. Bij het Ecovolunteer Program kan de klant, binnen bepaalde marges, zijn bijdrage aan een natuurschermingsproject zelf bepalen. Het Nederlandse/Europese Ecovolunteer Program wijkt daarmee af van het Angelsaksische concept.

Vakantiereis of vrijwilligerswerk

Natuurwerkvakanties zijn een opmerkelijk hybride product. Een eigenschap van goederen en diensten is dat u ze kunt kopen en verkopen. Wilde dieren echter, in hun onbewerkte vorm als wild dier, zijn van oudsher publieke goederen en de bescherming van wilde dieren had van oudsher veel aspecten van vrijwilligerswerk in zich. De Europese wetgeving[6] echter definieert toerisme als bestaande uit 1) vervoer, 2) logies en 3) andere, niet met vervoer of logies verband houdende toeristische diensten die een aanzienlijk deel van het pakket uitmaken (bijvoorbeeld een activiteitenprogramma). Als er twee van deze drie aspecten worden verstrekt dan is er bij de wet sprake van een 'pakketreis', ook al bevat het product elementen die u niet in de eerste plaats zou willen opvatten als 'vakantieachtig'.

U bevindt zich verstrengeld in een positie van zowel deelnemer als consument: toerisme als natuurbescherming, en natuurbescherming als vakantiebesteding.

DEELNEMERS AAN NATUURWERKVAKANTIES

De markt voor natuurwerkvakanties is een echte niche markt, waarin de vaste marktkenmerken ontbreken. De termen Special Interest Tourism en REAL zijn van toepassing op natuurwerkvakanties[7]. REAL staat voor Rewarding, Enriching, Adventuresome en Learning. Special Interest Tourism zal een steeds belangrijker onderdeel van de toeristische markt gaan vormen[8]. Als gevolg van sociodemografische veranderingen, zal een grotere groep consumenten behoefte hebben aan vakantie-ervaringen, waarvan zij innerlijk rijker worden. Een belangrijk deel van de toeristische vraag zal zich gaan richten op toeristische producten die rekening houden met en inspelen op de sociale en maatschappelijke context. Hierbij spelen ook natuur- en milieu-aspecten een belangrijke rol.

Er zijn drie soorten behoeften die de consument wil bevredigen door op vakantie te gaan:

1. Push-factoren (socio-psychologische factoren) komen voort uit tekorten die men ervaart in de eigen leefsituatie en hebben geen direct verband met de bestemming. Voor deze factoren geldt dat de bestemming het middel is waarmee de recreant/toerist zijn/haar behoeften bevredigt. Een voorbeeld is het doorbreken van de dagelijkse sleur.
2. Pull-factoren daarentegen worden juist opgeroepen door de speciale kwaliteiten van de bestemming, zoals bijvoorbeeld de aanwezigheid van een strand of van wilde dieren.
3. Participation-factoren, ook wel aangeduid met zingevings- of betrokkenheidsfactoren, worden niet in de eerste plaats opgewekt door de leefomgeving of de vakantieomgeving, maar zijn autonome expressiefactoren vanuit het individu. Niet externe (push- of pull-) factoren zijn van invloed op het individu, maar het individu heeft een intrinsieke betrokkenheid met de natuur en zijn/haar leefmilieu[9, 10, 11].

Uit onderzoek onder vakantiegangers blijkt dat voor de Nederlandse vakantieganger de vakantiemotivatie in hoofdzaak is opgebouwd uit push-factoren[12]. Uit ander onderzoek blijkt dat juist voor ecovolunteers de pull- en participation-factoren de interesse voor het Ecovolunteer Program bepalen[13].

In de jaren tachtig komt de opvatting tot ontwikkeling dat de neiging van mensen om in contact te treden met wilde dieren een uiting is van een aangeboren drang als onderdeel van de fysieke en mentale groei van mensen: de biophilia hypothese[14]. Het concept 'betrokkenheid' maakte begin jaren negentig sterke opgang in kringen van natuur- en milieubescherming[15]. Medio jaren negentig krijgt het betrokkenheidsconcept een stevig milieufilosofisch fundament[16]. Het onderdeel willen zijn van de natuur is een essentieel aspect van de menselijke zingeving. Deelnemen aan de natuur is daarbij niet alleen een persoonlijke keuze maar juist een maatschappelijke noodzaak om natuur en milieu te redden.
De natuurwerkvakanties spelen in op de aantrekkingskracht van de wilde dieren en de innerlijke drang van mensen om daarvoor iets te doen.

Achtergronden van de deelnemers

Onderzoek naar motieven van deelnemers aan vrijwilligerswerk toont diverse, elkaar overlappende motieven[17]. De deelnemers zijn vaak niet gedreven door een enkel overheersend motief, maar veeleer door een mix van:

1. Sociale motieven: een sociale functie vervullen;
2. Waardemotieven: handelen om de natuur te helpen;
3. Carrièremotieven: handelen om bepaalde kennis, vaardigheden gehonoreerd te krijgen meestal als onderdeel van een studie;
4. Begripsmotieven: verlangen om dieren/natuur/natuurbescherming/natuuronderzoek beter te begrijpen;
5. Beschermingsmotieven: ontsnappen aan negatieve gevoelens over zichzelf en het eigen leven;
6. Zingevingsmotieven: zichzelf nodig en/of belangrijk kunnen voelen.

Opmerkelijk is dat deelnemers aan (natuur)werkvakanties zichzelf graag zien als sterk altruïstisch gemotiveerd, maar in de praktijk zijn persoonlijke voordelen in het kader van studie, opdoen van ervaring, voorbereiden van een publicatie, het knuffelmotief en dergelijke van doorslaggevende betekenis. Wat ook opvalt is dat er eigenlijk geen motieven zijn die niet ook bij betaald werk aanwezig zijn, afgezien van de afwezigheid van het salaris. Het profijt ligt blijkbaar op het persoonlijke vlak (groei, ontplooiing, zelfexpressie, plezier) en het sociale vlak (status, samenzijn met gelijkgezinden).

Er is een overgang van meer toegewijde, serieuze vrijwilligers tot meer recreatieve deelnemers, en daarbinnen verschuiven de accenten in motivaties. Bij werkvakanties lijkt het accent meer te liggen op ontspanningsmotieven vanwege de combinatie met vakantiebesteding. Niettemin zijn alle andere aspecten ook aanwezig: soms speelt het doel waarmee men zich identificeert een belangrijke rol (de 'wereld- of milieuverbeteraar, de dierenbeschermer'), soms staan de eigen voordelen voorop en verwacht men wat terug van de investering (bijvoorbeeld honorering in het kader van de studie) maar ook altruïsme blijft sterk aanwezig: de meesten zijn blij met hun gift van tijd, arbeid en geld omdat zij daarmee bijdragen aan de bescherming van bedreigde wilde dieren.

Recent onderzoek[18] heeft aangetoond dat deelname aan een natuurwerkvakantie sterk in de belangstelling staat, vanwege:

1. Het avontuurlijke karakter van deelname aan de projecten;
2. De directe ontmoeting en interactie met een andere diersoort in een dusdanige situatie dat die ander zijn eigen waardigheid heeft behouden (niet achter tralies zit) heeft een hoge emotionele waarde (biophilia);
3. Educatie: begeleiding door experts die normaal gesproken voor belangstellenden niet goed bereikbaar zijn (belangrijk, want

een aanzienlijk aantal deelnemers krijgt deelname zelfs formeel gehonoreerd als stage voor een opleiding).

Uit dit onderzoek komt ook naar voren dat het succes van de natuurwerkvakanties in Nederland te danken is aan een aantal factoren:

- Veel mensen zijn op zoek naar een zinvolle invulling van hun vrije tijd. Voor veel mensen is de dagelijks arbeid geen uitdaging meer. In vrijwilligerswerk hoopt men wel de juiste prikkels en voldoening te vinden.
- Een deel van de doelgroep heeft door een 36-urige werkweek meer 'vrije tijd'. Waar Nederlanders welvarender zijn dan ooit, willen zij hun vrije tijd besteden op een manier, die hen bevrediging schenkt.
- Het grootste deel van de doelgroep (studenten, jonge werkenden) heeft juist steeds minder vrije tijd, maar wenst juist deze vrije tijd optimaal te besteden. Mutiple use is dan het trefwoord; een vakantie die zowel ontspannend, uitdagend, avontuurlijk áls zinvol is.
- Doordat mensen vaker op vakantie gaan per jaar is het juist interessant één van deze vakanties te besteden aan een goed doel, zoals natuurbescherming.
- Het programma sluit aan bij door internationale trendwatchers gesignaleerde belangrijke trends, zoals: Save our Society, Beter leven, De Multifunctionele Consument, Afrekenen, Verankeren en Avontuurlijk Fantaseren[19].

HET ECOVOLUNTEER® PROGRAM

Het Ecovolunteer Program is tussen al deze natuurwerkvakanties een bijzonder programma. Het is een van oorsprong Nederlands product en ontstond in 1992. In Nederland worden ruim 30 natuurwerkvakanties van 'Ecovolunteer Program' aangeboden door de Natuurreiswinkel Wolf*trail* [20]. De Belgische agent is de reisorganisatie ¡TIERRA![21]. Sinds medio 1998 beschikt het Ecovolunteer Program ook over een eigen web-site:
http://www.ecovolunteer.org

Doel van het Ecovolunteer Program is: 'het verzorgen van natuurgerichte reizen die een directe bijdrage leveren aan het onderzoek en de bescherming van die natuur. Ecovolunteer projecten willen een brug slaan tussen mensen die bereid zijn tijd en geld beschikbaar te stellen voor natuurbescherming- en onderzoek. Het Ecovolunteer programma biedt u de mogelijkheid om zelf actief te helpen met onderzoek aan en bescherming van dieren in de vrije natuur. U verneemt kennis uit de eerste hand van belangrijke wetenschappers en kunt oog in oog komen te staan met wilde dieren. De projecten zijn vaak opgezet door lokale organisaties. U levert op deze manier heel direct een eigen bijdrage aan het behoud van bepaalde diersoorten'[22].

Het Ecovolunteer Program omvat activiteiten als:
- hulp en onderzoek aan dieren in rehabilitatie- en opvangcentra;
- bescherming van dieren in het wild;
- voorlichting aan toeristen en lokale bevolking over de noodzaak van bescherming van de dieren en hun leefomgeving;
- veldwerk en onderzoek.

In veel projecten komen deze activiteiten naast elkaar voor. Afhankelijk van de belangstelling, opleiding en ervaring van de ecovolunteer wordt deze voor een of meer van deze activiteiten ingezet. Zo gaat het bij de wolvenprojecten om assistentie bij onderzoek en veldwerk zoals analyseren van pootafdrukken, uitwerpselen en prooiresten.
Bij de zeeschildpaddenprojecten gaat het ook om bescherming, zoals het bewaken van de legsels en de bescherming van de uit de eieren gekomen jongen tegen mensen en predatoren. De voorlichtingsactiviteiten bestaan onder meer uit het geven van dialezingen in hotels, het bemannen van voorlichtingsposten en -stands en het vervaardigen van voorlichtingsmateriaal.

Belangrijke kenmerken van het Ecovolunteer Program zijn:
- grote betrokkenheid bij de te beschermen diersoort;
- samenwerking met lokale natuurbeschermingsorganisaties;
- inhoudelijke (wetenschappelijke) deskundigheid van zowel de samenstellers van het reisprogramma als de begeleiders van de ecovolunteers ter plekke;
- het programma richt zich op individuele vrijwilligers;
- lange reisduur mogelijk (van een enkele week tot enkele maanden);
- eenvoudige accommodatie;
- ecovolunteers steunen de projecten niet alleen met mankracht maar ook financieel.

UW DEELNAME EN DE FISCUS

Natuurbeschermingsprojecten die volunteers inzetten bij de uitvoering van wetenschappelijk onderzoek geven steeds aan dat de voordelen zeer zeker opwegen tegen de nadelen. De conclusie dat volunteers, naast wetenschappelijke, ook financiële en economische bijdragen aan de onderzoeksprojecten leveren, lijkt hierdoor gerechtvaardigd.

Want waar betalen die volunteers voor? Zij betalen in ieder geval voor de reis van de woonplaats naar de locatie waar het project wordt uitgevoerd. Dit bedrag is voor iedere volunteer verschillend en is niet begrepen in het basisbedrag.

Het basisbedrag wordt besteed aan het wetenschappelijk onderzoek ten behoeve van het project ter plaatse. In het basisbedrag is ook begrepen een vergoeding voor de kosten van overnachtingen en eten en drinken. Daarnaast is slechts een klein gedeelte van het totale door de volunteers betaalde bedrag bestemd als tegemoetkoming in de administratieve kosten van het reisbureau of de reisagent.

Het lijkt reëel dat behalve het natuurbeschermingsproject ook de volunteer financiële voordelen heeft van zijn medewerking aan wetenschappelijk onderzoek. Dit financiële voordeel zou dan bijvoorbeeld tot uitdrukking kunnen komen in een vermindering van te betalen inkomstenbelasting.

Het is bekend dat in Verenigde Staten van Amerika de bijdragen die de volunteer betaalt voor deelname aan het wetenschappelijk onderzoeksproject, onder bepaalde voorwaarden, geheel of gedeeltelijk aftrekbaar zijn voor de inkomstenbelasting.

De fiscale wetgeving in Nederland kent de aftrekbaarheid van giften voor de inkomstenbelasting. Hierbij moet voldaan worden aan het navolgende criterium: 'in Nederland gevestigde, het algemeen nut beogende instelling, daaronder begrepen kerkelijke, levensbeschouwelijke, charitatieve, culturele en wetenschappelijke instellingen'. Daarnaast geldt de eis dat de bijdrage vrijwillig en onvoorwaardelijk moet zijn.

De definitie in ogenschouw nemende, zijn de bijdragen die betaald worden aan de onderzoeksprojecten niet aftrekbaar als gift omdat deze projecten, voor het gemak gelijk te stellen aan een instelling, over het algemeen buiten Nederland gevestigd zijn. Daarnaast geschieden de bijdragen weliswaar vrijwillig, doch niet onvoorwaardelijk. De volunteer zal 'eisen' dat hij of zij aan het project kan deelnemen.

De bijdrage is ook niet aftrekbaar te maken door er als het ware een in Nederland gevestigde instelling 'tussen te schuiven' (tussen de volunteer en het buitenlandse onderzoeksproject). De bijdrage zal immers, vanuit het gezichtspunt van de volunteer gezien, steeds voorwaardelijk blijven (zijn recht op deelname aan het project)!

Er zijn echter meerdere gevallen bekend, waarbij de inspecteur der directe belastingen gehele of gedeeltelijke aftrek van de bijdrage aan het onderzoeksproject, inclusief de kosten van het vliegticket,

Vrijwilligerswerk & naturbehoud

als gift heeft geaccepteerd. Of en de mate waarin de eventuele aftrek als gift van de bijdrage aan het onderzoeksproject wordt geaccepteerd hangt af van de motivering van de aftrek en interpretatie en het oordeel van de lokale inspecteur. Het is dus raadzaam de kosten voor deelname goed gemotiveerd op te voeren.

Let wel, bij de aftrek van giften is een drempelbedrag opgenomen dat niet aftrekbaar is. Dit drempelbedrag is 1% van het onzuiver inkomen met een minimum van f 120. Daarnaast is maximaal 10% van het onzuiver inkomen als gift aftrekbaar.

In specifieke gevallen kan, met een goede motivering, worden aangetoond dat een deelname als ecovolunteer aan een onderzoeksproject aftrekbare studiekosten zijn. Het moet in dit geval gaan om een studie ter verwerving van bekwaamheden die vereist zijn om een betrekking te krijgen of om de positie te verbeteren, bijvoorbeeld een vaste aanstelling of een hogere rang. Ook hierbij geldt een drempelbedrag dat niet aftrekbaar is. Dit drempelbedrag is 2% van het onzuiver inkomen met een maximum van f 800.

Er dient nog te worden opgemerkt dat het hiervoor geschrevene betrekking heeft op de situatie anno 1998. Onduidelijk is hoe het Nederlands belastingstelsel er na het jaar 2000 uit zal zien.

JAARLIJKSE VOORLICHTINGSDAG 'NATUURBEHOUD

& NATUURREIZEN'

De Natuurreiswinkel Wolf*trail* organiseert sinds 1995 jaarlijks op de zaterdag in het derde volle weekend van januari de themadag 'Natuurbehoud & Natuurreizen' waarop deelnemers en (buitenlandse) managers van projecten vertellen over hun ecovolunteer project.

Die dag ontmoeten vele honderden belangstellenden de onderzoekers van de ecovolunteer projecten en voormalige deelnemers elkaar. Vele ecovolunteer projecten en natuurorganisaties geven in een zalencentrum acte de presence met diapresentaties en in stands.

Met ingang van 1999 organiseert ¡TIERRA! vzw. diezelfde dag ook in België, en wel op de zondag van het derde volle weekend van januari. U kunt tevoren bij Natuurreiswinkel Wolf*trail* en bij Tierra Natuurreizen de programma's voor beide dagen aanvragen.

Er zijn geen andere vergelijkbare evenementen voor ecovolunteers in Nederland en België.

Adressen:
http//www.ecovolunteer.org/

Natuurreiswinkel Wolftrail BV
Stationsstraat 7 / 7A
Postbus 144
1430 AC Aalsmeer
Telefoon: (0297) 368504
Telefax: (+31) 0297-367686
Email: wolfrail@image-travel.nl

¡TIERRA! Natuurreizen vzw.
Heidebergstraat 223
3010 Leuven
België
Tel / fax: (+32) 016-255616

DE LIJST MET NATUURWERKVAKANTIES:

VERANTWOORDING

Tot slot, het belangrijkste deel van deze voor Nederland en België zo nieuwe reisgids, een uitgebreid overzicht van de natuurwerkvakanties en organisaties die zich hier zoal mee bezighouden. Dit overzicht is vervaardigd en wordt up-to-date gehouden door Fabio Ausenda, die als oprichter van het Italiaanse Europe Conservation de belangrijkste drijfveer was voor de introductie van de toeristische natuurwerkvakanties op het Europese continent.

Er zijn aanmerkelijk meer natuurwerkvakanties dan in deze reisgids daadwerkelijk zijn opgenomen. Zo zijn enkele organisaties niet opgenomen om vooral praktische redenen: zij verschaften geen informatie over hun natuurwerkvakanties, of zij boden maar een enkel product of een enkele vertrekdatum aan. Het al dan niet opgenomen zijn in deze reisgids houdt geen kwaliteitsoordeel van de auteurs in.

Noten

1. IUCN (1980) World Conservation Strategy. Living Resource Conservation for Sustainable Development. IUCN, Gland, Switzerland.

2. World Resources Institute WRI, the World Conservation Union IUCN & the United National Environment Programme UNEP (1992) Global Biodiversity Strategy. Guidelines for Action to Save, Study, and Use Earth's Biotic Wealth Sustainably and Equitably.

3. Cosijn, ir. R., ir. P.G. van Konijnenburg, drs. P.G. Rens, drs. C.J.H. Kersten (1995) Begrip van Buitensport, begrippenkader, effecten, maatregelen en innovatie. Stichting Recreatie, Den Haag.

4. Cosijn, R., A. van den Reek en P.G. Rens (1998) Seaturtles with golden eggs, The monetary-touristic value of Mediterranean seaturtles on the Dutch holiday market. Reeks Ecologie & Toerisme, deel 3. Natour Stichting, Hengelo.

5. Cosijn, R., A. van den Reek en P.G. Rens (1999) Whale for sale, a pilot project. Reeks Ecologie & Toerisme, deel 4. Natour Stichting, Hengelo.

6. Richtlijn van de Raad 90/314/EEG van 13 juni 1990 betreffende pakketreizen, vakantiepakketten en rondreispakketten PB Nr. L158.

7. Reek, A. van den (1994) Natuurwerkvakanties. Een Marktverkennend Onderzoek naar de Potentiële Markt voor Natuurwerkvakanties. Doctoraal Scriptie Vrijetijdswetenschappen, Katholieke Universiteit Brabant.

8. Hall, C.M. & B. Weiler (1992) Special Interest Tourism, Belhaven Press, London.

9. Cosijn, R. (1993) Milieu & Reizen: zoeken & kiezen. Pag. 29-42 in: Stichting Nederlandse Milieugroep Alpen (1993) Milieubeleid bij Buitensportorganisaties en Touroperators. Waarom en Hoe? NMGA Symposium verslag. Utrecht.

10. Zie 4.

11. Zie 5.

12. Egmond, T. van (1996) Vakantiepreferenties. Een consumentenonderzoek. Nederlandse Hogeschool voor Toerisme en Verkeer, Breda.

13. Zie 7.

14. Kellert, S.R. & E.O. Wilson (1993) The Biophilia Hypothesis. Island Press, USA.

15. Alblas, A.H., J.J.S. Broertjes, F.J.J.M. Jarissen & A.J. Waarlo (1993) Begrip en betrokkenheid. Bouwstenen voor leerbare thema's in natuur- en milieu-educatie. Vakgroep Agrarische Onderwijskunde, Landbouwuniversiteit Wageningen, en Vakgroep Didactiek van de Biologie, Universiteit Utrecht.

16. Zweers, W. (1995) Participeren aan de natuur, ontwerp van een ecologisering van het wereldbeeld. Uitgeverij Jan van Arkel, Utrecht.

17. Clary, E., M. Snyder & R. Ridge. 1992. Volunteers' motivations: A functional strategy for the recruitment, placement, and retention of volunteers. Non-profit Management & Leadership, 2(4).

18. Bakker, E. (1998) Natuur, Toerisme en wetenschap gaan hand in hand in het Ecovolunteer Program. Grondhoudingen ten opzichte van de natuur als motivatie voor deelname aan Ecovolunteer projecten. Intern onderzoek/stageverslag, Ecovolunteer Program.

19. Popcorn, F. (1992) The Popcorn Report. Revolutionary Trend Predictions for Marketing in the 90s. Arrow Books, London.
20. De reisorganisatie Wolftrail introduceerde in 1992 het eerste ecovolunteer project in Nederland. Wolftrail is eind 1986 opgericht door de detailhandels- en groothandelsonderneming Bever Zwerfsport als een buitensportorganisatie, gericht op klim- en kano-activiteiten. Later kwamen daar natuurreizen bij.

    In 1989 werd Wolftrail overgenomen door reisconcern Rottink BV in Hengelo. Sindsdien ligt het accent van Wolftrail op natuurreizen en is het buitensportprogramma geleidelijk beëindigd. In 1998 is het Ecovolunteer Program verzelfstandigd. De Natuurreiswinkel Wolftrail BV treedt nu voor de Nederlandse markt op als exclusieve agent voor het Ecovolunteer Program.

    De Natuurreiswinkel Wolftrail BV heeft twee productlijnen. Er is een aanbod van traditionele natuurreizen met onder meer exclusieve reizen naar de Galapagos-eilanden en cruises naar Spitsbergen en Antarctica. Daarnaast organiseert de Natuurreiswinkel Wolftrail speciale thema-natuurreizen voor bijvoorbeeld vogelaars en vlinderliefhebbers in samenwerking met Het Vogeljaar, respectievelijk De Vlinderstichting. Voor vogelliefhebbers biedt Wolftrail sinds 1996 ook het Vogelfestival programma aan.
21. ¡Tierra! Natuurreizen v.z.w. organiseert sinds 1994 natuurreizen om zo een bijdrage te leveren aan het natuurbehoud. Het programma omvat zowel dagtochten en weekends dicht bij huis, als Europese en verre reizen. Sinds 1998 is ¡Tierra! de vertegenwoordiger van het Ecovolunteer Program In België.
22. Wolftrail (1997) Ecovolunteer Program '98. Hengelo.

VERKLARING VAN DE AFKORTINGEN

Adres, telefoon- en faxnummer.

E-mail-adres en internet-adres (**URL**) worden zoveel mogelijk vermeld. Als deze gegevens niet worden vermeld, wil dat niet zeggen dat een organisatie niet op het internet zit. Een telefoontje naar de organisatie om de vragen of ze al of niet e-mail hebben gaat sneller dan via de post en maakt het gemakkelijker een geschikte organisatie te kiezen.

Beschr.: Beschrijving van de activiteiten en de doelstellingen van de organisatie en het werk waar vrijwilligers bij worden betrokken.

Soorten: De soorten of groep soorten waar de organisatie zich op richt. Als een organisatie zich op een of twee specifieke soorten richt, wordt de naam daarvan vermeld, vaak ook met de Latijnse naam als het niet om alledaagse soorten gaat. Als de organisatie zich richt op grotere groepen zoals families of klassen, worden deze in het Nederlands beschreven, bijvoorbeeld zeedieren, tropische vogels, Afrikaanse herbivoren.

Hab.: Net als bij het voorgaande worden hier specifieke habitats of leefgebieden of grotere geografische gebieden vermeld waar de organisatie zijn werkterrein heeft, zoals tropische zeeën en kusten, Afrikaanse savanne, mediterrane eilanden.

Loc.: Hier worden de landen en regio's vermeld waar het vrijwilligerswerk plaatsvindt. Er worden landen genoemd, maar ook grotere gebieden (zoals Zuidoost-Azië) of delen van een land zoals een provincie.

Duur: De duur van het vrijwilligersverband in de vorm van een vaststaande periode of een minimum en maximum duur.

Per.: De tijd van het jaar waarin de vrijwilliger kan deelnemen, bijvoorbeeld: het gehele jaar, zomer, juli-augustus.

Leeft.: De minimum en maximum leeftijd waaraan deelname is gebonden.

Vereist: Hier worden de eisen besproken waar de vrijwilligers aan moeten voldoen. Meestal worden er geen bijzondere eisen gesteld, afgezien van een sterke motivatie en enthousiasme. Aanpassing aan een zwaar klimaat, het lopen van grote afstanden, hoge of lage temperaturen, eenvoudige accommodatie en ontbreken van comfort is meestal noodzakelijk. Waar dat mogelijk is, worden extreme omstandigheden wat betreft werk en accommodatie nader omschreven. Specifieke informatie wordt echter altijd door de organisatie gegeven als een gegadigde zich heeft aangemeld. Andere veel voorkomende eisen zijn flexibiliteit in het werk met andere mensen, bereidheid met weinig privacy genoegen te nemen (zelden kan in eenpersoons- of zelfs maar tweepersoonskamers worden overnacht) en vermogen zich aan andere culturen aan te passen. Deze eisen zijn op vrijwel alle projecten van toepassing en worden niet altijd expliciet vermeld. Bij de meeste projecten waarvoor de vrijwilligers moeten betalen, worden er geen eisen aan de opleiding gesteld, behalve bij die waar speciale vakkennis wordt gevraagd. Als een vrijwilliger bepaalde vaardigheden of kennis heeft, zoals op gebied van fotografie, computers of techniek, kan hier een beroep op worden gedaan. Hij mag echter niet verwachten of eisen dat dit ook gebeurt. Een project of organisatie kan al zeer gekwalificeerde medewerkers voor bepaalde taken hebben die vertrouwd zijn met het werk, zodat de extra kennis van de vrijwilliger niet altijd nodig is. Hij moet bereid zijn ieder ander werk op zich te nemen dat de organisatie of de projectleiding nodig acht.

Voor vrijwilligerswerk op lange termijn of bij organisaties waar een kleine of geen financiële bijdrage wordt gevraagd, worden de vrijwilligers vaak geselecteerd op grond van hun opleiding of ervaring met vergelijkbaar werk. Vaak worden ervaring met vergelijkbare projecten of bijzondere vaardigheden gevraagd. In dat geval worden de eisen zo duidelijk mogelijk vermeld. De kandidaatvrijwilliger moet rechtstreeks contact opnemen met de organisatie om te informeren welke eisen voor deelname aan een bepaald project worden gesteld. Er zijn vaak selectiecriteria en de organisaties of projectleiders houden zich daar meestal strikt aan.

Kosten: Voor de meeste projecten wordt er een bijdrage van de vrijwilligers gevraagd. Deze is vaak de enige bron van inkomsten van een project, wat een belangrljke reden is om met vrijwilligers te werken. De bijdrage van de vrijwilligers bestaat niet alleen uit werk, maar ook uit geld. Sommige projecten kunnen alleen maar bestaan dankzij deze combinatie. De kosten van deelname kunnen variëren van een paar honderd tot een paar duizend gulden. Er is geprobeerd zoveel mogelijk organisaties op te nemen die geen of een kleine financiële bijdrage vragen. Deze zijn echter moeilijk te vinden, want het zijn kleine projecten in ontwikkelingslanden die weinig communicatiemogelijkheden hebben of ze zijn zich nog niet bewust van het nut van vrijwilligers. Het is echter niet meer dan eerlijk dat ook deze kleine projecten of organisaties, vooral in ontwikkelingslanden, een kleine bijdrage vragen. Zelfs kleine beetjes kan een organisatie in een ontwikkelingsland erg goed gebruiken. Sommige organisatie hanteren het principe dat hoe langer het verblijf is, des te lager de relatieve kosten worden, want hoe langer een vrijwilliger blijft, hoe nuttiger hij is, dankzij de opgedane ervaring. Vrijwilligers die langer blijven, kunnen soms ook een coördinerende taak krijgen voor de vrijwilligers die later komen. Een van de organisaties die met succes op deze manier werken, is The Ecovolunteer Network (zie de Lijst van organisaties).

Meestal wordt de bijdrage van de vrijwilliger besteed aan eten en accommodatie en zelden voor de kosten van internationaal luchtvervoer naar de werkplek. Als eten niet bij de prijs is inbegrepen, wordt dat aangegeven en worden de extra kosten voor eten vermeld (die meestal laag zijn, vooral in ontwikkelingslanden). Bij sommige projecten ter zee is eten niet bij de prijs inbegrepen en moeten de vrijwilligers een bijdrage in de pot doen. Bij langetermijnprojecten, die van een paar maanden tot een of twee jaar kunnen duren en waarbij de vrijwilligers aan een selectieprocedure worden onderworpen, krijgen ze dikwijls een vergoeding voor de kosten van levensonderhoud. Dit is vaak het geval bij overheidsinstellingen, zoals de US National Park Service, de US Forest Service en de US Fish and Wildlife Service, waar de vrijwilligers meestal voor twee of drie maanden worden aangenomen.

De bijdrage van de vrijwilliger gaat gewoonlijk naar het project waar hij bij werkt. Sommige organisaties gebruiken een deel van de bijdrage ter bestrijding van hun kosten, zoals marketing, personeel, huur, telefoon, post enzovoort. Het deel van de bijdrage dat naar een tussenorganisatie of naar overheadkosten van de organisatie gaat, moet niet worden beschouwd als geld dat van de natuur wordt gestolen. Vaak is het aan dit soort organisaties te danken dat projecten aan geld en vrijwilligers kunnen komen. Deze organisaties spelen dus een fundamentele rol in het wereldwijde natuurbehoud. Daar staat tegenover dat als deze overheadkosten hoger zijn dan een redelijk percentage (hooguit 20-25%), de organisatie eens moet kijken hoe ze wat efficiënter kunnen werken, zodat er meer van de bijdrage van de vrijwilliger overblijft voor de eigenlijke projecten. De vrijwilliger heeft het volste recht te weten hoeveel van zijn bijdrage rechtstreeks naar het project gaat en hoeveel in de overhead van de organisatie blijft hangen.

L. term.: Als langetermijnwerk wordt werk van langer dan een maand beschouwd of iedere periode langer dan de voor het project vastgestelde periode. Meestal hebben de organisaties vaste verblijfstermijnen voor de projecten ingesteld, bijvoorbeeld een week, tien dagen of twee weken. Soms willen vrijwilligers langer blijven. Bij sommige projecten kan dat niet, maar sommige organisatie moedigen langer verblijf aan, omdat een vrijwilliger met ervaring van meer nut voor ze is. The Ecovolunteer Network stimuleert langer verblijf bij sommige projecten door grotere kortingen te bieden naarmate de vrijwilliger langer blijft. Voor sommige projecten zijn professionele medewerkers nodig, en deze nemen vaak studenten aan die aan een afstudeerproject werken.

Werk: Hierin wordt beschreven wat de inhoud van het vrijwilligerswerk is. In de Lijst van organisaties wordt het werk niet gedetailleerd beschreven, omdat de organisaties vaak meer dan een project hebben lopen. De gegadigden krijgen een indruk van het werk dat ze gaan doen uit de beschrijving van de organisatie en de projecten. Voor meer details wordt meestal verwezen naar de organisatie zelf.

Taal: Dit onderdeel is heel belangrijk. Hierin worden de talen vermeld die absoluut noodzakelijk zijn om bij het betreffende project te kunnen werken. Het belang van communicatie met de leiding van het project en met plaatselijke of internationale onderzoekers mag niet worden onderschat. De vrijwilligers moeten hun begrip van een vreemde taal in een werkomgeving niet te hoog inschatten. Niet kunnen communiceren met een team kan heel frustrerend zijn voor de vrijwilliger, het team en de andere vrijwilligers en kan een leuke vakantie als vrijwilliger veranderen in een onprettige ervaring. Dit kan des te eerder gebeuren als de vrijwilliger ook nog een aanzienlijk bedrag heeft uitgegeven om aan het project mee te kunnen doen en aan de vliegreis ernaar toe. Als een vrijwilliger een van de Romaanse talen goed spreekt, zoals Spaans, Italiaans, Frans of Portugees, kan hij misschien een paar woorden van een andere Romaanse taal begrijpen. Dit geldt echter alleen voor native speakers van die talen. Bij de meeste projecten wordt echter Engels als voertaal gebruikt. Wie Engels spreekt, is dus in het voordeel.

Accomm.: Huisvesting wordt alleen in het deel met de projectbeschrijvingen besproken. Hier wordt het soort accommodatie vermeld waar de vrijwilligers in worden ondergebracht. In de meeste gevallen moeten ze voorbereid zijn op zeer eenvoudige onderkomens. Deze bestaan vaak uit stapelbedden in onderzoeksstations, soms uit tenten en meestal niet in een gewoon huis. Badgelegenheid is meestal ook erg eenvoudig en een warme douche is een zeldzaam verschijnsel, vooral in de tropen. Ook moet er rekening mee worden gehouden dat er huishoudelijke taken moeten worden verricht, zoals schoonmaken, koken, afwassen enzovoort. Zoals gezegd kan de vrijwilliger geen comfort en privacy verwachten. Voor wie niet zonder kan, is het groene vrijwilligerswerk geen geschikte vakantie.

Vert.: Veel organisaties hebben vertegenwoordigers in andere landen en, hoewel projecten zelden gezamenlijk worden georganiseerd, fungeren ze als agent voor de projecten van andere vertegenwoordigers van de organisatie. Sommige organisaties, vooral als ze geen mogelijkheid hebben om reclame te maken of geen reserveringssysteem hebben, gebruiken externe vertegenwoordigers zoals reisagentschappen om vrijwilligers te werven. In deze rubriek worden de vertegenwoordigingen of organisaties vermeld waar vrijwilligers zich kunnen aanmelden.

Aanvr.: Hier wordt in het kort de aanmeldingsprocedure beschreven en informatie gegeven over aanmeldingsformulieren, waarborgsommen, contributies, lidmaatschappen enzovoort.

Geselecteerde projecten: Dit onderdeel is niet onder alle organisaties te vinden. Er is een selectie gemaakt van projecten en deze wordt hier vermeld en in de Lijst van projecten beschreven. Voor projecten waarvan geen gedetailleerde beschrijving wordt gegeven, moet de vrijwilliger rechtstreeks contact opnemen met de betreffende organisatie voor verdere informatie. In deze uitgave zijn onder andere enkele projecten van het Earthwatch Institute en The

Ecovolunteer Network opgenomen. Earthwatch Institute was een van de eerste organisaties die met vrijwilligerswerk in natuurbehoud begon, wat nu wordt gezien als een belangrijke bron van hulp voor projecten op dit gebied. The Ecovolunteer Network bestaat nog maar een paar jaar, maar blijkt een van de organisaties te zijn die de beste verhouding prijs - kwaliteit bieden.

TIPS VOOR HET IN CONTACT KOMEN MET ORGANISATIES EN PROJECTEN

Het uitzoeken van een geschikte organisatie of een leuk project om groen vrijwilligerswerk te doen is de eerste stap. De volgende is in contact komen met zo'n organisatie of project.

1. **Vorm u een duidelijke voorstelling van wat u wilt doen, met welke soorten of in welke habitats u wilt werken, de plek, de duur van de periode en de kosten die u zich kunt veroorloven.**

Dit vergemakkelijkt de keus en het schiften van organisaties en projecten die in aanmerking komen. Als uw budget beperkt is, vergeet dan de organisaties met dure projecten, of als u voor langere tijd wilt werken, schrap dan de organisaties die hier geen mogelijkheden voor hebben. Maak een lijst van organisaties en projecten en verdeel ze in eerste en tweede keus. Tot de eerste keus moeten niet alleen de organisaties en projecten behoren die het interessantst zijn, maar ook die ver weg en moeilijk te bereiken zijn.

2. **Gebruik de snelste methode om met een organisatie in contact te komen.**

Voor de interessante projecten en organisatie zijn veel aanvragen, en wie het eerst komt, het eerst maalt. Laat ze dus zo snel mogelijk weten dat u geïnteresseerd bent. Hoe verder weg een project is, des te langer het duurt om contact te leggen en een antwoord te krijgen. Het is de moeite waard om daar iets meer geld aan te besteden, zodat er meer tijd is om een goede keus te maken. In ontwikkelingslanden werkt de post meestal te langzaam, en daar zijn vaak de interessantste en goedkoopste projecten. In de praktijk kan het wel twee maanden duren eer er antwoord komt, en dan moet er ook nog een goedkope vliegreis worden gezocht. Als een organisatie telefoon heeft, aarzel dan niet om er een kort telefoontje aan te besteden om uit te zoeken of ze nog steeds vrijwilligers nodig hebben; leg het verdere contact per fax of e-mail. Als ze inderdaad mensen nodig hebben, vraag dan wat de snelste manier is om met ze te communiceren, of u ze kunt faxen en of u ze kunt bellen als u het aanmeldingsformulier hebt gekregen. U komt er dan vaak achter dat ze inmiddels fax hebben of dat ze de fax bij de buren kunnen gebruiken. Ook kunnen ze na de verschijning van deze gids een e-mail-adres hebben gekregen. Als u zelf geen fax hebt, gebruik dan de fax op het postkantoor, bij een kopieerbedrijf of op het kantoor van een kennis. Als na bellen blijkt dat de organisatie een e-mail-adres heeft, wordt aan e-mailen vaak de voorkeur gegeven, omdat dat de snelste en goedkoopste methode is. Dit medium verspreidt zich zo snel, dat u vast wel iemand in de buurt hebt vanwaar af u een e-mail kunt versturen. De kosten van e-mail zijn het zelfde als van een lokaal telefoongesprek. U kunt het aanmeldingsformulier achter in deze gids overtypen en per e-mail versturen. Een nadeel van e-mail is, dat een bericht wel eens over het hoofd wordt gezien (alleen al vanwege de grote hoeveelheid mailtjes in iemands box). Als u binnen drie tot vijf dagen geen antwoord hebt gekregen, stuur dan een herinnering. E-mail is goedkoop, dus maak er gebruik van. Bel eventueel om het juiste e-mailadres te pakken te krijgen. Deze adressen en URL's veranderen vaak, bijvoorbeeld doordat een organisatie een goedkopere provider vindt.

3. **Probeer na het eerste mondelinge contact zoveel mogelijk informatie te krijgen over de organisatie of het project waarbij u wilt werken.**
Vraag niet alleen maar om informatie, tenzij de organisatie in het eigen land is gevestigd en e-mail snel wordt beantwoord. Stuur ook een beschrijving van uw vaardigheden mee en zo mogelijk een curriculum vitae. Achter in deze gids zit een standaard aanmeldingsformulier voor de Nederlandse agent Natuurreiswinkel Wolftrail en voor de Belgische agent Tierra. Vul het duidelijk in, of type het over of maak een vergrote fotokopie. Sluit bij aanvraag per post altijd een aan uzelf geadresseerde retourenvelop in (liefst getypt).

4. **Maak het de organisatie gemakkelijk om te reageren.**
De organisaties en projecten zitten vaak krap bij kas. Sluit daarom een aan uzelf geadresseerde retourenvelop bij, gefrankeerd voor een organisatie in het eigen land, en voorzien van internationale antwoordcoupons voor een organisatie in het buitenland. U kunt ze ook voorstellen dat u een collect fax accepteert. Maak daarover een afspraak, want u moet ze eerst mondeling te woord staan, de call accepteren en dan overschakelen naar de faxstand. Nog beter is het de organisatie op hun faxlijn te bellen en ze dan de fax laten sturen, aangezien faxverkeer twee richtingen opgaat. Regel dit telefonisch. Als het om een grote organisatie gaat die goed uitgerust is om vrijwilligers te werven, hoeft u deze moeite niet te doen. Deze hebben zelf alle middelen voorhanden, vooral als ze in de duurdere categorie vallen. Hoe goedkoper de organisatie of het project is, hoe meer u moet doen om hen kosten te besparen.

5. **Volg de aanmeldingsprocedure nauwkeurig.**
Als ze geen standaardformulieren van de **Green Volunteers** accepteren, vul dan de hunne in, betaal de vereiste waarborgsom of het lidmaatschapsgeld en voldoe aan de overige plichtplegingen. Het is zuur om de kans te missen door nadat u al bent aangeno-

men, een waarborgsom te laat te betalen. Als er bedragen moeten worden overgemaakt, informeer dan naar de snelste methode, bijvoorbeeld internationale betaalcheque, met een creditcard of per giro.

6. Benader een flink aantal organisaties of projecten.
Maak een selectie en benader ze allemaal. Als u zich op een of twee concentreert, is de kans kleiner.

Over het algemeen is het belangrijk dat u ruim van tevoren het juiste project selecteert. U kunt dan tijdig uw vakantie vastleggen, de beste vliegtickets kopen en de beste tijd van het jaar kiezen. Zorg ervoor dat u voor vertrek voldoende informatie hebt over wat u kunt verwachten: het soort werk dat u gaat doen, de accommodatie, het eten, het klimaat, de kleding en uitrusting die u mee moet nemen enzovoort. Alleen het project of de organisatie kan deze informatie verschaffen; door plaatsgebrek wordt dit niet overal in deze gids vermeld. De gids geeft algemene informatie over projecten en organisaties en u kunt verdere inlichtingen inwinnen tijdens de aanmeldingsprocedure. Ga nooit op de bonnefooi naar een project. De kans om aangenomen te worden, is dan nihil. De meeste projecten hebben een beperkt aantal plaatsen, weinig huisvesting en maar weinig personeel voor de begeleiding van vrijwilligers. Als u het toch probeert, omdat u toevallig in de buurt rondreist, wees dan niet teleurgesteld als u wordt afgewezen.

LIJST VAN ORGANISATIES

AMERICAN LITTORAL SOCIETY, NEW YORK CHAPTER

1478 Point Breeze Place
Far Rockaway, New York 11691 VS
Tel.: 001 (718) 471-2166
Fax: 001 (718) 471-0034

Beschr.:	Deze organisatie richt zich op het jaarlijks schoonmaken van het strand, waarbij de gevonden wrakstukken worden geregistreerd. Het doel is om het publiek bewust te maken van de vervuiling van de zee en om ontwikkelingen in en bronnen van de vervuiling te signaleren.
Hab.:	Kusten, oevers van meren en rivieren.
Loc.:	New York (staat).
Per.:	Het hele jaar.
Leeft.:	Min. 6, max. 60+.
Vereist:	Er zijn geen speciale vaardigheden vereist.
Werk:	Vrijwilligers ruimen afval op het strand op en houden op gegevenskaarten bij wat ze hebben verzameld.
L. term.:	Informeer naar regelingen voor de lange termijn. Voor kamers en overnachting wordt niet gezorgd.
Taal:	Engels.
Vert.:	Center for Marine Conservation, 1725 DeSales Street, NW, Suite 500, Washington, DC 20036, VS.
Aanvr.:	Bel de Beach Cleanup Coordinator, Barbara Cohen, tel. 001 (718) 471-2166.

ARCTUROS

Victor Hugo 3
546 25 Thessaloniki, Griekenland
Tel.: 0030 (31) 55 46 23
Fax: 0030 (31) 55 39 32
E-mail: arcturos@the.forthnet.gr

Beschr.:	ARCTUROS is een organisatie voor het beheer en de bescherming van het dierenleven en het milieu. De organisatie concentreert zich op de bruine beer, een soort die prioriteit heeft, en houdt zich tegelijkertijd bezig met het algemene beheer van de ecosystemen van de bergwouden in Noord-Griekenland. Sinds 1993 heeft ARCTUROS 'berenbeschermingscentra' in Nymphaion en Fanos in Noord-Griekenland. Hiermee wil men het probleem van de 'dansende beren' en van beren in gevangenschap in het algemeen oplossen. Sinds januari 1998 loopt er ook een project voor de bescherming van de wolf (*Canis lupus*).
Soorten:	Bruine beer (*Ursus arctos*), wolf (*Canis lupus*).
Hab.:	Europees gematigd, bladverliezend en alpien woud.
Loc.:	Berggebieden van Pindos en Rodopi (beer), Midden-Griekenland (wolf).
Reis:	Vliegen naar Thessaloniki, Griekenland. Vervoer naar het project wordt individueel geregeld.
Duur:	Twee weken.
Per.:	Juni-september.
Leeft.:	Min. 18. De meeste deelnemers zijn 18 tot 30 jaar.
Werk:	De vrijwilligers ondernemen allerlei activiteiten, variërend van handarbeid tot assisteren bij het wetenschappelijk onderzoek en deelname aan campagnes om belangstelling voor natuurbescherming te wekken.
Vereist:	Afhankelijk van de taken die de vrijwilligers op zich willen nemen. In sommige gevallen is een studie biologie of een andere relevante achtergrond sterk gewenst. De vrijwilligers moeten enthousiast zijn, een positieve instelling hebben en gemotiveerd zijn om in actie te komen voor de bescherming van het milieu.
Taal:	Praktische kennis van het Engels is vereist.
Accomm.:	Voor de vrijwilligers die ARCTUROS in Nymphaion onderbrengt, is er een volledig voorzien huis (met kookgelegenheid, koelkast, wasmachine). Voor degenen die in het veld werken, worden faciliteiten gehuurd en in sommige gevallen overnachten de vrijwilligers in tenten.

Kosten: Er is geen geld beschikbaar voor het vervoer van de vrijwilligers. Voor eten kan wel geld worden uitgetrokken.

L. term.: De standaardperiode van twee weken kan worden uitgebreid met toestemming van de projectleider.

Aanvr.: De beste tijd om het eerste contact met de organisatie te leggen, is rond april. Standaardformulieren van de Green Volunteers worden geaccepteerd.

Opm.: ARCTUROS coördineert ook het Griekse netwerk 'Vrijwilligersinstellingen voor het milieu'. Dit netwerk heeft een website, waarin informatie over 30 Griekse ngo's en hun vrijwilligersprojecten is te vinden. URL: http://www.forthnet.gr/volunteersfornature (Deze informatie kan geregeld worden gewijzigd.)

ASSOCIATION FOR THE CONSERVATION OF
THE SOUTHERN RAINFORESTS

John Melton, Selva Sur, Casilla 1200, Cuzco, Peru
Tel.: 0051 (84) 240911 – fax: 0051 (84) 240911
E-mail: jmelton@chavin.rcp.net.pe
URL: http://www.inkanatura.com

Beschr.:	Bij deze vereniging kan de vrijwilliger werken als natuurgids in de vier lodges in het regenwoud en bij een reeks projecten die varieert van het leren van Engels aan bewoners van het regenwoud, observeren van dieren (vooral tapirs en reuzenotters) en het in kaart brengen van vruchtdragende bomen en klimplanten.
Soorten:	De projecten zijn gelokaliseerd in het meest diverse regenwoud ter wereld, waarin meer dan 1000 vogels, 200 zoogdieren en 1200 vlinders voorkomen.
Hab.:	Regenwoud (van nevelwoud tot laag gelegen regenwoud).
Loc.:	Zuidoost-Peru (soms met mogelijkheden in Bolivia en Brazilië).
Reis:	De projecten kunnen worden bereikt per vliegtuig en vervolgens per boot of per bus (nevelwoudproject).
Duur:	Voor vrijwillige natuurgidsen minimaal drie maanden. Voor vrijwilligers die onafhankelijke onderzoeksprojecten doen minimaal een maand.
Per.:	Het hele jaar.
Leeft.:	Min. 21, max. 65.
Vereist:	Ervaring met of sterke interesse in milieubeheer en/of biologie zijn essentieel.
Werk:	Er zijn verschillende projecten, met verschillende werktijden. Verder informatie kan op verzoek worden toegezonden.
Taal:	Praktische kennis van het Spaans is zeer aanbevelenswaardig.
Accomm.:	Bed met klamboe op open slaapvlonder. Eigen beddengoed meenemen.
Kosten:	Voor vrijwillige natuurgidsen wordt aan het begin en eind van het verblijf gratis vervoer van en naar Cuzco geregeld en een klein salaris voor het gidsen. De vrijwillige onderzoekers moeten alle kosten zelf dragen. Hierbij horen ook de vlucht van en naar de verblijfplaats (Lima – verblijfplaats – Lima max. f 950,-, min. f 475,-) en de kosten voor eten en overnachten f 19,- tot f 38,- per dag.

Lijst van organisaties

L. term.:	Vrijwilligers kunnen een langere periode blijven, wat ter beoordeling is van de projectleider.
Vert.:	Vrijwilligers kunnen contact opnemen met John Melton, liefst per e-mail.
Aanvr.:	Wie zich als vrijwilliger wil aanmelden, moet een curriculum vitae opsturen met daarbij een verzoek om verdere informatie. Als uit het cv blijkt dat de vrijwilliger over de gewenste vaardigheden en ervaring beschikt, wordt verdere informatie over het project toegestuurd. Aanmeldingen als vrijwillige natuurgids moeten in december binnen zijn voor het droge seizoen (april tot oktober) en in juli voor het regenseizoen (november tot maart). Late aanmeldingen worden behandeld afhankelijk van de beschikbaarheid van projecten. Aanvragen van onderzoeksvrijwilligers kunnen het hele jaar worden opgestuurd.
Opm.:	Alle lodges en onderzoeksprojecten zijn gelokaliseerd op afgelegen plekken in het regenwoud, ver van alle westerse gemakken en voorzieningen. Het gaat vaak om lichamelijk werk in vochtige, warme omstandigheden. Hoewel er voldoende voedsel wordt aangevoerd, is dit heel eenvoudig en bestaat vaak uit bonen of linzen en rijst. Vrijwilligers moeten zich ervan bewust zijn dat het werk onder omstandigheden plaatsvindt die ze wellicht nog nooit hebben meegemaakt.

ASVO – ASOCIACION DE VOLUNTARIOS PARA EL SERVICIO EN LAS AREAS PROTEGIDAS

p/a Programa de Voluntariado Internacional
Servicio de Parques Nacionales
P.O. Box 11384-1000/10104-1000
San José, Costa Rica
Tel.: 00506 257-0922 – fax: 00506 256-3859

Beschr.:	ASVO is de Costa Ricaanse organisatie die vrijwilligers-programma's in de nationale parken en reservaten uitvoert. Er zijn vrijwilligers nodig voor onderzoek, bouw en onderhoud. Begeleiden van toeristen en fungeren als tolk zijn ook belangrijke activiteiten waarvoor vrijwilligers nodig zijn.
Hab.:	Tropisch kustwoud, regenwoud en nevelwoud.
Loc.:	Parken en reservaten in Costa Rica.
Duur:	Min. 45 dagen.
Per.:	Het hele jaar.
Leeft.:	Min. 18.
Vereist:	Vrijwilligers moeten Spaans kennen. Ze moeten in goede lichamelijke conditie zijn en tegen het tropische klimaat kunen. Een flexibele en enthousiaste instelling zijn noodzakelijk. Twee aanbevelingsbrieven, ondertekend door ingezetenen van Costa Rica of organisaties in het eigen land, zijn vereist. Voor sommige onderzoeksprojecten zijn speciale kwalificaties vereist.
Kosten:	Vrijwilligers moeten zelf hun reiskosten betalen. Eten en accommodatie in de parken en reservaten kosten ongeveer f 19,- per dag.
L. term.:	Informatie bij de organisatie.
Taal:	Spaans, informeer over Engels.
Vert.:	In Italië: CTS-Centro Turistico Studentesco e Giovanile (zie Lijst van organisaties).
Aanvr.:	Neem contact op met de ASVO of een lokale vertegenwoordiger voor informatie.
Opm.:	Het wordt vrijwilligers sterk aangeraden voor een goede verzekering te zorgen.

ATCV – AUSTRALIAN TRUST FOR CONSERVATION VOLUNTEERS

National Head Office
P.O. Box 423, Ballarat 3353 – Victoria, Australië
Tel.: 0061 (53) 331483 – fax: 0061 (53) 332290
E-mail: atcv@peg.apc.org
URL: http://peg.apc.org/~mca/atcv.html

Beschr.:	Het ATCV is een organisatie zonder winstoogmerk die zich bezighoudt met praktische natuurbescherming op gebied van verzilting, bodemerosie, biodiversiteit en bedreigde soorten. De vrijwilligers zijn merendeels 16 tot 25 jaar. Elk team van een project heeft een voertuig (meestal een minibus of een terreinwagen met aanhanger), EHBO-materiaal, handgereedschap en kookuitrusting ter beschikking. De projecten bieden een unieke gelegenheid om delen van Australië te zien die buiten de gebaande paden liggen en door de teamactiviteiten internationale vriendschappen te maken.
Soorten:	Schildpadden, pinguïns en ander vogels, planten.
Hab.:	Rivieren, kusten, aride gebieden, moerassen.
Loc.:	Verschillende locaties in Australië.
Duur:	Min. vier weken.
Per.:	Het hele jaar.
Leeft.:	Min. 16.
Vereist:	Ervaring en kwalificaties op gebied van milieubeheer zijn welkom, maar niet vereist.
Kosten:	Min. f 770,-, max. f 1870,-, inclusief eten en accommodatie.
L. term.:	Informatie bij de organisatie.
Taal:	Engels.
Aanvr.:	Bel of schrijf het ATCV National Head Office voor informatie.
Opm.:	ATCV heeft ook een School Education Program.

Vrijwilligerswerk & natuurbehoud

BRATHAY EXPLORATION GROUP

Brathay Hall
Ambleside, Cumbria LA22 OHP
Engeland
Tel./fax: 0044 (15394) 33942
E-mail: brathay.exploration@virgin.net
URL: http://freespace.virgin.net/brathay.exploration

Beschr.:	De Brathay Exploration Group, een organisatie zonder winstoogmerk die in 1947 is opgericht, houdt tien tot vijftien expedities per jaar in afgelegen gebieden in de gehele wereld. Voor de projecten wordt veldwerk gedaan, van glaciologie tot ornithologie. De expedities worden geleid door ervaren ex-vrijwilligers. Tot het programma van 1999 behoren expedities in Europa, Azië en Ethiopië.
Hab.:	Bergbossen, tropisch regenwoud, woestijn.
Loc.:	Europa, India, Siberië, China, Yemen, Maleisië, Ethiopië.
Duur:	Twee tot vier weken.
Per.:	Juli-augustus.
Leeft.:	Min. 16, max. 25.
Vereist:	Er is geen bijzondere kennis of ervaring vereist, maar eigen motivatie en gevoel voor humor zijn wel nodig.
Kosten:	ƒ 620,- tot ƒ 2170,- voor expedities in Europa, ƒ 4340,- tot ƒ 8525,- in de rest van de wereld; er worden beurzen beschikbaar gesteld (informeer naar aanvraagformulieren voor beurzen).
L. term.:	Informeer bij de organisatie.
Taal:	Engels.
Aanvr.:	Vraag een aanmeldingformulier en een medische vragenlijst aan, die met een borgsom moeten worden geretourneerd.
Opm.:	Aan de expedities kunnen maximaal twintig vrijwilligers deelnemen. Leden van de Brathay Exploration Group genieten voordelen zoals gebruik van berghutten, een informatief tijdschrift en kortingen. De Brathay Exploration Group biedt ook cursussen aan, zoals eerstehulp in de bergen of langlaufen. Verdere informatie is beschikbaar op de bovenstaande adressen.

BTCV – BRITISH TRUST FOR CONSERVATION VOLUNTEERS

36 St. Mary's Street, Wallingford
Oxfordshire, OX10 0EU Engeland
Tel.: 0044 (1491) 839766 of (1491) 824602 (Brochure hotline)
Fax: 0044 (1491) 839646
E-mail: information@btcv.org.uk
URL: http://www.btcv.org.uk

Beschr.:	De BTCV werd in 1959 opgericht onder de naam Conservation Corps en is nu de grootste organisatie op dit gebied van Engeland. De BTCV verstrekt informatie en adviezen op gebied van projecten op het platteland en in de stad, organiseert werkdagen en -weekenden en doordeweekse projecten en 1400 groepen zamelen geld in. De vrijwilligers herstellen paden en stapelmuren en werken aan de afwatering. International Working Holidays variëren van herbeplantingsactiviteiten tot bouwwerk en omvatten beheerprogramma's van bossen en wetlands, onderzoek naar wolven en het planten van bomen.
Soorten:	Wolven, zeeschildpadden en vele andere.
Hab.:	Wetlands, bossen, tropische bossen, arctische bossen, eilanden in de Middellandse Zee en kustgebieden.
Loc.:	Engeland, IJsland en verschillende andere Europese landen, Australië, Haïti, Japan.
Duur:	Een dag tot twee weken.
Per.:	Het hele jaar.
Leeft.:	Min. 16 voor projecten in Engeland (jongere gezinsleden kunnen op afspraak worden toegelaten), min. 18 voor internationale expedities.
Vereist:	Voor sommige internationale expedities is ervaring nodig.
Kosten:	Vanaf ƒ 93,- voor projecten in Engeland, ƒ 264,- tot ƒ 1550,- voor internationale expedities.
L. term.:	Afgestudeerden en natuurliefhebbers kunnen Volunteer Officer worden voor een minimum periode van drie maanden.
Taal:	Engels. Veel projecten bieden de gelegenheid andere talen te leren of op te frissen.
Aanvr.:	Vrijwilligers moeten voor ieder programma een formulier met ƒ 78,- (niet geretourneerd) opsturen. Lidmaatschap is verplicht (min. ƒ 19,- voor studenten, anderen ƒ 37,-.
Opm.:	De BTCV biedt in zijn brochure Developing Skills ook een hele reeks cursussen, zoals in het repareren van stapelmuren, heggen en vijvers aanleggen enzovoort.

Vrijwilligerswerk & natuurbehoud

42

De brochures Natural Breaks en International and Developing Skills zijn gratis verkrijgbaar.

Geselecteerde projecten:
Bescherming van zwarte gieren, Bulgarije
Long Point Bird Observatory, Canada
Nationaal park Skaftafell, IJsland
Wolven observeren in Polen

CARAPAX – EUROPEAN CENTER
FOR CONSERVATION OF CHELONIANS

EcoVolunteer Program (http://www.ecovolunteer.org)

Nederland	België
Wolftrail	¡Tierra!
Postbus 144	Heidebergstraat 223
1430 AC Aalsmeer	B-3010 Leuven
Tel. 0297-368504	Tel. 016-255616
Fax 0297-367686	Fax 016-255616
Email: wolftrail@image-travel.nl	

Beschr.: Het Carapax Center is in 1989 opgericht door de International RANA Foundation (Reptiles, Amphibians in NAture), de EU en de regio Toscane. Het Carapax Center leidt onderzoek en ondernemingen tot herstel en herintroductie van landschildpadden. Carapax zet dieren afkomstig uit gevangenschap (privé-schenkingen aan het centrum) en de illegale handel (in beslag genomen door de overheid) uit in de natuur, met zorgvuldige inachtname van de herkomst. De uitgezette schildpadden, die allemaal gemerkt zijn, worden gevolgd met radiografische methodes of door plaatselijke milieuorganisaties of overheden. Sinds acht jaar werken vrijwilliger op het Carapax Center om voor de dieren te zorgen. Vrijwilligers helpen ook de deskundigen bij hun wetenschappelijk veldwerk.

Soorten: Het belangrijkst zijn de landschildpadden van het Middellandse-Zeegebied en de moerasschildpadden *Terrapene hermanni hermanni*, *T. hermanni boetgheri*, *T. marginata*, *T. graeca*.

Loc.: Westkust van Midden-Italië in de regio Toscane, 18 km van zee.

Duur: Min. twee weken.

Per.: Midden april - midden oktober.

Leeft.: Min. 18, geen max.

Vereist: Ervaring is niet vereist; motivatie en bereidheid om te leren zijn belangrijk.

Reis: Vliegen naar Rome, trein naar Rome naar Grosseto, trein naar Follonica, bus naar Massa Marittima. De vrijwilligers worden daar door de mensen van Carapax opgehaald.

Werk: Vrijwilligers nemen deel aan de volgende activiteiten: beheer van de infrastructuur (onderhoud, bouwen of repareren), zorgen voor de dieren (voederen, soms hulp bij veterinaire zorg, streng handhaven van de hygiëne, informatie aan het publiek verschaffen (bezoekers ontvangen en rondleiden) en wetenschappelijk onderzoek in het centrum en daarbuiten (afhankelijk van persoonlijke kennis van programma's van universiteiten). Deze activiteiten vinden vooral in de lente en in september plaats, wanneer de schildpadden het meest actief zijn. Andere bezigheden: deelnemen de repatriatie van schildpadden (Italië, Griekenland, Tunesië, Marokko, Frankrijk). Deze projecten zijn meestal voorbehouden aan vrijwilligers die al aan veldwerk hebben meegedaan, de soorten kunnen herkennen en vertrouwd zijn met het merksysteem. De vrijwilligers krijgen de eerste dag een basistraining.

Taal: Engels, Italiaans, Duits, Frans, Nederlands.

Kosten: Reiskosten worden door het centrum niet vergoed en de vrijwilligers betalen een deelnemersbijdrage van 20.000 lire voor accommodatie en eten. Dit moet ten minste twee weken voor aankomst in het centrum worden betaald.

Accomm.: Het centrum kan ongeveer twintig mensen herbergen. De accommodatie is in houten berghutten (één kamer, zes bedden) met elektriciteit. Er zijn vier douches buiten en twee toiletten, één voor mannen en één voor vrouwen. Er is een openluchtkeuken met een dak.

Aanvr.: Kantoren van het Ecovolunteer Program of: www.ecovolunteer.org.

Opm.: Vrijwilligers moeten een medische verzekering en een ongevallenverzekering hebben.

CEDAM INTERNATIONAL

One Fox Road
Croton-on-Hudson, NY 10520, VS
Tel.: 001 (914) 271-5365 – fax: 001 (914) 271-4723
E-mail: cedamint@aol.com
URL: http://www.cedam.org

Beschr.:	Cedam International is een organisatie zonder winst-oogmerk die zich bezighoudt met natuurbehoud, milieueducatie, maritiem onderzoek, archeologie en het werven van fondsen. Het hoofddoel van de organisatie is het bevorderen van het onderzoek der zee door middel van programma's die worden geleid door deskundige duikers, fotografen en biologen.
Soorten:	Zeedieren.
Hab.:	Tropische zeeën.
Loc.:	Mexico, Seychellen, Galapagos, Kenya, Australië, Belize en andere plaatsen over de hele wereld.
Duur:	Zeven tot tien dagen.
Per.:	Het hele jaar.
Leeft.:	Min. 18.
Vereist:	Ervaring met duiken is welkom, maar geen voorwaarde. Kennis van onderwaterfotografie en -video, cartografie en andere vaardigheden kunne heel nuttig zijn. Enthousiasme en vermogen om in een team te werken, zijn noodzakelijk.
Kosten:	Min. f 28550,-, max. f 7600,-.
Taal:	Engels.
Aanvr.:	Neem contact op met Cedam voor informatie.

CENTRE FOR ALTERNATIVE TECHNOLOGY

Machynlleth, Powys
SY20 9AZ Wales
Tel. : 0044 (1654) 702400 – fax: 0044 (1654) 702782
E-mail: help@catinfo.demon.co.uk
URL: http://www.cat.org.uk

Beschr.: Het Centre for Alternative Technology, sinds 1975 voor het publiek geopend, heeft demonstraties en interactieve voorstellingen over wind-, water- en zonne-energie, energiezuinige gebouwen, biologisch boeren en alternatieve afvalwatersystemen. Er zijn ter plekke cursussen te volgen over onderwerpen zoals waterkracht, vogels kijken, biologisch tuinieren en boerenmeubels maken. In het centrum is ook een informatiebureau en een boekwinkel (met postorderservice). Het centrum ontvangt 80.000 bezoekers per jaar.

Loc.: Wales.

Duur: Een tot twee weken.

Per.: Bepaalde weken van maart tot en met september.

Leeft.: Min. 18, geen max.

Vereist: Aan kortetermijnvrijwilligers worden geen bijzondere eisen gesteld. Bepaalde vaardigheden en ervaring kunnen een criterium zijn bij de keuze van langetermijnvrijwilligers, omdat het aantal plaatsen beperkt is.

Taal: Engels.

Kosten: Vrijwilligers dragen ƒ 16,- (verdieners) of ƒ 12,- (weinig- of geen-verdieners) per weekdag en ƒ 19,- respectievelijk ƒ 16,- per weekenddag bij voor onderhoudskosten. Er wordt voor accommodatie en eten gezorgd.

L. term.: Er werkt een beperkt aantal langetermijnvrijwilligers maximaal zes maanden op bepaalde afdelingen, zoals techniek, bouwen, tuinieren en informatie. Er wordt voorzien in accommodatie en eten, maar niet in geld. Langetermijnvrijwilligers doen eerst een 'proefweek'.

Vert.: Neem rechtstreeks contact met het centrum op.

Aanvr.: Aanmeldingsformulieren voor het korte programma verschijnen in januari. Tijdig reserveren is nodig vanwege de grote vraag, vooral in de zomer. Neem contact op met centrum voor details over het langetermijn programma.

Lijst van organisaties

CHANTIERS DE JEUNES PROVENCE COTE D'AZUR

La Maison des Chantiers La Ferme Giaume
7 Avenue Pierre de Coubertin
06150 Cannes la Bocca
Frankrijk
Tel.: 0033 (4) 93 478969 – fax: 0033 (4) 93 481201

Beschr.:	Deze organisatie biedt programma's voor tieners die het leven in een dorpsgemeenschap willen ervaren en een bijzondere zomervakantie willen doorbrengen.
Loc.:	Ile St. Marguerite, Cannes, Frankrijk.
Duur:	Twee weken.
Per.:	Zomer.
Leeft.:	Min. 13, max. 17.
Vereist:	Geen bijzondere eisen. De vrijwilligers moeten zich in het Frans kunnen redden.
Kosten:	Ong. f 950,-
Taal:	Frans.
Vert.:	Neem rechtstreeks contact op met de organisatie.
Aanvr.:	Vraag een aanmeldingsformulier bij de organisatie aan.

CHELON

MARINE TURTLE CONSERVATION AND RESEARCH PROGRAM

V.le Val Padana, 134/B – 00141 Rome, Italië
Tel./fax: 0039 (06) 8125301
E-mail: chelon@tin.it

Beschr.:	CHELON werd in 1992 opgericht als onderzoeksgroep binnen het Tethys Research Institute (zie Lijst van organisaties). De medewerkers van CHELON houden zich met hulp van vrijwilligers en studenten bezig met het onderzoek aan en behoud van zeeschildpadden.
Soorten:	Zeeschildpadden.
Hab.:	Mediterrane en tropische kusten.
Loc.:	Middellandse-Zeegebied (Italië, Griekenland, Turkije), Thailand.
Duur:	Min. twee weken.
Per.:	Mei-september voor projecten in het Middellandse-Zeegebied, november-mei in Thailand.
Leeft.:	Min. 18, geen max.
Vereist:	Er zijn geen bijzondere vaardigheden vereist.
Werk:	Vrijwilligers helpen onderzoekers bij het verzamelen van gegevens over het nestelen, de bescherming en het merken van de dieren. Ze doen ook mee aan activiteiten om de plaatselijke bevolking en toeristen voor natuurbescherming te interesseren. Op het programma staan altijd lessen over behoud van zeeschildpadden en biologie.
Taal:	Engels en Italiaans.
Accomm.:	In eigen tenten in Griekenland en Turkije. Hutten zijn beschikbaar op het Golden Buddha Beach in Thailand.
Kosten:	Min. ƒ 760,-, max. ƒ 1140,-, inclusief maaltijden en accommodatie. Reiskosten naar en van de onderzoeksplaatsen, privé-uitgaven en verzekering zijn niet inbegrepen.
L. term.:	Vrijwilliger kunnen met toestemming van CHELON deelnemen zo lang ze willen.
Opm.:	Max. groepsgrootte is twaalf. De projecten staan onder toezicht van onderzoekers van CHELON, die wetenschappelijke training geven. In Turkije en Thailand worden cursussen voor studenten biologie en natuurwetenschappen georganiseerd. Studenten werken met onderzoekers in het veld en leren de onderzoeksmethoden naar nestelgedrag van de schildpadden. Na twee weken krijgen ze een deelnamecertificaat.

Geselecteerde projecten:
Zeeschildpadden-project in Akyatan, Turkije
Zeeschildpadden-project op Rhodos, Griekenland
Zeeschildpadden-project op Phra Thong, Thailand

Vrijwilligerswerk & natuurbehoud

COORDINATING COMMITTEE
FOR INTERNATIONAL VOLUNTEERS

1 rue Miollis
75015 Parijs, Frankrijk
Tel.: 0033 (1) 45682731 – fax: 0033 (1) 42730521
E-mail: ccivs@zcc.net
URL: http://zis.zcc.net/ccivs

Beschr.: Het Coordinating Committee for International Voluntary Service is een internationale non-gouvernementele organisatie die een coördinerende rol speelt in het vrijwilligerswerk. Van het CCIVS zijn 110 organisaties in 50 landen lid. Het doel van het CCIVS is: bestrijden van de gevaren van oorlog en sociale en raciale discriminatie, onderontwikkeling, analfabetisme en neokolonialisme, het bevorderen van begrip, vriendschap en solidariteit tussen de naties als voorwaarden voor een solide en duurzame wereldvrede, bevorderen van sociale en nationale ontwikkeling en het vestigen van een rechtvaardige internationale economische en sociale orde. Vrijwilligers werken op de volgende gebieden: landbouw, archeologie, bouw en wederopbouw, hulp bij rampen, milieubescherming en gezondheids- en welzijnswerk.

Duur: Gewoonlijk drie tot vier weken.

L. term.: CCIVS-organisaties regelen ook projecten voor de middellange (1-6 maanden) en lange termijn (1-3 jaar).

Vert.: Neem voor verdere informatie contact op met het CCIVS op bovenstaand adres.

CORAL CAY CONSERVATION

154 Clapham Park Road
London SW4 7DE, Engeland
Tel.: 0044 (171) 498 6248 – fax: 0044 (171) 498 8447
E-mail: ccc@coralcay.demon.co.uk
URL: http://www.coralcay.org

Beschr.:	CCC is een organisatie zonder winstoogmerk met zijn hoofdkantoor in Londen en afdelingen in de VS, Australië, Belize, Filipijnen en Indonesië. Het hoofddoel is mogelijkheden te verschaffen voor bescherming en duurzame exploitatie van kustgebieden. Het belangrijkste project loopt sinds 1986 in Belize: wetenschappers en vrijwilligers hebben gegevens verzameld over de toestand van de koraaleilanden en riffen buiten de kust en brengen momenteel de mariene en terrestrische hulpbronnen van het Turneffe-atol in kaart. Ander beheerprojecten van kustgebieden worden in Indonesië en de Filipijnen uitgevoerd. In Engeland heeft CCC een aantal expedities georganiseerd om het zeeleven rond de Scilly-eilanden te onderzoeken. Vrijwilligers van de CCC nemen ook deel aan human resource development en educatieve programma's voor lokale gemeenschappen.
Soorten:	Koralen en zeedieren.
Hab.:	Tropische zeedieren.
Loc.:	Belize, Indonesië, Filipijnen, Engeland.
Duur:	Min. twee, max. twaalf weken.
Per.:	Het hele jaar.
Leeft.:	Min. 16.
Vereist:	Duikbrevet (BS-AC Sports, PADI Advanced of CMAS/NAUI/SAA of gelijkwaardig) is vereist. Duikers met het eerste PADI-brevet of gelijkwaardig kunnen deelnemen, maar mogen niet dieper gaan dan 18 m. Indien nodig wordt duikles op de basis van de expeditie gegeven. Onderzoekstraining wordt aan het begin van iedere periode gegeven. Het leven tijdens expedities is primitief.
Werk:	Vrijwilligers nemen deel aan onderzoek van riffen.
Taal:	Engels.
Kosten:	Min ƒ 6045,-, max. ƒ 10.850,- (inclusief eten, accommodatie, uitrusting, training en vluchten vanaf Engeland).
L. term.:	Informeer bij de organisatie.
Accomm.:	Vrijwilligers moeten zelf hun tent meenemen.

Vrijwilligerswerk & natuurbehoud

Vert.:	Neem rechtstreeks contact met de CCC op.
Aanvr.:	Bel of schijf de CCC voor een aanmeldingsformulier.
Opm.:	In Engeland worden door de CCC maandelijks intro-ducties georganiseerd. Een gratis video en informatie-pakket zijn op aanvraag verkrijgbaar.

COTRAVAUX

11 Rue de Clichy
75009 Parijs
Frankrijk
Tel.: 0033 (1) 48747920
Fax: 0033 (1) 48741401

Beschr.:	Cotravaux coördineert twaalf Franse werkkampen. De organisatie bevordert vrijwilligerswerk en projecten voor milieubescherming en herstel van monumenten en sociale projecten. De organisatie biedt veel werkkampen in verschillende delen van Frankrijk. Veel van deelnemende organisaties werken met buitenlandse partners.
Loc.:	Frankrijk.
Duur:	Twee tot drie weken, enkele langetermijnprojecten.
Per.:	Het hele jaar. De meeste projecten vinden plaats van juni tot oktober.
Leeft.:	Min. 18, geen max.
Vereist:	Er zijn geen bijzondere vaardigheden vereist.
Taal:	Voor een paar projecten is kennis van het Frans vereist.
Kosten:	Vrijwilligers moeten zelf hun vervoer naar de kampen betalen. Er wordt voor eten en onderdak gezorgd (voor sommige kampen moet een dagelijkse bijdrage worden betaald).
L. term.:	4-12 maanden. Vrijwilliger kunnen ook voor een tweede maal aan een kortetermijnproject meedoen.
Vert.:	Enkele partner-organisaties (informeer bij Cotravaux).
Aanvr.:	Neem contact met Cotravaux op voor verdere informatie.

Vrijwilligerswerk & natuurbehoud

CTS – CENTRO TURISTICO STUDENTESCO E GIOVANILE

Via A. Vesalio 6
00161 Rome, Italië
Tel.: 0039 (06) 44111471/2/3/4/5 – 4679228
Fax: 0039 (06) 44111401
E-mail: ambiente@cts.it – URL: http://www.cts.it

Beschr.:	Het CTS werd in 1974 opgericht en is nu de grootste jongerenvereniging van Italië. De afdeling milieu organiseert onderzoeksactiviteiten, programma's voor ecotoerisme, milieu-educatie, cursussen en workshops. Er worden ook boeken en video's over het milieu uitgegeven. De onderzoeksexpedities maken gebruik van betalende vrijwilligers voor veldwerk en fondsenwerving door wetenschappers. De projecten betreffen bedreigde soorten, diergedrag, habitatbescherming, natuurbeheer en archeologie.
Soorten:	Beren, dolfijnen, walvissen, zeeschildpadden, steenbokken, flamingo's enzovoort.
Hab.:	Gebergte, Middellandse Zee en kusten, gematigde bossen en lagunes.
Loc.:	Italiaanse Alpen, Apennijnen en nationale parken, eilanden in de Middellandse Zee, Mexico, Cuba, Costa Rica.
Duur:	Min. zes, max. vijftien dagen.
Per.:	Het hele jaar.
Leeft.:	Min. 16. Aan sommige projecten kunnen met toestemming van de ouders ook jongere leden deelnemen.
Vereist.:	Geen bijzondere vereisten. De vrijwilligers moeten een goede conditie hebben en flexibel en meewerkend zijn. Kennis van het Engels of Spaans komt bij enkele internationale projecten van pas. Voor mariene projecten moet men kunnen zwemmen.
Kosten:	Min. f 475,-, max. f 1900,-.
L. term.:	Informeer bij de organisatie.
Taal:	Italiaans, Engels, Spaans.
Vert.:	Het CTS heeft kantoren in Italië, Londen en Parijs. Bel het hoofdkantoor in Rome voor informatie.
Aanm.:	Lidmaatschap is verplicht om aan de expedities mee te doen (f 48,-). Vraag bij het CTS-kantoor aanmeldingsformulieren aan.
Opm.:	Het CTS werkt samen met enkele nationale en internationale organisaties, zoals Involvment Volunteers (Australië) en ASVO (Costa Rica).

Geselecteerde projecten:
Tuimelaar-project, Sardinië en Lampedusa, Italië
Bruine beren in Midden-Italië
Onechte karetschildpadden in Linosa, Italië
Kuda Laut-project, Indonesië
Wolven in Midden-Italië

Vrijwilligerswerk & naturbehoud

EARTHWATCH INSTITUTE (VS)

680 Mount Auburn St. – P.O. Box 9104
Watertown, MA 02272-9104 VS
Tel.: 001 (617) 926-8200
Fax: 001 (617) 926-8532
E-mail: info@earthwatch.org
URL: http://www.earthwatch.org

Beschr.:	Het Earthwatch Institute, dat werd opgericht in 1971, was de eerste organisatie die betalende vrijwilligers gebruikte bij natuurbeheerprojecten. Het heeft 60.000 leden over de hele wereld en ieder jaar doet daarvan ongeveer 7% als vrijwilliger aan expedities mee. In 1998 heeft het Earthwatch Institute 140 projecten gepland op alle continenten. Veel van deze projecten zijn gericht op natuurbehoud, zowel van planten en dieren als van habitats. Het Earthwatch Institute ondersteunt ook veel andere projecten, bijvoorbeeld op gebied van archeologie, aardrijkskunde, geschiedenis en sociale wetenschappen. De vrijwilligers delen de kosten van het onderzoek en dragen bij aan de leiding van het veldwerk. De afgelopen twintig jaar hebben meer dan 50.000 vrijwilligers aan expedities van het Earthwatch Institute deelgenomen.
Soorten:	Wolven, chimpansees, bergleeuwen, dolfijnen, vogels, slangen, neushoorns, krokodillen, stekelhuidigen en andere.
Hab.:	Regenwoud, woestijn, savanne, tropische kusten, gematigde kusten, tropische zeeën, gematigde zeeën, poolstreken, gebergten.
Loc.:	Veel landen in Noord-Amerika, Zuid-Amerika, Europa, Afrika, Azië, Australië en Antarctica.
Duur:	Een tot drie weken.
Per.:	Het hele jaar.
Leeft.:	Min. 16, geen max.
Vereist:	Geen speciale vereisten. Geen beperkingen wat betreft leeftijd, opleiding of kennis. Speciale vaardigheden zijn welkom.
Kosten:	Min. ƒ 1235,-, max. ƒ 7021,-, accommodatie en eten inbegrepen.
L. term.:	Informeer bij de organisatie.
Taal:	Engels.
Vert.:	• **Earthwatch Institute Europe** (zie Lijst van organisaties).
	• **Earthwatch Institute Australië**, 126 Bank Street, South Melbourne, Vic. Australië, 3205, tel.: 0061 (3)

9682-6828, e-mail: jgilmour@creative.access.com.au
· **Earthwatch Institute California**, 360 South San Antonio Road, Suite F-2, Los Altos, CA 94022, VS, tel.: 001 (415) 917-8186, fax: 001 (415) 917-8189, e-mail: millardld@aol.com
· **Earthwatch Institute Japan**, 13th Floor, Fukoku Building, 2-2-Uchisaiwai-Cho, 2 Chome, Chiyoda-Ku, Tokyo 100, Japan, tel. 0081 (3) 3508-5600, fax: 0081 (3) 3508-7578, e-mail: mikekoba@po.iijnet.org.jp

Aanm.: Bel of schrijf naar het dichtstbijzijnde kantoor voor programma's en aanmeldingsformulieren. Lidmaatschap (f 67,-) is verplicht.

Opm.: Studenten, leraren en kunstenaars kunnen beurzen krijgen voor expedities in de VS, Australië en Europa.

Geselecteerde projecten:
Puntlipneushoorn, Zimbabwe
Zeeschildpadden in Costa Rica
Steenarenden van Mull, Schotland
Land van de sneeuwluipaard, India
Gedrag van tuimelaars, VS

EARTHWATCH INSTITUTE (EUROPA)

57 Woodstock Rd
Oxford OX2 6HJ
Engeland
Tel.: 0044 (1865) 311-600 – fax: 0044 (1865) 311-383
E-mail: info@uk.earthwatch.org
URL: http://www.earthwatch.org

Beschr.: Het Europese kantoor van het Earthwatch Institute biedt informatie over alle projecten en stuurt gedetailleerde beschrijvingenvan de expedities (mission alerts), rapporten enzovoort aan wie vrijwilliger wil worden. Deze kan ook een idee krijgen van de Earthwatch-sfeer tijdens de zogeheten discovery weekends.
Vert.: Zie Earthwatch Institute in de Lijst van organisaties.
Opm.: Een fellowship-programma biedt gedeeltelijke en volledige beurzen voor docenten en studenten. Zie Earthwatch Institute op de Lijst van organisaties voor verder informatie.

Geselecteerde projecten:
Puntlipneushoorn, Zimbabwe
Zeeschildpadden in Costa Rica
Steenarenden van Mull, Schotland
Land van de sneeuwluipaard, India
Gedrag van tuimelaars, VS

THE ECOVOLUNTEER NETWORK

Centraal kantoor:
Meyersweg 29 – 7553 AX Hengelo, Nl.
Tel: 074-2508250 – fax.: 074-2506572.
E-mail: info@ecovolunteer.org
URL: http://www.ecovolunteer.org
Zie ook de kantoren hieronder.

Beschr.: Het Ecovolunteer Program biedt voor 1998-1999 ongeveer 25 projecten om praktijkervaring op te doen in natuurbeheer en onderzoek aan dieren, veldwerk, observaties en bij dierenopvangcentra. Tot de projecten behoren veldwerk aan beluga's in het subarctische gebied van Rusland, Przewalski-paarden op de Mongoolse steppe, veldwerk in een Zuid-Afrikaans neushoornreservaat en zorgen voor apen in dierenopvangcentra in Thailand. Tot de overige taken horen bij sommige projecten ook huishoudelijk werk, het verstrekken van informatie aan toeristen enzovoort. Bij de meeste projecten kan de deelnemer zelf beslissen wanneer hij begint en weer vertrekt. Op de projecten kan individueel worden ingeschreven. Het Ecovolunteer Program biedt ook exclusieve lokale projecten waarbij de deelnemers samenwerken met plaatselijke natuurbeschermers, onderzoekers en boswachters. De vrijwilligers worden geacht de plaatselijke gewoonten en over te nemen en het lokale voedsel te eten. Ongeveer 80% van de prijs gaat naar de projecten. Uitgebreide beschrijvingen van projecten zijn te downloaden van www.ecovolunteer.org

Soorten: Gibbons, makaken, chimpansees, franjeapen (*Colobus*), galago's, puntlipneushoorn, witte neushoorn, kalongs, tijgers, kraagbeer, Maleise beer, Przewalski-paarden, Europese wolf, tuimelaar, gewone dolfijn, beluga, griend, bultrug, monniksrobben, zeeschildpadden en ara's.

Hab.: Tropisch regenwoud tot subarctisch.

Loc.: Gehele wereld.

Duur: Min. een, twee, drie of vier weken, afhankelijk van het project.

Per.: Sommige projecten vinden in een bepaald seizoen plaats, andere het hele jaar.

Leeft.: Meeste projecten min. 18, sommige projecten min. 20.

Vereist: De vrijwilligers moeten zich in het Engels kunnen redden, een goede conditie hebben en zelfstandig kunnen werken. Verdere eisen zijn afhankelijk van het project.

Kosten: Variabel, variërend van ƒ 500,- voor twee weken mon-niksrobben-project in Turkije of ƒ 1400,- voor acht weken gibbon-project Thailand tot ƒ 2500,- voor drie weken olifantenonderzoek in Kameroen.

L. term.: Bij verschillende projecten zijn er langetermijnmoge-lijkheden; studenten kunnen dit met hun studieonder-werp combineren (biologie, diergeneeskunde, dierge-drag, antropologie, natuurbeheer).

Vert.: • **België** !TIERRA! vzw, Heidebergstraat 223, 3010 Leu-ven. België. tel./fax.: 0032 (16) 255616
• **Nederland** Wolftrail, Postbus 144, 1430 AC Aals-meer, tel. 0031 (297) 368504, fax: 0031 (297) 367686, e-mail: wolftrail@image-travel.nl
• **Overige landen**: Boeken kan bij alle kantoren en via de website www.ecolunteer.org

Aanvr.: Drie mogelijkheden:
• Mail/fax een standaardformulier uit dit boek naar een kantoor
• Vraag bij een kantoor een Nederlandstalig formulier
• Gebruik het formulier van de website www.ecovolun-teer.org

Opm.: Uitgebreide documentatiebestanden zijn te krijgen op de website www.ecovolunteer.org. Hierin is informatie te vinden over de soorten waar het om gaat, de plaat-sen, de projecten en het soort werk en plaatjes bij ieder onderwerp. Wie een project wil onderbrengen bij het Ecovolunteer Network en vertegenwoordigers die in het Ecovolunteer Network willen worden opgeno-men, kunnen contact opnemen met het Ecovolunteer Program in Nederland.

Geselecteerde projecten:
Tropisch regenwoud van El Amargal, Colombia
Beluga-onderzoeksproject in de Witte Zee, Rusland
Wolven-project Bieszczady, Polen
Indische kroonaap- en kalong-onderzoek, Tamilnadu, India
Gibbons uitzetten in Thailand
Bescherming van vale gieren op Cres, Kroatië
Bultrug-onderzoek, Abrolhos, Brazilië
Ara's observeren in Amazonië, Peru
Monniksrobben-project in Turkije
Bescherming van grienden, Tenerife, Spanje
Project Tamar, Brazilië
Herintroductie Przewalski-paarden in Mongolië
Reddingsproject neushoorns in Swaziland
Herintroductie chimpansees, Sierra Leone
Studietochten door project Tiger Reserves, India
Wolvenonderzoek in het Zapovednik-reservaat, Rusland

EUROPARC DEUTSCHLAND

Voorheen FÖNAD
Postfach 11 53
94475 Grafenau, Duitsland
Tel.: 0049 (8552) 961014 – fax: 0049 (8552) 961019
E-mail: europarc.deutschland@t-online.de

Beschr.:	De Duitse sectie van EUROPARC werd in 1991 opgericht om beschermde gebieden in Duitsland te steunen. Europarc Deutschland richt zich op milieu-educatie en op een plan om het natuurlijk erfgoed voor toekomstige generaties te bewaren. Ieder jaar werken er ongeveer 50 vrijwilligers in beschermde gebieden, voor het merendeel nationale parken. Aan het project kunnen studenten, volwassenen met een universitaire of hbo-opleiding en andere enthousiastelingen deelnemen die hun kennis en vaardigheden willen inzetten voor de nationale parken.
Hab.:	Gematigd woud, kustgebieden, meren enzovoort.
Loc.:	Duitsland.
Duur:	Drie tot zes maanden.
Per.:	April-oktober.
Leeft.:	Min. 18.
Vereist:	Educatieve vaardigheid en kennis van aardrijkskunde of biologie strekt tot voordeel. Soms is ervaring met veldwerk of een rijbewijs vereist.
Werk:	Milieueducatie, public relations.
Kosten:	Geen bijdrage, de meeste plaatsen worden betaald.
L. term.:	Tot zes maanden.
Taal:	Duits is onmisbaar.
Accomm.:	Wordt voor gezorgd.
Aanvr.:	Vraag tussen oktober en december een brochure met beschikbare plaatsen aan. Het formulier moet worden teruggezonden met een curriculum vitae.
Opm.:	De deadline voor aanvragen is begin januari. Gegadigden die zijn aangenomen, worden uitgenodigd voor een vierdaagse workshop in april. In verband met de werkvergunningen meestal open voor inwoners van de EU, anderen op aanvraag.

EUROPE CONSERVATION ITALIA

Via del Macao 9
00185 Rome, Italië
Tel.: 0039 (06) 4741241/2
Fax: 0039 (06) 4744671
E-mail: eco.italia@agora.stm.it

Beschr.: Europe Conservation is een milieuorganisatie zonder winstoogmerk en werd in 1989 op gericht in Italië. Door middel van vrijwilligersprogramma's steunt de organisatie natuurbehoudprojecten die door universitair medewerkers worden uitgevoerd, vooral in Italië en het Middellandse-Zeegebied. Europe Conservation Italia is ook aangesloten bij de Nederlandse organisatie The Ecovolunteer Network (zie Lijst van organisaties).

Soorten: Walvissen, dolfijnen en wolven.

Hab.: Middellandse Zee en kusten, gematigd woud, tropische kusten, regenwoud

Loc.: Middellandse Zee en Italië.

Duur: Min. zes dagen, max. een maand.

Per.: Het hele jaar.

Leeft.: Min. 18. Op verzoek kunnen jongere leden met toestemming van de ouders aan sommige projecten deelnemen.

Vereist: Er zijn geen speciale eisen gesteld. De vrijwilligers moeten flexibel en lichamelijk gezond zijn. Bij sommige projecten is kennis van het Engels vereist. Bij sommige mariene projecten moet de vrijwilliger kunnen zwemmen.

Kosten: Min. ƒ 380,-, max. ƒ 2280,-.

L. term.: Slechts enkele projecten. Informeer naar nadere details.

Taal: Engels en Italiaans.

Aanvr.: Bij de meeste programma's geldt dat wie het eerst komt, het eerst maalt. Voor enkele projecten geldt een selectieprocedure.

Opm.: Neem contact op met de organisatie voor gedetailleerde informatie over de projecten en activiteiten.

EXPEDITION ADVISORY CENTRE, ROYAL GEOGRAPHICAL SOCIETY EN THE INSTITUTE OF BRITISH GEOGRAPHERS

1 Kensington Gore
London SW7 2AR, Engeland
Tel.: 0044 (171) 591 3030 – fax: 0044 (171) 591 3031
E-mail: eac@rgs.org

Beschr.: Het Expedition Advisory Centre (EAC), opgericht door de Royal Geographical Society en de Young Explorer's Trust, houdt zich voornamelijk bezig met het geven van adviezen aan hen die zelf een expeditie organiseren, met nadruk op veldwerk buiten Europa. Het Centre verstrekt informatie over alle aspecten van het organiseren van een expeditie en organiseert ieder jaar in november het Expedition Planning Seminar. Er is een groot aantal publicaties en folders verkrijgbaar, waaronder het boekje 'Joining an Expedition', met 50 organisaties die regelmatig expedities organiseren, op gebied van milieuonderzoek en natuurbehoud tot projecten onder de bevolking en buitensporttraining. Er worden ook richtlijnen gegeven voor het werven van gelden. Het 'Bulletin of Expedition Vacancies' heeft een lijst met expedities die deelnemers zoeken. Wie speciale vaardigheden heeft (wetenschappelijk of medisch) kan op een speciale lijst worden gezet van personen die beschikbaar zijn voor projecten buiten Europa (stuur een geadresseerde retourenvelop naar het Centre voor formulieren). Het Centre is geopend ma-vr 10.00-17.00 uur. Schrijf om informatie aan te vragen of een afspraak te maken.

Opm.: Het Centre geeft alleen informatie en zorgt niet voor inschrijving bij de expedities.

Vrijwilligerswerk & natuurbehoud

FRONTIER

77 Leonard Street
London EC2A 4QS, Engeland
Tel.: 0044 (171) 613 2422/1911 – fax 0044 (171) 613 2992
E-mail: enquiries@frontier.mailbox.co.uk

Beschr.:	Frontier-expedities zijn projecten op gebied van natuurbehoud en onderzoek met nadruk op milieu die worden uitgevoerd in samenwerking met instituten in het gastheerland. Tot de lopende projecten behoren een onderzoek aan de koraalriffen rond het Mafia Island Marine Park (Tanzania), een onderzoek over de verspreiding van groot wild in Ugandese reservaten, een onderzoek aan de mariene habitats in de Quirimba-archipel (Mozambique) en een project over biodiversiteit in het regenwoud van Noord-Vietnam.
Hab.:	Bergen, kustbossen, savanne, koraalriffen enzovoort.
Loc.:	Tanzania, Uganda, Mozambique, Vietnam.
Duur:	Tien weken.
Per.:	Het hele jaar.
Leeft.:	Min. 17.
Vereist:	Om voor deelname in aanmerking te komen, moeten de gegadigden enthousiasme bezitten en zich betrokken voelen bij het natuurbehoud in ontwikkelingslanden.
Kosten:	ƒ 8680,-, inclusief vliegen vanuit Engeland.
L. term.:	Informeer bij de organisatie.
Taal:	Engels.
Werk:	Verzamelen van gegevens, opnames maken, materiaal van plaatselijke dorpen verzamelen.
Aanvr.:	Bel of schrijf naar het kantoor van Frontier.

GLOBAL SERVICE CORPS

Earth Island Institute
300 Broadway, Suite 28
San Francisco, California 94133-3312, VS
Tel.: 001(415) 788-3666 ext.128 – fax: 001(415) 788-7324
E-mail: gsc@igc.apc.org
URL: www.earthisland.org/ei/gsc/gschome.html

Beschr.:	Global Service Corps stelt volwassen vrijwilligers in de gelegenheid om in ontwikkelingslanden te verblijven en op projecten te werken. De vrijwilligers doen werk voor de gemeenschap in dorpen in Afrika, Midden-Amerika en Zuidoost-Azië.
Loc.:	Kenya, Costa Rica en Thailand.
Duur:	Kortetermijnprojecten twee tot vier weken, lange termijn twee maanden of meer.
Leeft.:	Min 18, geen max.
Vereist:	Er zijn geen bijzondere vaardigheden vereist.
Taal:	Engels.
Kosten:	Project Costa Rica van 2 1/2 weken f 3031,-, project Thailand van drie weken f 3411,-, project Kenya van vier weken f 2841,-. Vanuit het project worden de kosten in het betreffende land betaald, behalve persoonlijke uitgaven. Inbegrepen zijn halen en brengen van en naar het vliegveld, kost en inwoning en vervoer tijdens de tocht, bezoek van bezienswaardigheden, entreegelden en materiaalkosten. Een waarborgsom van f 570,- moet bij het aanmeldingsformulier worden ingesloten.
L. term.:	De meeste langetermijnvrijwilligers nemen deel aan een kortetermijnproject dat ze daarna verlengen. De kortetermijnprojecten bieden een goede oriëntatie op het land en de regio, de organisaties en de mensen. Langetermijnvrijwilligers betalen een maandelijkse bijdrage voor kost, inwoning en begeleiding.
Vert.:	Neem rechtstreeks contact op met de organisatie.
Aanvr.:	Neem contact op met de organisatie voor een aanmeldingsformulier. Een curriculum vitae en een begeleidend schrijven van twee tot drie alinea's moeten bij de aanvraag worden meegezonden.

Geselecteerde projecten:
Costa Rica Eco-Service Project

INTERNATIONAL OTTER SURVIVAL FUND

Broadford, Isle of Skye
Schotland, IV49 9AQ
Tel./fax: 0044 (1471) 822 487
E-mail: iosf@aol.com
URL: http://www.smo.uhi.ac.uk/~dobhran/isof_home.htlm

Beschr.:	Het IOSF werkt aan de bescherming van otters door het veilig stellen van geschikte habitats en het ondersteunen van onderzoek en herintroductieprojecten over de hele wereld. Het doel van het Fund is de bescherming van dertien ottersoorten over de hele wereld.
Soorten:	Otter (*Lutra lutra*).
Hab.:	Arctische wouden.
Loc.:	Rusland.
Duur:	Twee tot zes weken.
Per.:	April-oktober.
Leeft.:	Min. 19, max. 65.
Vereist:	Er zijn geen bijzondere vaardigheden vereist.
Kosten:	ƒ 76,- per dag.
L. term.:	Vraag informatie aan bij de organisatie.
Taal:	Duits en Russisch komen van pas.
Aanvr.:	Bel of schrijf naar het IOSF voor aanmeldingsformulieren.

INVOLVEMENT VOLUNTEERS ASSOCIATION INC.

P.O. Box 218, Port Melbourne
Victoria 3207
Australië
Tel.: 0061 (3) 9646-9392 – fax: 0061 (3) 9646-5504
E-mail: ivimel@iaccess.com.au
URL:http://www.iaccess.com.au/ivimel/index.html

Beschr.:	Involvement Volunteers Association Inc. (IVI) is een nongouvernementele instelling zonder winstoogmerk. Men biedt individuele Networked International Volunteering Programs in een of meer landen voor een maximum van twaalf maanden.
Loc.:	Azië en het Pacifisch gebied, Europa, Afrika.
Duur:	Twee tot twaalf weken.
Per.:	Het hele jaar.
Leeft.:	Min. 18.
Vereist:	Bijzondere vaardigheden worden op prijs gesteld, maar zijn niet vereist.
Kosten:	ƒ 176,- aanmeldingskosten. Kosten van deelname zijn afhankelijk van het project en het land.
Taal:	Engels.
Aanvr.:	Neem rechtstreeks contact op met de organisatie.
Vert.:	Italië: CTS-Centro Turistico Studentesco e Giovanile (zie Lijst van organisaties).

IUCN – THE WORLD CONSERVATION UNION

Social Policy Group
28, rue Mauvernay
1196 Gland, Zwitserland
Tel.: 0041 (22) 999 0275 – fax: 0041 (22) 999 0025
E-mail: gur@hq.iucn.org

Beschr.: De IUCN werd in 1948 opgericht en brengt landen, regeringsinstellingen en een diverse reeks nongouvernementele instellingen bijeen in een uniek samenwerkingsverband. Er zijn in totaal ongeveer 895 leden, verspreid over 137 landen in vertegenwoordigd. De IUCN wil samen met zijn leden een duurzame ontwikkeling bewerkstelligen die de kwaliteit van het leven van mensen over de hele wereld verbetert. De IUCN werkt met zes commissies, Ecology, Education and Communication, Environmental Law, Environmental Strategy and Planning, National Parks and Protected Areas en Special Survival. Deze commissies zijn netwerken van technische, wetenschappelijke en politieke experts die hun tijd en kennis op vrijwillige basis in de IUCN steken. Tot de zes commissies behoren meer dan 8500 specialisten die in ongeveer 180 landen werken op het raakvlak tussen de theorie en de praktijk van het natuurbehoud. Een specifiek initiatief is momenteel het bevorderen van de ontwikkeling van samenwerkingsverdragen over natuurbehoud en duurzaam gebruik van grondstoffen binnen en buiten beschermde gebieden. De gekozen methode is die van 'learning by doing', waarbij beroepsnatuurbeschermers en hun vertegenwoordigers onderhandelingen voeren, samenwerkingsverbanden en plannen ontwikkelen en deze voortdurende evalueren. De nadruk ligt op het lering trekken uit eerdere gezamelijke ondernemingen en het uitwisselen van ervaring met anderen op reguliere basis. Management gebaseerd op samenwerking laat zien dat de mogelijkheden van de verschillende sociale participanten elkaar aanvullen op gebied van natuurbehoud, emancipatie en verantwoordelijkheid van de burgergemeenschap en dat management een proces is in plaats van een product.

Loc.: Voornamelijk tropisch Afrika, Zuid- en Zuidoost-Azië en Midden- en Oost-Europa. Er zijn ook mogelijkheden voor andere regio's.

Werk: De vrijwilligers dragen bij aan het verzamelen van informatie, het schrijven van rapporten, het organiseren en bevorderen van brede steun, het plannen van bijeenkomsten, het beheersen van conflicten, de ontwikkeling van verdragen, het onderhouden van gegevensbestanden en het verzamelen van audiovisueel en fotografisch materiaal van overeenkomsten. Vrijwilligers worden ook gevraagd voor het hoofdkantoor in Gland in Zwitserland.

Duur: Een maand tot een jaar.

Per.: Vraag informatie op bij de organisatie.

Leeft.: Min. 21.

Vereist: Varieert afhankelijk van de opdracht, maar meestal het volgende: uitstekende beheersing van de benodigde taal (Engels, Frans, Spaans, Portugees, KiSwahili, Oerdoe enzovoort), gevoel voor de verschillende culturele omstandigheden, in staat zijn in een team te werken, een vaardige pen (meestal in het Engels), kennis van gegevensbeheer, opnemen en bewerken van audiovisuele informatie, ervaring met inspraakprocedures en conflictbeheersing.

Kosten: De vrijwilliger moet naar Zwitserland komen voor een inleidend gesprek op het hoofdkantoor van de IUCN. De omstandigheden kunnen per opdracht verschillen. De vrijwilliger kan alleen technische ondersteuning verwachten, ten minste in de eerste maanden van de opdracht.

L. term.: Aan deelname voor langere tijd wordt de voorkeur gegeven.

Taal: Verschillend.

Vert.: de IUCN heeft regionale en landelijke kantoren. Voor de goede administratieve orde moet het eerste contact bij voorkeur via de Human Resources Management Division lopen. Deze richt het verzoek tot het daartoe dienende bureau van de organisatie.

Aanvr.: Stuur een curriculum vitae in het Engels en informatie over de periode van beschikbaarheid en voorkeurslanden voor de aanstelling.

Vrijwilligerswerk & natuurbehoud

KLAMATH FOREST ALLIANCE

PO Box 820, 518 N. Hwy 3
Etna, CA 96027, VS
Tel.: 001 (916) 467-5405
Fax: 001 (916) 467-3103
E-mail: klamath@snowcrest.net

Beschr.: De Klamath Forest Alliance biedt stageplaatsen voor studenten die praktijkervaring willen opdoen met het werken bij een plattelandsorganisatie die belang heeft bij het milieu. De stageplaatsen zijn bedoeld om de deelnemers basiskennis bij te brengen van de biologische, sociale en economische kwesties die horen bij het leven in het landelijke westen van Amerika. Het meeste werk heeft te maken met het beheer van bossen van particulieren en overheid, bedreigde soorten, waterkwaliteit en duurzame samenlevingen.

Werk: De stageplaatsen van de Klamath Forest Alliance zijn afgestemd op de behoeften van de individuele stagiaire. Het programma is een mengsel van academisch werk (uittreksels en geschreven en audiovisuele rapporten) kantoorwerk (brieven schrijven, tekstverwerken, analyseren van verklaringen betreffende het milieu, illustraties), veldwerk (gegevens verzamelen, documentatie op foto en video, projectoverzichten) en buitenervaring (wildernistraining). Afhankelijk van de noodzaak is er soms een bescheiden salaris beschikbaar.

Duur: Stages duren meestal een tot drie maanden. Onder speciale omstandigheden zijn langere perioden mogelijk.

Accomm.: Klamath Forest Alliance kan gratis onderdak voor stagiairs regelen in een hut, bij een plaatselijk gezin of ('s zomers) op een camping.

Aanvr.: Wie zich wil aanmelden, kan een introductiebrief met curriculum vitae schrijven. Aanbevelingsbrieven van hoogleraren en anderen waarin de motivatie en kennis van de aanvrager naar voren komen, worden gewaardeerd maar zijn niet vereist. Vraag informatie aan bij Susan Rickey, Office Coordinator, op bovenstaand adres.

Lijst van organisaties

71

LEGAMBIENTE

Via Salaria 403
00199 Rome, Italië
Tel.: 0039 (06) 862681 – Kantoor vrijwilligers: 0039 (06) 86268324
Voor duiken: 0039 (6) 86268400
Fax: 0039 (6) 86268319
E-mail: md5920@mclink.it – URL: http://www.legambiente.com

Beschr.:	Legambiente werd opgericht in 1980 en is een organisatie zonder winstoogmerk die zich vooral richt op bewustwording van het publiek en campagnes voor het milieu. Tot de activiteiten voor vrijwilligers behoren werkkampen en evenementen zoals een 'maak de wereld schoon-dag'. Tot de lopende projecten behoren kampen voor restauratiewerkzaamheden en natuurbehoud op eilandjes bij Sicilië, kampen voor onderwaterarcheologie en ecologie op Sicilië, ecologisch onderzoek in de Italiaanse Alpen, archeologisch onderzoek in Zuid-Italië en vele andere.
Soorten:	Diverse.
Hab.:	Middellandse Zee, eilanden en kusten, gematigde bossen, lagunen, Alpen.
Loc.:	Nationale parken en reservaten, mediterrane eilanden, Italiaanse Alpen, Duitsland, Brazilië, Japan, Frankrijk, Wales, Tsjechië, Mexico, Belize, Turkije, Spanje, Denemarken, Polen, België.
Duur:	Tien tot vijftien dagen.
Per.:	Het hele jaar.
Leeft.:	Min. 18. Er zijn speciale programma's voor personen onder de 18.
Vereist:	Er worden geen speciale eisen gesteld.
Kosten:	Min. ƒ 380,-, max. ƒ 2470,-
L. term.:	Vraag inlichtingen aan bij de organisatie.
Taal:	Italiaans, Engels.
Aanvr.:	Neem contact op met het vrijwilligerskantoor of Legambiente voor verder informatie en aanmeldingsformulieren.

LIPU – LEGA ITALIANA PROTEZIONE UCCELLI
(ITALIAANSE BOND VOOR DE BESCHERMING
VAN VOGELS)

Via Trento 49, 43100 Parma, Italië
Tel.: 0039 (0521) 273043 – 273563/Fax: 0039 (0521) 273419
E-mail: lipusede@tin.it – URL: http://www.lipu.it

Beschr.:	LIPU, opgericht in 1965, is de Italiaanse vertegenwoordiger van BirdLife International. Het doel van de organisatie is bescherming van de natuur, met name vogels. De bond ondersteunt vogelopvangcentra, onderzoeksprogramma's voor het behoud van bedreigde soorten, publiciteitscampagnes en milieu-educatie.
Soorten:	Vogels.
Hab.:	Mediterrane kusten en eilanden, gematigde wouden, Alpen.
Loc.:	Verschillende locaties in Italië.
Duur:	Zeven tot tien dagen.
Per.:	Juni-oktober.
Leeft.:	Vraag inlichtingen aan bij de organisatie.
Vereist:	Ervaring en diploma's zijn niet vereist. Voor sommige kampen zijn deskundige ornithologen nodig.
Werk:	Vogels kijken, tellen, ringen, gegevens verzamelen, brandpreventie, onderhoud van paden en herstelwerkzaamheden.
Kosten:	Min. ƒ 570,- max. ƒ 1330,-.
L. term.:	Vraag informatie aan bij de organisatie.
Taal:	Italiaans, Engels.
Aanvr.:	Neem contact met de LIPU voor informatie over aanmelding vanuit het buitenland.

MINGAN ISLAND CETACEAN RESEARCH EXPEDITIONS

Mingan Island Cetacean Study, Inc.
378 rue Bord de la mer
Longue-Pointe-de-Mingan, Quebec, G0G 2V0 Canada
Van oktober - mei: 285 Green St., St. Lambert, Qc. J4P 1T3 Canada
Tel.: 001 (514) 948 3669 – fax: 001 (514) 948-1131
E-mail: micshipolari@videotron.ca

Beschr.:	Deelnemen aan onderzoek met een team mariene biologen. Tot de activiteiten behoren foto-identificatie, biopsieën nemen, gegevens in de computer invoeren en vergelijken (4D). Tot de faciliteiten behoren een fotolaboratorium, een grote computerruimte, een leesruimte en een audiovisueel centrum. Het onderzoek in het Gaspe-gebied wordt in juni en juli gedaan. De meeste tijd wordt op zee besteed. Ook in Loreto zijn de deelnemers het meest op het water; er zijn geen faciliteiten op de wal. Het Silver Bank-programma wordt geleid vanaf een onderzoeksboot. De deelnemers zijn vijf dagen op zee.
Soorten:	Blauwe vinvis, vinvis, bultrug, dwergvinvis.
Hab.:	Baai van de rivier de St. Lawrence, Cortez-zee, Silver Bank.
Loc.:	Het hoofdcentrum bevindt zich in Noordoost-Quebec, en er wordt ook onderzoek gedaan bij Gaspe Peninsula, Quebec en in de riviermonding. 's Winters zijn er onderzoeken in Loreto, Baja California, voor onderzoek aan de blauwe vinvis en op de Silver Bank voor onderzoek aan de bultrug.
Reis:	Het hoofdcentrum bevindt zich aan de noordoostkust van Quebec, 1000 km van Montreal. Canadian Airlines (Intercanadien) vliegt geregeld op Havre St. Pierre, 38 km van het centrum. Voor Loreto wordt naar Los Angeles gevlogen en vervolgens met Aero California naar Loreto.
Duur:	Onderzoeken van zeven tot veertien dagen. De deelnemers kunnen langer blijven.
Per.:	De sessies zijn van juni-september in Quebec, van februari-maart in Loreto en in de maand februari op de Silver Bank.
Leeft.:	Min. 16.
Vereist:	Er worden geen bijzondere vaardigheden vereist. Wees voorbereid op lange perioden op zee, dus zorg voor een goede conditie.
Werk:	Helpen bij het verzamelen van gegevens in het veld – aantekeningen maken, onderzoekers observeren,

Vrijwilligerswerk & natuurbehoud

biopsieën nemen en fotografisch werk. Helpen bij het dagelijkse reilen en zeilen, zoals zorgen voor gas en eten en het klaarmaken van boten.

Taal: Engels, Frans of Duits, in Mexico is Spaans nuttig.

Accomm.: B&B, pension of hotel.

Kosten: Een onderzoek in het Gaspe-gebied kost f 2172,-. Inbegrepen zijn vervoer door de lucht en op de grond, accommodatie, eten en een zevendaags onderzoek met de biologen. Een zevendaags onderzoek bij Longue Pointe kost vanaf f 1901,-. Het Loreto-onderzoek kost f 2461,-, waarbij inbegrepen kosten voor alle activiteiten te water, overnachtingen in hotels en alle maaltijden. Niet inbegrepen zijn vervoer door de lucht en van en naar het vliegveld. Een speciale blauwe vinvis-expeditie onder leiding van Richard Sears kost f 3150,-, alles inbegrepen, behalve de vliegreis. 's Winters is er een zeilexpeditie om bultruggen te bestuderen met Richard Sears op de Silver Bank. De kosten zijn f 2159,- voor vijf dagen op het onderzoeksschip.

L. term.: De meeste mensen kiezen de zevendaagse onderzoeken, maar sommigen blijven tot een maand.

Vert.: Neem rechtstreeks contact op met de organisatie.

Aanvr.: Neem contact op met de organisatie voor aanmelding en medische formulieren.

Opm.: De MICR is een organisatie zonder winstoogmerk en alle bijdragen gaan naar het onderzoek. Hoewel deelnemers bereid moeten zijn te helpen, worden ze altijd als klant behandeld. Er wordt veel aandacht besteed aan geschikte accommodatie en goed eten. Een zekere mate van participatie is welkom, maar de teamleden kunnen het werk ook aan als de deelnemers het wel genoeg vinden om toe te kijken.

THE NATIONAL TRUST

P.O. Box 84
Cirencester GL71ZP
Engeland
Tel.: 0044 (1285) 644727 of 651818
Fax: 0044 (1285) 657935

Beschr.:	De National Trust biedt 400 werkvakanties op gebied van milieubehoud, bosbeheer, nationaal erfgoed en ander onderhoudswerk op het platteland.
Loc.:	Engeland, Wales, Noord-Ierland.
Duur:	Een tot twee weken.
Per.:	Het hele jaar.
Leeft.:	Min. 18.
Vereist:	Er zijn geen speciale vaardigheden vereist. Voor sommige projecten zijn botanici, archeologen of bouwvakkers nodig.
Taal:	Engels.
Kosten:	f 130,- tot f 155,- per week. De organisatie zorgt voor eten en onderdak.
L. term.:	Vraag inlichtingen bij de organisatie.
Vert.:	Neem rechtstreeks contact op met de organisatie.
Aanvr:	Stuur vijf internationale antwoordcoupons op voor een brochure en een aanmeldingformulier. Neem contact op met mw. Fiona Patrick, Volunteers Office, voor nadere informatie.
Opm.:	De National Trust heeft speciale programma's voor jongeren en vrijwilligers boven de 35.

Vrijwilligerswerk & natuurbehoud

NORTH AMERICAN WETLANDS CONSERVATION ACT BEURZEN

N. American Wetlands Conservation Council/U.S.
Fish & Wildlife Service
4401 North Fairfax Drive Arlington, VA 22201, VS
Tel.: 001 (703) 358-1784 – fax: 001 (703) 358-2282
E-mail: r9arw_nawwo@mail.fws.gov
URL: http://www.fws.gov/~r9nawwo/nawcahp.html

Beschr.: Een beurzenprogramma voor projecten in de VS, Canada en Mexico ter behoud van wetlands, die trekvogels, met name watervogels, ten goede komen. De activiteiten zijn voornamelijk gericht op verwerving en herstel- en verbeterwerk. Training en onderzoek vinden ook plaats in Mexico. De projecten moeten behoud op lange termijn van wetlands ten doel hebben. Beurzen kunnen aan personen en organisaties worden toegekend.

Soorten: Trekvogels van de wetlands.

Hab.: Wetlands en bijbehorende gebieden.

Loc.: VS, Canada, Mexico.

Duur: Niet meer dan twee jaar, maar er zijn mogelijkheden voor langere termijnen.

Per.: In Canada en de VS, meestal van juni tot en met september. In Mexico het hele jaar.

Leeft.: Geen leeftijdsgrens.

Vereist: Benodigde kennis dient voornamelijk gericht te zijn op verwerving van terreinen en beheer van wetlands, zoals dijken bouwen. Minder technische vaardigheden, zoals gras aanplanten, kunnen ook gewenst zijn.

Taal: Engels, Spaans.

Accomm.: Varieert per project.

Kosten: Varieert per project.

L. term.: Varieert per project.

Vert.: Neem contact op met de Council Coordinator, die de gegadigde met andere instanties in contact brengt, afhankelijk van het interessegebied.

Aanvr.: Neem contact op met de Council Coordinator.

Opm.: De projecten veranderen jaarlijks en worden driemaal per jaar gefinancierd. De vrijwilligers worden in contact gebracht met mensen die aan projecten in diverse stadia werken.

Lijst van organisaties

OCEANIC SOCIETY EXPEDITIONS

Fort Mason Center, Building E
San Francisco, CA 94123 VS
Tel.: 001 (415) 441-1106 of 1 (800) 326-7491 (alleen VS)
Fax: 001 (415) 474-3395
URL: http://www.oceanic-society.org

Beschr.:	Oceanic Society Expeditions (OSE) werd in 1972 opgericht en is een organisatie zonder winstoogmerk die onderzoek leidt ter bescherming van het aquatisch milieu en milieu-educatie bevordert. De OSE organiseert meer dan 30 projecten, die verdeeld zijn in Natural History Expeditions (NHE) en Research Expeditions (RE). De laatste zijn ingesteld voor specifieke wetenschappelijke doelstellingen. Bij deze projecten werken de vrijwilligers met veldbiologen samen en verzamelen ze gegevens.
Soorten:	Dolfijnen, lamantijnen, primaten, monniksrobben, zeevogels.
Hab.:	Tropische zeeën, gematigde zeeën, regenwoud.
Loc.:	Midway, Baja California, Caribisch gebied, Bahamas en verschillende locaties in Midden-/Zuid- en Noord-Amerika.
Duur:	Vier tot tien dagen voor NHE; een week voor RE.
Per.:	Het hele jaar.
Leeft.:	Min. 18. Personen onder de 18 moet vergezeld zijn van een begeleider.
Vereist:	Enthousiasme en bereidheid instructies aan te nemen zijn noodzakelijk. Voor sommige projecten is een duikbrevet vereist.
Kosten:	f 1280,- tot f 5700,- voor NHE, f 1900,- tot f 3800,- voor RE (er is één project in Monterey Bay dat f 551,- kost).
L. term.:	Vraag inlichten aan bij de organisatie.
Taal:	Engels.
Aanvr.:	Aanvraagformulieren dienen te worden ingeleverd met een waarborgsom van f 570,- per persoon per tocht.
Opm.:	De OSE verwerft ook gelden door dolfijnen- en walvissenadoptie.

Geselecteerde projecten:
Onderzoeksproject lamantijnen, Belize
Langsnuitdolfijnen-project, Midway, VS

ONE WORLD WORKFORCE (OWW)

Rt 4 Box 963A
Flagstaff, Arizona 86001 VS
Tel.: 001 (520) 779-3639 of 001 (800) 451-9564
Fax: 001 (520) 779-3639
E-mail: 1world@infomagic.com
URL: http://www.1ww.org

Beschr.:	Doelgerichte natuurbehoudsprojecten die vrijwilligers inzet bij projecten met geldgebrek om de biologen te helpen hun beheers- en onderzoekswerk uit te voeren. Tot de lopende projecten behoren bescherming van zeeschildpadden en onderzoek aan pelikanen.
Soorten:	Zeeschildpadden en pelikanen.
Hab.:	Regenwouden aan de kust, woestijn, subtropische kusten.
Loc.:	Mexico (Jalisco, Baja California), Costa Rica.
Duur:	Een week tot twee maanden.
Per.:	Maart-november.
Leeft.:	10 tot 18 met ouder, max. 75.
Vereist:	Er worden geen speciale eisen gesteld. De vrijwilligers moeten zich aanpassen aan de omstandigheden van het platteland. Vereist wordt respect voor andere culturen.
Taal:	Spaans komt van pas, maar is niet verplicht.
Accomm.:	Tenten, eenvoudige voorzieningen op het strand of in een hotel.
Kosten:	Tochten kosten f 1093,- tot f 1280,- per week. Senioren, studenten en groepen (minimaal vier personen) kunnen korting krijgen. Tot de kosten behoren die voor eten en onderdak en het vervoer van en naar het vliegveld. Inbegrepen zijn tochtjes naar dorpen, riviermondingen, bossen, boerderijen enzovoort.
L. term.:	Er wordt korting gegeven voor verblijf van een of twee maanden. Vrijwilligers mogen langer blijven zonder te betalen en als veldgids voor het project werken, mits ze voldoende ervaring in het veld hebben opgedaan.
Aanvr.:	Vraag een aanmeldingsformulier aan. Lidmaatschap is niet vereist. De aanvraag moet een maand voor het project begint binnen zijn.

Geselecteerde projecten:
Pelikanen-project in Mexico
Zeeschildpadden-project in Baja California, Mexico

OPERATION CROSSROADS AFRICA, INC.

475 Riverside Dr. Suite 1366
New York, NY 10027, VS
Tel.: 001 (212) 870-2106
E-mail: rainforests@juno.com

Beschr.:	Deze organisatie biedt veel mogelijkheden voor personen die serieus geïnteresseerd zijn in onderwerpen zoals ecologie en milieu, traditionele geneeskunst, herbebossing, dieren, landbouw, onderwijs en vele andere. Vrijwilligers/stagiairs en projectleiders/groepsleiders kunnen zich on-line aanmelden.
Loc.:	Botswana, Gambia, Ghana, Eritrea, Ivoorkust, Kenya, Senegal, Zuid-Afrika, Tanzania, Uganda, Zimbabwe.
Duur:	Programma van zes tot zeven weken.
Per.:	Eind juni/begin juli tot half augustus.
Kosten:	Crossroads helpt vrijwilligers bij het verkrijgen van financiën voor hun reis- en leefkosten.
Aanvr.:	Informatie voor vrijwilligers is per e-mail te krijgen. Stuur voor inlichtingen over projecten een verzoek naar rainforests@juno.com Stuur voor folders een aanvraag naar oca@igc.apc.org Projectleiders/groepsleiders moeten ten minste 26 jaar zijn en over de benodigde kennis beschikken. Stuur om het leiderspakket te ontvangen een e-mail naar de bovenstaande e-mail-adressen en zet daarbij de tekst '(LEADER)' in het onderwerpveld.

Vrijwilligerswerk & natuurbehoud

RALEIGH INTERNATIONAL

Raleigh House
27 Parsons Green Lane
London, SW6 4HZ, Engeland
Tel.: 0044 (171) 371 8585 – fax: 0044 (171) 371 5116
E-mail: info@raleigh.org.uk
URL: http://www.raleigh.org.uk

Beschr.:	Raleigh International, voorheen 'Operation Raleigh', organiseert expedities van tien weken in Engeland en daarbuiten voor jongeren. Tot de projecten behoren onder andere wetenschappelijk onderzoek, inventarisaties, sociaal werk, scholen of bruggen bouwen en artsen in afgelegen dorpen helpen.
Hab.:	Verschillende.
Loc.:	Namibië, Chili, Belize, Uganda, Borneo, Ghana, Oman.
Duur:	Tien weken.
Per.:	Het hele jaar.
Leeft.:	Min. 17, max. 25.
Vereist:	Vrijwilligers (die Venturers worden genoemd) moeten een goede gezondheid hebben, 200 m kunnen zwemmen en zich in het Engels kunnen redden. Wie Venturer wil worden, doet mee aan een proefweekend om lichamelijk en geestelijk te worden getest. De omstandigheden tijdens de expedities zijn zeer primitief en avontuurlijk (er wordt overnacht in tenten) en tot de activiteiten behoren kanoën, duiken en klimmen.
Kosten:	Ong. ƒ 9285,-, inclusief vliegen vanuit Engeland. De Venturers moeten geld voor de expedities bijeen krijgen van sponsors. Met steun van het hoofdkantoor van Raleigh slagen ieder jaar duizend jongeren erin een plaats bij een expeditie te bemachtigen.
L. term.:	Een expeditie duurt tien weken. De Venturers kunnen na thuiskomst bij Raleigh betrokken blijven.
Taal:	Engels.
Vert.:	Neem rechtstreeks contact op met Raleigh International.
Aanvr.:	Stuur een geadresseerd retourenvelop op, waarna het informatiepakket en een aanmeldingsformulier worden toegestuurd.

THE ROYAL SOCIETY FOR THE PROTECTION OF BIRDS (RSPB)

The Lodge, Sandy
Bedfordshire SG19 2DL, Engeland
Tel.: 0044 (1767) 680551
Fax: 0044 (1767) 692365

Beschr.:	Het RSPB Residential Voluntary Warden Scheme werkt in Engeland, Schotland en Wales en biedt aan hen die geïnteresseerd zijn in ornithologie en natuurbehoud de gelegenheid praktijkervaring op te doen bij het dagelijkse werk in een RSPB-reservaat.
Soorten:	Vogels.
Hab.:	Bossen, moerassen, meren, heide, kusten.
Loc.:	Engeland, Schotland, Wales.
Duur:	Min. een week (zaterdag tot zaterdag), max. een maand.
Per.:	Het hele jaar.
Leeft.:	Min. 16 (18 voor buitenlandse vrijwilligers), geen max. Jonge tieners en gezinnen met kinderen boven de 13 zijn welkom.
Vereist:	Goede lichamelijke gezondheid.
Werk:	De taken variëren en zijn onder andere: beheer, toeristen begeleiden, receptiewerk, onderzoek assisteren, werk op de parkeerplaats, gras maaien, vogels tellen, dieren observeren. De taken worden verdeeld naar gelang kennis en ervaring van de vrijwilliger.
Kosten:	Accommodatie is gratis. De vrijwilligers moeten zelf hun eten en vervoer betalen.
L. term.:	Te bespreken na een maand vrijwilligerswerk.
Taal:	Goede kennis van het Engels is vereist.
Accomm.:	Varieert, van berghut tot cottage, caravan of bungalow. Van de vrijwilligers wordt verwacht dat ze hun kamer met één of meer willen delen. In slaapgelegenheid wordt altijd voorzien (behalve slaapzakken), evenals in kookgelegenheid (vrijwilligers moeten zelf boodschappen doen en koken).
Aanvr.:	Neem rechtstreeks contact op met de organisatie voor een informatiepakket en een aanmeldingsformulier. Sluit een etiket met het eigen adres in en twee internationale antwoordcoupons.

SANCCOB – THE SOUTHERN AFRICAN NATIONAL FOUNDATION FOR THE CONSERVATION OF COASTAL BIRDS

P.O. Box: 11 11 6 Bloubergrant – 7443 Kaapstad, Zuid-Afrika
Tel.: 0027 (21) 557 61 55/6
Fax: 0027 (21) 557 88 04 of 556 03 07
E-mail: sanccob@netactive.co.za

Beschr.: SANCCOB werkt aan het herstel van kustvogelpopulaties. De momenteel meest bedreigde soort is de zwartvoetpinguïn, die alleen aan de kust van Zuid-Afrika voorkomt en wordt geclassificeerd als 'vulnerable'. Veel factoren dragen aan zijn snelle achteruitgang bij, maar het ernstigst is de vervuiling door olie. De scheepsroute langs Zuid-Afrika is een van de drukste ter wereld en is daardoor sterk vervuild. De afgelopen vier jaar hebben er drie grote lozingen plaatsgevonden en 90 procent van behandelde vogels zijn door olie aangetaste pinguïns. De behandeling werkt goed en het overlevingspercentage is hoog. Het werk houdt voornamelijk het schoonmaken van het 'hospitaal' in, dus bassins en hokken schrobben (schoonmaken nadat 30-100 vogels hebben gepoept en gekotst, is smerig, zwaar werk), vogels voeren (het zijn sterke, wilde vogels, die niet graag worden vastgepakt), vogels in bedwang houden, wassen, veterinair werk en zorgen dat het centrum schoon is en voorbereid op een olieramp, wanneer in het centrum meer dan duizend pinguïns kunnen worden opgelapt. Het is zwaar, vaak smerig werk, maar het schenkt veel voldoening als de vogels weer kunnen worden uitgezet.

Soorten: Zwartvoetpinguïn (*Spheniscus demersus*). Andere veel geziene vogels: *Phalacrocorax capensis*, *Phalacrocorax coronatus*, *Larus dominicanus*, *Larus hartlaubii* en soms stormvogels, sterns en albatrossen.

Hab.: Kusten.

Loc.: 20 km ten noorden van Kaapstad, Zuid-Afrika.

Reis: Vliegen naar Kaapstad.

Duur: Min. twee weken, max. drie maanden.

Leeft.: Min. 12, min. om met vogels te werken 16.

Vereist: Er zijn geen bijzondere vaardigheden vereist, alleen de bereidheid hard te werken onder niet altijd ideale omstandigheden, met moeilijk te hanteren wilde vogels.

Lijst van organisaties

Werk: De vrijwilligers komen bij het team en doen ervaring op het gebied van hun interesse op. Dit kan voeren, dokteren enzovoort zijn.

Taal: Engels.

Accomm.:   Er is bed & breakfast in het gebied. Neem ook contact op met de organisatie voor andere mogelijkheden.

Kosten: De vrijwilligers betalen zelf voor eten en onderdak. Geschatte kosten per dag f 76,- tot f 95,-.

L. term.:   Mogelijk, met toestemming van de projectleiders.

Vert.:   Neem rechtstreeks contact op met de organisatie.

Aanvr.:   Geen formulieren.

Opm.:   De winters in Kaapstad kunnen koud en nat zijn.

Vrijwilligerswerk & natuurbehoud

SAN GORGONIO VOLUNTEER ASSOCIATION (SGVA)

Programma voor vrijwillige parkwachters
34701 Mill Creek Road
Mentone, CA 92359 VS
Tel.: 001 (909) 794-1123 – fax: 001 (909) 794-1125
URL: http://www.edgeinternet.com/sgva

Beschr.:	Dit vrijwilligersprogramma staat open voor natuurliefhebbers, informatiespecialisten en mensen die willen helpen met onderhoudswerk, recreatie en patrouilleren in de San Gorgonio Wilderness, niet ver van Los Angeles.
Loc.:	De San Gorgonio Wilderness ligt in het San Bernardino National Forest, ongeveer 110 km ten oosten van Los Angeles.
Duur:	Min. twee dagen, max. drie maanden.
Per.:	Mei-september, voornamelijk in weekenden en op feestdagen.
Leeft.:	Min. 18. Personen onder de 18 kunnen deelnemen met een begeleider.
Vereist:	De vrijwilligers moeten hun gekozen taak aankunnen, ervaring hebben met trektochten, paardrijden of mountainbiken op bergpaden (als het werk dat nodig maakt) en zelf hun uitrusting meebrengen. De SGVA leidt ook vrijwilligers op.
Werk:	Natuurliefhebbers: natuurwandelingen begeleiden en/of programma's presenteren, informatiespecialisten: vergunningen, kaarten en andere informatie aan bezoekers verstrekken, Trail Crew: paden door het nationaal park verbeteren, Recreation Maintenance Crew: de faciliteiten voor recreatie verbeteren, Forest Patrol: dagtochten en tochten te voet, te paard of op een mountainbike over paden en zandwegen door het bos om bezoekers te helpen, het bos te bewaken en eenvoudig onderhoud aan paden en kampeerplaatsen te plegen.
Kosten:	De vrijwilligers moeten een deel (ong. ƒ 57,-) van het boswachtersuniform betalen.
L. term.:	Informeer bij de organisatie.
Taal:	Engels.
Aanvr.:	Neem contact op met de SGVA voor meer informatie en een aanmeldingsformulier.

Lijst van organisaties

SCA – STUDENT CONSERVATION ASSOCIATION, INC.

P.O. Box 550
Charlestown, NH 03603, VS
Tel.: 001 (603) 543-1700 – fax: 001 (603) 543-1828
URL: http://www.sca-inc.org

Beschr.:	De SCA is een educatieve organisatie zonder winstoogmerk die twee programma's heeft voor vrijwilligers in het natuurbehoud, het Resource Assistant Program (RAP) voor volwassenen en het High School Program (HSP). De SCA leidt ook het Conservation Career Development Program, dat tot doel heeft jongeren (met name vrouwen en zwarten) aan te moedigen om een carrière in het natuurmanagement te beginnen. Het RAP werft vrijwilligers als tijdelijk medewerker voor natuurbehoudsinstellingen (particulier en van de overheid) in de VS en Canada. Het HSP geeft vrijwilligers van middelbare scholen de gelegenheid om te werken bij natuurbehoudsprojecten, wat aanleggen en onderhouden van paden, herstel van aangetaste gebieden en herbeplanting inhoudt.
Soorten:	Zeevogels, roofdieren, beren, dikhoornschaap, zeeschildpadden enzovoort.
Hab.:	Verschillende habitats in Noord-Amerika.
Loc.:	VS en Canada.
Duur:	Gewoonlijk twaalf weken voor het RAP, drie tot vier weken voor het HSP.
Per.:	Het hele jaar.
Leeft.:	Min. 18 voor het RAP, min. 16 voor het HSP.
Vereist:	Goede gezondheid, enthousiasme en flexibiliteit.
Kosten:	Geen kosten voor het RAP (de elementaire uitgaven worden vergoed door een onderhoudstoelage, een reisbeurs en een toelage voor het uniform). Aanmeldingskosten *f* 38,-. Deelnemers van buiten de VS moeten zelf hun reis betalen.
L. term.:	Max. vier maanden, afhankelijk van het project.
Taal:	Engels.
Aanvr.:	Er moet een uitgebreid aanmeldingsformulier worden ingevuld. Neem ten minste drie referenties op. Deadline voor het HSP is 1 maart.
Opm.:	Lijsten van geplaatsten worden in juli en december uitgegeven.

SCP – SCOTTISH CONSERVATION PROJECTS TRUST

Balallan House
24 Allan Park
Stirling FK8 2QG Schotland
Tel.: 0044 (1786) 479697 – fax: 0044 (1786) 465359
E-mail: scpt@dial.pipex.com

Beschr.:	De SCP is de Schotse afdeling van de BTCV (zie de Lijst van organisaties) en doet praktisch natuurbeschermingswerk ter verbetering van het milieu in Schotland. Ieder jaar doen meer dan zevenduizend vrijwilligers aan de activiteiten mee, zoals het planten van bomen, herstel- en herbouwwerk en repareren van voetpaden. De SCP biedt verschillende programma's voor vrijwilligerswerk voor lange termijn. Ze hebben ook trainingen, speciale projecten en recyclingactiviteiten.
Hab.:	Steden, bossen, meren.
Loc.:	Schotland.
Duur:	Zeven tot tien dagen.
Per.:	Maart-december.
Leeft.:	Min. 16, max. 70.
Vereist:	Er zijn geen speciale eisen; bij sommige projecten is het hard werken.
Kosten:	Varieert per project.
L. term.:	Informeer bij de organisatie.
Taal:	Engels.
Vert.:	Neem rechtstreeks contact met de SCP op.
Aanvr.:	Bel of schrijf naar de SCP voor een aanmeldingsformulier.

SEA LIFE SURVEYS

Dervaig, Isle of Mull
Argyll PA75 6QL, Schotland
Tel.: 0044 (1688) 400223
Fax: 0044 (1688) 400383
E-mail: sealifesurvy@gn.apc.org

Beschr.: Sea Life Surveys doet walvis- en dolfijninventarisaties en is open voor iedereen met interesse in de zee. Het doel van de inventarisaties is het onderzoeken van de soorten en hun gedrag en ze te tellen bij de Inner Hebrides en de interesse in het milieu van het gebied te wekken. Het onderzoek wordt uitgevoerd door de Hebridean Whale and Dolphin Trust.

Soorten: Walvisachtigen (dwergvinvis, orka, gewone zeehond, gewone dolfijn, grijze dolfijn), haaien, zeehonden, zeevogels.

Hab.: Oceaan.

Loc.: Inner Hebrides, Schotland.

Duur: Twee tot zeven dagen.

Per.: April-oktober.

Leeft.: Geen leeftijdsgrens (sommige tochten zijn niet geschikt voor kinderen onder de 12).

Vereist: Er worden geen bijzondere eisen gesteld. Ervaring is niet vereist.

Werk: De vrijwilligers doen mee aan de observaties, leggen de duiktijden van de walvisachtigen vast en helpen met de hydrofoons, het plankton verzamelen, vogels en zeehonden tellen en gegevens invoeren in de computer. Bij ruwe zee en 's avonds blijven de vrijwilligers in het centrum van het project aan de noordzijde van Mull, waar ze zich kunnen ontspannen, lezingen en diavoorstellingen bijwonen en meedoen aan begeleide wandelingen om otters, zeehonden en herten aan de kust of in het bos te kijken.

Kosten: Min. ƒ 450,-, max. ƒ 1550,- waarbij inbegrepen boottochten, excursies, lezingen, vervoer van en naar de veerboot, maaltijden en accommodatie (informatie over de mogelijkheden op aanvraag).

Taal: Engels.

L. term.: Informeer bij de organisatie.

Accomm.: Mucmara Lodge, met kamers met lits jumeaux. Er zijn badkamers, faciliteiten voor gehandicapten, een keuken en een washok. B&B en warme maaltijden zijn eveneens verkrijgbaar. Voor de boottochten staat het

Vrijwilligerswerk & natuurbehoud

onderzoeksschip Alpha Beta ter beschikking, een luxe jacht van 13 m.

Vert.: Neem rechtstreeks contact op met Sea Life Surveys.

Aanvr.: Vraag een aanmeldingsformulier aan, dat moet worden teruggestuurd met een voorschot. Het hele bedrag moet zes weken voor aankomst zijn betaald.

Opm.: Het is aan te raden om vroeg te boeken. Waterdichte, warme kleding is onmisbaar.

SERVICE CIVIL INTERNATIONAL (SCI)

SCI USA
5474 Walnut Level Rd. Crozet, VA 22932
Tel.: 001 (804) 823 1826 – fax: 001 (804) 823 5027
E-mail: sciivsusa@igc.apc.org

SCI Duitsland
Blucherstrasse 14,
D-53115 Bonn
Tel.: 0049 (228) 212086/87 – fax: 0049 (228) 264234
E-mail: sci-d-bonn@oln.comlink.apc.org

SCI Italië
Via G. Cardano 135, 00146 Rome
Tel.: 0039 (6) 5580661/644 – fax: 0039 (6) 5585268
E-mail: md4338@mclink.it

SCI Groot-Brittannië
Old Hall, East Bergholt, Colchester C07 6TQ
Tel.: 0044 (1206) 298215 – fax: 0044 (1206) 299043
E-mail: steve@ivsgbsouth.demon.co.uk

VIA Nederland
Frans Bastiaansestraat 56
1054 SP Amsterdam
Tel.: 020-6892760 – fax: 020-6184469
E-mail: vianl@xs4all.nl

Beschr.:	De SCI is een vrijwilligersorganisatie zonder winstoogmerk die in 1920 werd opgericht en het bevorderen van wederzijds begrip en vrede onder de volken tot doel heeft. De organisatie stuurt vrijwilligers uit naar projecten in Europa en de VS, voor gemeenschappen die zich geen arbeidskrachten kunnen veroorloven. Ieder jaar werken er meer dan 20.000 vrijwilligers van alle nationaliteiten in meer dan honderd kampen.
Loc.:	Europa, Oost-Europa, VS.
Duur:	Twee tot drie weken.
Per.:	Het hele jaar, vooral juni-september.
Leeft.:	Voor Europa min. 18, voor de VS min. 16. Geen max.
Vereist:	Kunnen werken in teamverband en in staat zijn om onder omstandigheden zonder luxe te leven.
Kosten:	De vrijwilligers moeten zelf voor hun vervoer zorgen. De bijdragen zijn *f* 114,- voor de VS, *f* 190,- voor Europa en *f* 475,- voor Oost-Europa. Voor accommodatie, eten en verzekering wordt gezorgd.
L. term.:	Mensen met ervaring met werkkampen kunnen drie tot

	zes maanden aan de projecten deelnemen. Kortetermijnvrijwilligers hebben toestemming van de gastorganisatie nodig om langer te blijven.
Taal:	Engels is gewoonlijk voldoende. Vraag voor andere talen inlichtingen aan bij het SCI-kantoor.
Vert.:	Zie de lijst hierboven voor landelijk SCI-kantoren. De SCI heeft afdelingen in twaalf andere Europese landen en werkt met veel organisaties samen. Neem voor informatie contact op met het dichtstbijzijnde kantoor.
Aanvr.:	Standaard aanvraagformulieren. Lidmaatschap is niet verplicht.
Opm.:	De kleinste projecten zijn voor zes vrijwilligers en de grootste voor twintig. Aan een project kunnen gewoonlijk maar twee vrijwilligers uit hetzelfde land deelnemen, teneinde internationale teams te vormen.

Lijst van organisaties

SOUSSON FOUNDATION

3600 Ridge Road
Templeton, CA 93465, VS
Tel.: 001 (805) 434-0299
Fax: 001 (805) 434-3444
E-mail: sousson@tcsn.net

Beschr.:	De Sousson Foundation werft vrijwilligers om aan projecten in nationale parken in Californië en op Hawaii te werken, zoals Yosemite, Sequoia, Channel Islands en Hawaii Volcanoes National Park. De projecten variëren van herbeplanting en het planten van bomen tot het in stand houden van soorten.
Hab.:	Regenwoud, gebergte.
Loc.:	Californië en Hawaii.
Duur:	Achtdaagse excursies.
Per.:	Mei-oktober.
Leeft.:	Min. 18 (12 voor gezinnen), geen max.
Vereist:	Er zijn geen speciale vaardigheden vereist, fotograferen wordt gewaardeerd.
Kosten:	ƒ 903,-, inclusief eten en kamperen. De vrijwilligers moeten zelf voor hun vervoer zorgen.
L. term.:	De stichting helpt vrijwilligers een langer verblijf na de acht dagen te regelen.
Taal:	Engels.
Vert.:	Neem rechtstreeks contact op met de Sousson Foundation.
Aanvr.:	Vraag een aanmeldingsformulier aan.
Opm.:	De helft van de achtdaagse excursie bestaat uit werk en de andere helft wordt besteed aan ontspanning en educatie. Verdere inlichtingen zijn te verkrijgen bij de stichting.

Vrijwilligerswerk & natuurbehoud

TETHYS RESEARCH INSTITUTE

p/a Acquario Civico
Viale G.B. Gadio 2
20121 Milaan, Italië
Tel.: 0039 (2) 7200 1947 – fax: 0039 (2) 7200 1946
E-mail: marghez@tin.it of panigada@tin.it

Beschr.: Het Tethys Research Institute (TRI) is een particuliere organisatie zonder winstoogmerk die zich wijdt aan het onderzoek van mariene habitats, met nadruk op de walvisachtigen van de Middellandse Zee. Het TRI is gevormd door een groep enthousiaste jonge onderzoekers die het veldwerk uitvoeren met hulp van betalende vrijwilligers.

Soorten: Vinvissen, griend, potvis, tuimelaar, gewone dolfijn.

Hab.: Middellandse Zee.

Loc.: Middellandse-Zeegebied (Italië, Frankrijk, Griekenland, Kroatië).

Duur: Een tot twee weken.

Per.: April-oktober voor zomerprojecten in het Middellandse-Zeegebied.

Leeft.: Min. 18. Jongere vrijwilligers kunnen worden aangenomen als ze door een volwassene worden vergezeld.

Vereist: Er worden geen bijzondere eisen gesteld. De vrijwilligers moeten enthousiast en flexibel zijn. Ze moeten kunnen zwemmen en ervaring met fotograferen, video, computers en boten komt van pas.

Werk: De vrijwilligers assisteren de onderzoekers met observaties, foto-identificatie, gegevens invoeren, bedienen van hydrofoons en opnameapparatuur. De vrijwilligers doen corvee zoals boodschappen doen, schoonmaken en koken.

Taal: Engels. Italiaans en Spaans kunnen nuttig zijn.

Accomm.: Aan boord van de 19 m lange kits Gemini Lab, die onderzoekstochten over de Middellandse Zee maakt. Het schip heeft zes dubbele hutten, twee douches en twee toiletten. In huizen aan de kust voor dolfijnen-projecten in Griekenland en Kroatië (zie de Adriatische en Ionische dolfijnen-projecten in de Lijst van projecten).

Kosten: Min. ƒ 950,-, max. ƒ 2280,-. Hierbij zijn niet de kosten voor eten, verzekering en vervoer van en naar de plaats van het onderzoek of de ontschepingshaven inbegrepen

L. term.: Biologiestudenten of onderzoekers kunnen de TRI-biologen assisteren voor de duur van het hele project, na

93

	de reguliere periode en met toestemming van de lei-ding.
Vert.:	Neem voor Italië rechtstreeks contact op met het TRI. Neem voor overige landen contact op met het Ecovolunteer Network (zie Lijst van organisaties).
Aanvr.:	Neem contact op met het TRI of heet Ecovolunteer Network voor informatie en aanmeldingsformulieren.
Opm.:	De projecten staan onder toezicht van wetenschappers van het TRI, die wetenschappelijke en technische training geven. Lezingen en diavoorstellingen zijn inbegrepen in het programma.

Geselecteerde projecten:

Dolfijnen-project in de Adriatische Zee, Kroatië
Dolfijnen-project in de Ionische Zee, Griekenland
Vinvissen in de Middellandse Zee, Italië
SLOPE – Squid-Loving Odontocete Project, Italië

Vrijwilligerswerk & natuurbehoud

TREKFORCE EXPEDITIONS

134 Buckingham Palace Road
London SW1W 9SA, Engeland
Tel.: 0044 (171) 824 8890 fax: 0044 (171) 824 8892
E-mail: trekforce@dial.pipex.com
URL: ds.dial.pipex.com/town/parade/hu15

Beschr.:	Trekforce is een afdeling van de International Scientific Support Trust (ISST), een liefdadigheidsinstelling die gelden verwerft ter ondersteuning van natuurbehouds- projecten in Indonesië, Belize en Kenya. De expedities bieden de gelegenheid om een nuttige bijdrage aan het natuurbehoud te leveren. De projecten ondersteunen wetenschap en natuurbehoud en zijn betrokken in bouwwerk, flora- en fauna-inventarisaties, archeolo- gisch onderzoek en werk in nationale parken, natuur- reservaten en regenwouden. Tot de recente projecten behoren het bouwen van een schildpaddenkwekerij op Sumatra, Maya-tempels in kaart brengen met het GPS- systeem, wegwijzers neerzetten in een nationaal park in Belize en werken in een orang-oetan-opvangcentrum op Borneo.
Hab.:	Regenwoud, halfwoestijn.
Loc.:	Indonesië, Belize, Kenya (noord).
Duur:	Zes weken of minder of een programma van vijf maan- den in Belize.
Per.:	Het hele jaar.
Leeft.:	Min. 17, geen max.
Vereist:	Er zijn geen bijzondere vaardigheden vereist.
Kosten:	ƒ 8370,- per zes weken, inclusief luchtreis vanuit En- geland.
L. term.:	Veel 'trekkers' komen terug voor een volgende expedi- tie.
Taal:	Engels. Het is nuttig om een lokale taal te leren.
Accomm.:	Heel eenvoudig, met tenten, hangmatten onder een klamboe of legerponcho.
Aanvr.:	Bel of schrijf voor een aanmeldingsformulier.
Opm.:	Vrijwilligers kunnen aan 'training-weekends' in Enge- land meedoen, waar hulp en advies wordt gegeven bij het bij het verzamelen van het geld, de projecten kun- nen bespreken en 'ex-trekkers' kunnen ontmoeten.

UNITED NATIONS VOLUNTEERS (UNV)

15 Chemin des anémones
CH-1219 Châtelaine, Genève, Zwitserland
Tel.: 0041 (22) 979 9332 – fax: 0041 (22) 979 9065 - 979 9079
of P.O. Box 260-11
D-53153 Bonn, Duitsland
Tel.: 0049 (228) 815 2000 – fax: 0049 (228) 815 2001

Beschr.: Het programma van de United Nations Volunteers staat open voor specialisten op verschillend gebied. Meer dan 2000 vrijwilligers hebben deelgenomen aan het programma in ontwikkelingslanden, waarbij wordt samengewerkt met plaatselijke organisaties en gemeenschappen en ze lesgeven en hun specifieke kundigheid ten nutte maken. Onderwerpen van de UNV-programma's zijn onderwijs, milieu, vredesacties en democratie, lediging van menselijke nood en wederopbouw, technische samenwerking en hulp aan vluchtelingen. Momenteel werken 10% van de UNV's op gebied van milieu en natuurbehoud in specifieke gebieden, bijvoorbeeld aan bescherming van planten, behoud van bossen, afvalverwerking, energietechnologie, meteorologie, kusterosie, behoud van het cultureel erfgoed en toerisme. UN Volunteers zijn aangesteld bij projecten zoals een pandareservaat in China en een project over het broeikaseffect op de Maladiven.

Loc.: Ontwikkelingslanden in de hele wereld, zoals India, Brazilië, Mali en Burkina Faso (voor het milieuprogramma).

Duur: Aanstellingen zijn meestal voor twee jaar. Ook kortere aanstellingen zijn mogelijk.

Per.: Het hele jaar.

Leeft.: Min. 21, maar de meeste vrijwilligers zijn ouder dan 35, aangezien professionele werkervaring een vereiste is.

Vereist: De vrijwilligers moeten ten minste twee jaar ervaring in hun vak hebben. Leraren, artsen, verplegers, technici, geologen, automonteurs, bibliothecarissen, vroedvrouwen en vele andere beroepen zijn welkom.

Werk: Varieert afhankelijk van het programma en de plaats.

Taal: Engels en/of Frans, Spaans, Arabisch of Portugees. Van de geselecteerde vrijwilligers wordt de taalvaardigheid getest.

Accomm.: Voor vrijwilligers en hun gezin (partner en tot twee kinderen onder de 21) wordt voor eenvoudige accommodatie gezorgd. Meubels en huishoudelijke artikelen worden verstrekt. Als dit niet kan worden geregeld, wordt de betaalde huur vergoed.

Kosten: UNV-vrijwilligers ontvangen een maandelijkse toelage die varieert van f 1140,- tot f 2660,- voor alleenstaanden en van f 1280,- tot f 3610,- voor vrijwilligers met een gezin. Bij beëindiging van een aanstelling wordt een subsidie voor herhuisvesting toegekend. Levens-, ziektekosten- en arbeidsongeschiktheidsverzekeringen zijn gratis. Terugreis naar de standplaats (inclusief gezinsleden) wordt eveneens betaald.

L. term.: Sommige aanstellingen kunnen na de eerste twee jaar worden verlengd.

Aanvr.: Bel of schrijf voor een PHS-formulier (Personal History Statement), dat met twee foto's en professionele en persoonlijke referenties moet worden teruggestuurd. Als het PHS door het UNV-hoofdkwartier wordt goedgekeurd, komt de gegadigde op de kandidatenlijst. Als de vrijwilliger voor een bepaalde post wordt geselecteerd, zijn of haar PHS voor goedkeuring voorgelegd aan een VN-instelling en de regering van het land dat een UNV-specialist heeft aangevraagd. De selectie van de kandidaten kan een aantal maanden duren. Aangenomen kandidaten moeten beginnen binnen acht weken nadat ze in de laatste selectieronde zijn gekomen.

UNIVERSITY RESEARCH EXPEDITIONS PROGRAM (UREP)

University of California
Berkeley, CA 94720-7050 VS
Tel.: 001 (510) 642-6586 – fax: 001 (510) 642-6791
E-mail: urep@uclink.berkeley.edu
URL: http://www.mip.berkeley.edu/urep

Beschr.:	Het UREP werd opgericht in 1976 biedt een hele reeks mogelijkheden om deel te nemen aan veldwerk over de hele wereld, dat als onderwerpen wilde dieren, archeologie, aardwetenschappen, milieu en natuurbehoud heeft.
Soorten:	Vogels, kikkers, lamantijnen, apen, vossen enzovoort.
Hab.:	Regenwoud, bergen, woestijn, lagunen, tropische zeeën, grasland, savanne.
Loc.:	Verschillende plaatsen in Noord-, Midden- en Zuid-Amerika, Afrika, Europa, Polynesië.
Duur:	Twee tot vier weken.
Per.:	Maart-augustus.
Leeft.:	Vraag inlichtingen bij de organisatie.
Vereist:	Er is geen speciale opleiding of veldervaring vereist. Weetgierigheid, flexibiliteit en vermogen om samen te werken zijn essentieel. Ervaring in de vrije natuur, met observeren, tekenen, fotograferen of duiken kan nuttig zijn. Voor sommige expedities is een medische keuring vereist.
Kosten:	Min. f 1280,-, max. f 3610,-, inclusief eten en accommodatie.
L. term.:	Vraag informatie aan bij de organisatie.
Taal:	Engels.
Aanvr.:	Stuur een aanmeldingsformulier op met een waarborgsom van f 380,-.
Opm.:	Een catalogus kan besteld worden door $5 portokosten over te maken aan bovenstaand adres. Voor leraren zijn er speciale programma's. Voor leraren en studenten zijn beurzen beschikbaar.

Geselecteerde projecten:
Wetlands van Belize

U.S. DEPARTMENT OF AGRICULTURE – FOREST SERVICE

Vrijwilligerswerk in de National Forests
P.O. Box 96090 Washington, DC 20090 – 6090
VS

- Northern Region, Federal Bldg., P.O. Box 7669, Missoula, MT 59807, tel. 001 (406) 329-3511
- Region 2-Rocky Mountain, 740 Simms Street, P.O. Box 25127, Lakewood, CO 80255, tel. 001 (303) 275-5350
- Region 3-Southwestern, Federal Bldg., 517 Gold Ave., SW Albuquerque, NM 87102, tel. 001 (505) 842-3292
- Region 4-Intermountain, Federal Office Bldg., 324 25th St., Odgen, UT 84401, tel. 001 (801) 625-5412
- Region 5-California, 630 Sansome St., San Francisco, CA 94111, tel. 001 (415) 556-0122
- Region 6-Pacific Northwest, 333 SW First Avenue, P.O. Box 3623, Portland, OR 97208, tel. 001 (503) 221-2877
- Region 8-Southern, 1720 Peachtree Rd., NW, Suite 800, Atlanta, GA 30367, tel. 001 (404) 347-4191
- Region 9-Eastern, 310 Wisconsin Ave., Milwaukee, WI 53203, tel. 001 (414) 297-3693
- Region 10-Alaska, Federal Office Bldg., P.O. Box 21628 Juneau, AK 99802-1628, tel. 001 (907) 586-8863
- Elden Pueblo Project, 2323 E. Greenlaw Ln., Flagstaff, AZ 86004
- Sequoia Nat. Forest, 900 W.Grand Ave., Porterville, CA 93257-2035
- Tongass Nat. Forest, Federal Bldg., Ketchikan, AK 99901
- Tongass Nat. Forest – Petersburg Area, P.O. Box 309, Petersburg, AK 99833
- Northeastern Area State and Private Forestry, P.O. Box 6775, Radnor, PA 19087 tel: 001 (215) 975-4111
- International Institute of Tropical Forestry, Call Box 25000, UPR Experimental Station, Rio Piedras, PR 00928 tel: 001 (808)7665335

Beschr.: De Forest Service beheert en beschermt het National Forest System en werkt samen met particuliere eigenaren van bossen, instanties van de plaatselijke en nationale overheid en particuliere organisaties. De dienst voert ook onderzoek uit ter verbetering van de kwaliteit van het bos en producten daaruit. De bijdrage van vrijwilligers is hard nodig, omdat de Forest Service een beperkt budget heeft. Het doel is vrijwilligers bevredigend werk te bieden en tegelijkertijd de noodzakelijke taken uit te voeren.

Soorten: Diverse.

Hab.:	Diverse in de VS.
Loc.:	National Forests in de VS.
Duur:	Vraag inlichtingen bij het gekozen National Forest.
Per.:	Vraag inlichtingen bij het gekozen National Forest.
Leeft.:	Geen leeftijdgrenzen. Personen onder de 18 moeten schriftelijke toestemming van ouders of voogd hebben.
Vereist:	Er zijn geen bijzondere vaardigheden vereist. De vrijwilligers moeten gezond zijn, zodat ze zonder gevaar voor zichzelf en anderen hun werk kunnen doen. Voor sommige werkzaamheden is een medisch onderzoek nodig. Gehandicapten worden aangemoedigd zich op te geven.
Werk:	Tot de werkzaamheden behoren onderhouden van campings en ontvangen van gasten, werken in bezoekerscentra en boswachtersstations, bomen planten, milieueducatie geven, bouw- en reparatiewerkzaamheden en fotograferen.
Accomm.:	Soms is accommodatie beschikbaar. Informeer bij het gekozen National Forest.
Kosten:	De vrijwilligers ontvangen geen vergoeding, maar sommige uitgaven, zoals die voor vervoer, onderdak, levensonderhoud en uniform kunnen per geval worden vergoed.
L. term.:	Vraag inlichtingen bij het gekozen National Forest.
Taal:	Engels.
Aanvr.:	Neem contact op met de regionale kantoren voor adressen van National Forests. Vraag een aanmeldingsformulier aan.

U.S. FISH AND WILDLIFE SERVICE

Alaska Regional Office
1011 E. Tudor Rd.
Anchorage, Alaska 99503 VS
Tel.: 001 (907) 786-3391 – fax: 001 (907) 786-3976 of 786-3635
E-mail: bill_kirk@mail.fws.gov

Beschr.:	Het doel van de U.S. Fish and Wildlife Service is bescherming van vissen en andere dieren en hun habitat ten behoeve van het Amerikaanse volk. Prioriteit hebben trekvogels, bedreigde soorten, natuurlijke en kunstmatige zoetwatervisgronden en bepaalde zeezoogdieren. De dienst heeft zeven regionale kantoren, een hoofdkwartier in Washington D.C. en vele eenheden in het veld, reservaten, viskwekerijen en onderzoekslaboratoria.
Soorten:	Trekvogels, vissen, zeezoogdieren.
Hab.:	Arctische en subarctische kustgebieden, loof- en naaldwouden, taiga, toendra.
Loc.:	Alaska, VS.
Duur:	Van enkele dagen tot een aantal maanden.
Per.:	Het gehele jaar, vooral april-september.
Leeft.:	Min. 18, geen max.
Vereist:	Ervaring in natuurwetenschappen strekt tot aanbeveling. Op sommige plaatsen behoren lesgeven, spreken in het openbaar en andere specialisaties tot de activiteiten.
Kosten:	De vrijwilligers moeten zelf hun vervoer naar de VS bekostigen. Reizen, eten en onderdak worden gewoonlijk vergoed na aankomst in Alaska bij het begin van de aanstelling.
Taal:	Engels.
Aanvr.:	Neem contact op met de coördinator voor Alaska, dr. William L. Kirk, op bovenstaand adres, en vraag een aanmeldingsformulier aan.
Opm.:	Vrijwilligers van buiten de VS moeten een goed plan opstellen en voor een visum zorgen om in de VS als vrijwilliger te werken. Neem aan het begin van het jaar contact op met dr. Kirk.

U.S. NATIONAL PARK SERVICE

VIP (Volunteers-In-Parks) Program

- Alaska Field Area, 2525 Gambell St., Room 107, Anchorage, AK 99503-2892, tel.: 001 (907) 257-2580
- Intermountain Field Area, 12795 West Alameda Parkway, Denver, CO 80225-0287, tel.: 001 (303) 969-2638
- Midwest Field Area, 1709 Jackson St., Omaha, NE 68102, tel.: 001 (402) 221-3458
- National Capital Field Area, 1100 Ohio Dr., SW, Washington, DC 20242, tel.: 001 (202) 619-7224
- Northeast Field Area, Chesapeake/Allegheny System Support Office, U.S. Customs House, 200 Chestnut St. RM. 306, Philadelphia, PA 19106, tel.: 001 (215) 597-4971
- New England System Support Office, 15 State St., Boston, MA 02109, tel.: 001 (617) 223-5101
- Pacific West Field Area, 600 Harrison St., suite 600, San Francisco, CA 94107-1372, tel.: 001 (415) 744-3885
- Southeast Field Area, 75 Spring St., SW, Atlanta, GA 30303, tel.: 001 (404) 331-3799

Beschr.:	De U.S. National Park Service heeft tot taak de meer dan 350 nationale parken in de VS in stand te houden. Via het VIP-programma (Volunteers-In-Parks) kan iedereen bijdragen aan het instandhouden van de natuur in de nationale parken.
Soorten:	Verschillende.
Hab.:	Verschillende in Noord-Amerika.
Loc.:	Nationale parken in de hele VS.
Duur:	Informeer bij het gekozen park of gebied.
Per.:	Informeer bij het gekozen park of gebied.
Leeft.:	Min. 18. Personen onder de 18 moeten toestemming van hun ouders of voogd hebben of moeten in gezelschap van een volwassene zijn.
Vereist:	Ieder park heeft zijn eigen behoeften en heeft vrijwilligers nodig die geschikt zijn voor specifieke taken. De vrijwilligers moeten gezond zijn, zodat ze hun taak aankunnen. Voor sommige werkzaamheden is een medische keuring nodig. Gehandicapten worden aangemoedigd zich op te geven.
Werk:	De vrijwilligers verrichten verschillende taken, zoals informatie verstrekken op bezoekerscentra, artefacten opnemen in de archeologische of historische verzameling van het park, inventarisaties van planten en dieren uitvoeren en herstelwerkzaamheden van wandelpaden te verrichten. De vrijwilligers krijgen voor ze beginnen een doelgerichte training en oriëntatie op het werk.

Vrijwilligerswerk & natuurbehoud

Accomm.: Sommige grotere parken bieden gratis huisvesting voor VIP's.

Kosten: Sommige parken vergoeden bepaalde uitgaven, zoals reiskosten in de omgeving, eten en uniform. De vrijwilliger moet zelf de reis naar en van het park bekostigen.

L. term.: Informeer bij het gekozen park.

Taal: Engels.

Aanvr.: Adressen van parken kunnen worden verkregen bij de Field Area-kantoren. Vraag om een aanmeldingsformulier als VIP. Wie vrijwilliger wil worden, kan meer dan één park aanschrijven. De selectie voor de plaatsen in de zomer vindt gewoonlijk plaats tussen februari en april.

Opm.: Vrijwilligers van buiten de VS moeten een werkvergunning of een speciaal studentenvisum hebben om te worden aangenomen. De U.S. Immigration and Naturalization Service beschouwt de vergoeding van dagelijkse uitgaven als een vorm van betaling voor werk. Wie met een gewoon toeristenvisum reist, mag niet werken in de VS en de INS kan deze personen naar hun land terugsturen en ze verdere toegang tot de VS verbieden. Wees voorbereid op een langdurige procedure om de vereiste papieren te krijgen. Internationale vrijwilligers moeten verzekerd zijn.

VOLUNTEERS FOR OUTDOOR COLORADO

600 South Marion Parkway
Denver, Colorado 80209-2597 VS
Tel.: 001 (303) 715-1010
Fax: 001 (303) 715-1212
E-mail: voc@voc.org
URL: http://www.aclin.org/code/voc

Beschr.:	Volunteers for Outdoor Colorado (VOC) is een organisatie zonder winstoogmerk die in 1984 werd opgericht om persoonlijke betrokkenheid onder burgers en bezoekers met Colorado te bevorderen en te behouden. De VOC organiseert herbouw- en onderhoudsprojecten van een of twee dagen en levert vrijwilligers en opleidingen aan beheerinstellingen, andere non-profit-organisaties en gebruikersgroepen. De VOC-projecten hebben mensen nodig voor veldwerk en voor in de keuken: in plaats van aan paden te werken, kunnen vrijwilligers zich bezighouden met koken, opdienen en opruimen. Het VOC Clearinghouse dient als hulpbron voor instellingen van de nationale, federale en plaatselijke overheidsinstellingen: dit programma omvat meer dan 500 vrijwilligersplaatsen in Colorado. Hierbij gaat het om botanie, bouwwerkzaamheden, milieu-educatie, recreatie, dieren, informeren van bezoekers, onderzoek en werk aan paden.
	Het Colorado Fourteeners Initiative (er liggen in Colorado 54 bergen die hoger zijn dan 14.000 voet) is een vennootschap dat is opgericht door organisaties en individuele personen die het kwetsbare ecosysteem van deze bergen willen behouden. Vrijwilligers kunnen deelnemen aan werkzaamheden van een weekend, een week of een seizoen lang.
Hab.:	Stadstuinen en parken, rivieren, meren, bergen.
Loc.:	Stedelijke en natuurlijke gebieden, nationale parken en bossen, staatsparken, bergen van Colorado.
Duur:	Een dag tot vier maanden.
Per.:	Het hele jaar.
Leeft.:	Voor VOC-projecten: kinderen boven de 8 (afhankelijk van de beperkingen van het project) en volwassenen van alle leeftijden. Kinderen onder de 16 moeten ieder afzonderlijk worden begeleid door een volwassene. Voor Clearinghouse-plaatsen is de minimumleeftijd afhankelijk van de betreffende instelling.
Vereist:	Voor VOC-projecten is geen ervaring vereist. Voor sommige projecten zijn geschoolde timmerlieden nodig.

	Voor Clearinghouse-plaatsen verschillen de eisen per instelling.
Kosten:	Max. f 48.
L. term.:	Voor projecten van het VOC Clearinghouse.
Taal:	Engels.
Aanvr.:	Vraag een aanmeldingsformulier aan. Alleen voor het Colorado Fourteeners Initiative vindt vanwege de zware werkomstandigheden een selectie plaats.
Opm.:	Na aan een VOC-project te hebben deelgenomen, kunnen vrijwilligers een Crew Leader Training volgen, die lessen, een weekend in het veld en een leerperiode omvat. In april publiceert de VOC onder de naam VOC Clearinghouse Program een catalogus met een lijst van plaatsen in Colorado waar vrijwilligerswerk is te doen. Bel, schrijf of e-mail naar de VOC om deze catalogus aan te vragen. Recente informatie is ook te vinden op het Internet-adres hiervoor.

Lijst van organisaties

THE WILDERNESS TRUST

The Oast House
Hankham
Near Pevensey, East Sussex BN24 5AP
Engeland
Tel./fax: 0044 (1323) 461730

Beschr.: De Wilderness Trust bevordert reizen en kampen op gebied van natuureducatie die zichzelf bekostigen. De programma's zijn gericht op zelf ontdekken, het behoud van ongerepte natuur en natuurlijke historie voor groepen jongeren en volwassenen. De groepen hebben gewoonlijk een minimum aantal van zes en een maximum van acht.

Loc.: Juniorprogramma's (13-16) worden gehouden in Wales, programma's voor jongeren (16-18+) en volwassenen worden in Zuid-Afrika, Canada en Wales gehouden. Ook kunnen er winterse wildernisreizen in Lapland worden georganiseerd.

Duur: Juniorprogramma's drie tot vijf dagen. Programma's voor volwassenen zeven, veertien en tot 30 dagen en langer.

Leeft.: Min. zeven dagen, max. 30 dagen.

Vereist: Er worden geen bijzondere eisen gesteld.

Kosten: Juniorprogramma vanaf ƒ 155,-. Voor de overige worden de gegevens op aanvraag opgestuurd, en de kosten hangen af van de lengte van de reis, tijd van het jaar en de inhoud van de reis.

Taal: Engels.

Accomm.: Gewoonlijk in de openlucht of in kampen in de natuur bij reizen in Afrika en Canada. Is Wales wordt voor eenvoudige accommodatie in slaapzalen gezorgd.

Vert.: The Wilderness Trust wordt in Groot-Brittannië vertegenwoordigd door ECCO Tours Ltd. Ze nemen boekingen aan en versturen informatie op verzoek. Ze zijn te bereiken op 4 Macclesfield Street, Londen W1V 7LB, tel: 0044 (171) 494 1300, fax 0044 (171) 494 1369

Opm.: Details over het begin van de programma's en de kosten worden op verzoek toegestuurd.

WWF ITALIË

Via Canzio 15
20131 Milano, Italië
Tel.: 0039 (02) 20569505 – fax: 0039 (02) 20569 246
E-mail: mc2252@mclink.it
URL: http://www.mclink.it/n/assoc.amb/wwf/wwf.htm

Beschr.: WWF Italie is de grootste milieuorganisatie van dat land en beheert 70 dierenreservaten. De vrijwilligers worden geworven voor kampen voor veldonderzoek, herstelwerkzaamheden en brandpreventie. Ook worden internationale expedities georganiseerd.

Soorten: Vogels, wolven, zeeschildpadden, walvissen, dolfijnen, beren.

Hab.: Gematigde en tropische zeeën, bergen, wetlands, meren.

Loc.: Brazilië, Frankrijk, Griekenland, Hongarije, Ierland, Italië, Schotland, Slovenië, Spanje, Tunesië, Venezuela.

Duur: Min. vijf dagen, max. twee weken.

Per.: Het hele jaar.

Leeft.: Min. 18. Sommige projecten nemen jongere leden aan met goedkeuring van de ouders.

Vereist: Er zijn geen ervaring of bijzondere vaardigheden vereist.

Kosten: Min. *f* 67,-, max. *f* 4750,- (verzekering, eten en accommodatie inbegrepen).

L. term.: Vraag inlichtingen op bij de organisatie.

Taal: Italiaans, Engels.

Vert.: WWF heeft kantoren in veel landen. Vrijwilligers uit alle landen kunnen zich wenden tot WWF International, 1196 Gland, Zwitserland.

Aanvr.: Vraag een aanmeldingsformulier aan, dat moet worden teruggestuurd met een waarborgsom van *f* 133,-. De vrijwilligers moeten lid zijn van het WWF.

Opm.: Neem contact op met het landelijke WWF(WNF)-kantoor voor informatie over werkkampen in het eigen land of over mogelijkheden voor vrijwilligers in het buitenland.

Geselecteerde projecten:
Hyenahonden-project in Senegal
Project Tamar, Brazilië
Los Roques-eilanden, Venezuela

YOUTH CHALLENGE INTERNATIONAL (YCI)

11 Soho Street
Toronto, Ontario M5T IZ6, Canada
Tel.: 001 (416) 971-9846
Fax 001 (416) 971-6863
E-mail: info@yci.org

Beschr.:	Het YCI is een in Canada gevestigde organisatie voor sociale ontwikkeling die jongeren uit alle landen van 18-25 jaar uitstuurt naar Costa Rica en Guyana. De projecten omvatten bouwwerk, gezondheidsvoorlichting en milieuonderzoek. Er zijn volwassen vrijwilligers nodig om groepen jongeren te begeleiden.
Soorten:	Regenwoud en fauna van rivierdelta's.
Hab.:	Regenwoud.
Loc.:	Costa Rica, Guyana.
Duur:	Vier tot zes maanden.
Leeft.:	Min. 26.
Vereist:	Ervaring met veldwerk met groepen jongeren. Werken in afgelegen gebieden of ontwikkelingslanden.
Kosten:	De reis van Canada naar de werkplek en uitgaven na aankomst aldaar worden vergoed. De vrijwilligers moeten zelf hun vaccinaties en persoonlijk uitrusting betalen.
L. term.:	Plaatsing is voor vier tot zes maanden. Daarna kunnen de vrijwilligers nog een periode blijven werken.
Taal:	Engels, Spaans.
Vert.:	Partnerorganisaties bevinden zich in Guyana (Youth Challenge Guyana), Costa Rica (Reto Jeuvenil) en Australië (Youth Challenge Australië).
Aanvr.:	Aanvragen kan op ieder moment. Bel of schrijf voor een aanmeldingsformulier.

LIJST VAN PROJECTEN

AFRIKAANSE OLIFANTEN ONDERZOEK, KAMEROEN

EcoVolunteer Program/Ray Research Centre
http://www.ecovolunteer.org

Nederland	België
Wolftrail	¡Tierra!
Postbus 144	Heidebergstraat 223
1430 AC Aalsmeer	B-3010 Leuven
Tel. 0297-368504	Tel. 016-255616
Fax 0297-367686	Fax 016-255616
Email: wolftrail@image-travel.nl	

Beschr.: Het Ray Research Centre verricht vanuit een bushkamp in Noord-Kameroen wetenschappelijk onderzoek op de savanne aan het gedrag van Afrikaanse olifanten en Cob antilopen. Deze beide soorten zijn hier sleutelsoorten waar het de ecologie van het gebied betreft, de overgangszone van de droge noordelijke savannes naar de zuidelijke vochtige wouden.

Soorten: Afrikaanse olifant (*Loxodonta africana*). Ook andere diersoorten komen hier voor waaronder diverse soorten antilopen, buffel, nijlpaard, wrattenzwijn, luipaard, baviaan, jakhals, diverse civetkatten, hyena, aardvarken en vele andere soorten.

Hab.: Grasland savanne, bossavanne, rivierbegeleidend bos, moeras.

Loc.: Bénoué savanne, Noord-Kameroen (ca. 80 km van Garoua).

Reis: Deelnemers reizen/vliegen zelfstandig en op eigen kosten naar Garoua in Noord-Kameroen. Daar worden zij afgehaald en naar de projectlocatie gebracht.

Duur: min. 3 weken, max. 12 weken.

Per.: Januari t/m maart en mei t/m juli.

Leeft.: min. 20 jaar.

Vereist: Engels en/of Frans spreken, goede conditie en gezondheid.

Werk: Assisteren van de onderzoekers met het doen van waarnemingen aan olifanten (gedrag, verspreiding, identificatie) en andere voorkomende werkzaamheden waaronder ook onderzoek aan Cob antilopes. Het onderzoek kan betekenen dat er dagen tussen zitten waarop grote afstanden te voet op de savanne moeten worden afgelegd. Verder behoort assistentie bij allerhande dagelijkse reguliere onderhoudsactiviteiten in het kamp tot het werk.

Taal: Engels en/of Frans.

Accomm.: Traditionele hutten ('boekaroe') voor twee personen.

Vrijwilligerswerk & natuurbehoud

Kosten:	Drie weken *f* 2725,-, iedere week extra *f* 780,-. Hierbij zijn het onderdak en alle maaltijden bij inbegrepen.
L.term.:	Lange termijn deelname is mogelijk op aanvraag, maar niet buiten de boven aangegeven periode voor deelname.
Vert.:	Het Ecovolunteer Program.
Aanvr.:	Bij Ecovolunteer kantoren in Nederland (Wolftrail; zie boven) en België (Tierra; zie boven), of via de website http://www.ecovolunteer.org/

AFRIKAANSE WILDE HONDEN ONDERZOEK, ZIMBABWE

EcoVolunteer Program/Painted Dog Research Project
http://www.ecovolunteer.org

Nederland	België
Wolftrail	¡Tierra!
Postbus 144	Heidebergstraat 223
1430 AC Aalsmeer	B-3010 Leuven
Tel. 0297-368504	Tel. 016-255616
Fax 0297-367686	Fax 016-255616
Email: wolftrail@image-travel.nl	

Beschr.: De Afrikaanse wilde hond is een van de mooiste, en tegelijk een van de meest bedreigde roofdieren ter wereld. Met radiotelemetrisch onderzoek tracht men inzicht te krijgen hoe de levenswijze van deze toch vrij onderkende dieren is om daarmee bij te kunnen dragen aan de overlevingskansen van deze snel steeds zeldzamer wordende driekleurige honden.

Soorten: Afrikaanse wilde hond (*Lycaon pictus*). Veel andere Afrikaanse wilde dieren worden er ook gezien: olifant, buffels, giraffe, zebra, antilope, koedoe, leeuw, panter, hyena, cheetah, enzovoorts. Er leven 125 zoogdiersoorten, 400 vogelsoorten en 70 reptielensoorten in het gebied.

Hab.: Teakbos, bossavanne en open droge savanne.

Loc.: Hwange Nationaal Park, Zimbabwe.

Reis: Deelnemers reizen op eigen gelegenheid en eigen kosten naar het nationaal park.

Duur: Min. één week, max. drie weken.

Per.: April t/m november.

Leeft.: Min. 18 jaar.

Vereist: Engels kunnen spreken, goede conditie en gezondheid.

Werk: Deelnemers helpen bij een variëteit aan werkzaamheden die kunnen bestaan uit assistentie bij radiotelemetrie, bewerking verzamelde gegevens, maken van nieuwsberichten, onderzoek aan diersoorten bij waterholes, dagelijkse onderhoudswerkzaamheden, het in kaart brengen van het gebied en andere voorkomende werkzaamheden.

Taal: Engels.

Accomm.: Verblijf in eenvoudige hutten en/of tenten, soms kamperen in de bush zonder enige faciliteiten.

Kosten: Een week ƒ 1750,-, twee weken ƒ 2750,-, drie weken ƒ 3465,-. Kosten zijn inclusief eenvoudig onderdak en eenvoudige eten.

Vrijwilligerswerk & natuurbehoud

L.term.:	Niet mogelijk bij de eerste maal deelname aan het project.
Vert.:	Het Ecovolunteer Program.
Aanvr.:	Bij Ecovolunteer kantoren in Nederland (Wolftrail; zie boven) en België (Tierra; zie boven), of via de website http://www.ecovolunteer.org/

APENOPVANGCENTRUM IN ENGELAND

Looe, Cornwall PL13 1NZ, Engeland
Tel./fax: 0044 (1503) 262532
E-mail: monkey_sanctuary_uk@compuserve.com
URL: http://ourworld.compuserve.com/homepages/monkey_sanctuary_uk/

Beschr.: In The Monkey Sanctuary wordt een kolonie grijze wolapen gehouden. Het werd in 1964 opgericht als reactie op de handel in mensapen. Het Sanctuary is in de zomer open voor het publiek en de nadruk ligt op het aankweken van een zorgende en respectvolle houding naar mensapen en het milieu. De tuinen en velden van het Sanctuary worden organisch beheerd en er komen veel inheemse planten en dieren in voor. Het doel is uiteindelijk om alle apen weer in hun natuurlijk leefgebied uit te zetten, het regenwoud van de Amazone.

Soorten: Grijze wolaap (*Lagothryx lagothricha*).

Loc.: Looe, Cornwall, Engeland.

Duur: Twee tot vier weken.

Per.: Het hele jaar.

Leeft.: Min. 18.

Vereist: Er zijn geen bijzondere vaardigheden vereist, maar zijn wel zeer welkom. De vrijwilligers moeten in dit terrein geïnteresseerd zijn.

Werk: Onderhouden en schoonhouden van het terrein, eten voor de dieren klaarmaken en informatie aan het publiek verstrekken.

Taal: Engels.

Kosten: De vrijwilligers moeten zelf voor vervoer naar het sanctuary zorgen. Onderdak en eten zijn gratis.

L. term.: De vrijwilligers kunnen langer blijven als het eerste bezoek goed is verlopen.

Vert.: Neem rechtstreeks contact op met het Sanctuary.

Aanvr.: Schrijf voor verdere details (sluit een internationale antwoordcoupon in) en vul een aanmeldingsformulier in. Stuur dit ten minste zes maanden van tevoren op, want er is veel belangstelling.

Vrijwilligerswerk & natuurbehoud

Ara's observeren in Amazonia, Peru. (zie volgende pagina)

ARA'S OBSERVEREN IN AMAZONIA, PERU

EcoVolunteer Program (http://www.ecovolunteer.org)

Nederland	België
Wolftrail	¡Tierra!
Postbus 144	Heidebergstraat 223
1430 AC Aalsmeer	B-3010 Leuven
Tel. 0297-368504	Tel. 016-255616
Fax 0297-367686	Fax 016-255616
Email: wolftrail@image-travel.nl	

Beschr.: Deze Zuid-Amerikaanse papegaaien behoren tot de kleurigste en indrukwekkendste vogels en tevens tot de meest bedreigde soorten. Dit komt vooral door de achteruitgang van hun leefgebied (ontbossing). Ara-populaties komen nog voor in de regenwouden van Zuidoost-Peru, waar wetenschappers het gebruik door de vogels van likplaatsen bestuderen. Kortetermijnvrijwilligers kunnen nuttige gegevens verzamelen voor het project, maar het beste resultaat wordt bereikt door vrijwilligers die les krijgen in de inventarisatiemethoden en voor een langere periode op de werkplek blijven.

Soorten: Groenvleugelara, geelvleugelara, blauwvleugelara, dwergara, blauwkopara.

Hab.: Tropisch regenwoud.

Loc.: Regenwoud van het Amazonegebied, ecologisch reservaat Blanquillo, Madre de Dios, Peru.

Reis: Vliegen naar Cuzco. Verzamelen op het vliegveld.

Duur: Min. vier weken.

Per.: Het gehele jaar.

Leeft.: Min. 18, geen max.

Vereist: Er zijn geen bijzondere vaardigheden vereist, wel een goede gezondheid.

Werk: Getrainde langetermijnvrijwilligers helpen met het verzamelen van consistente gegevens. Ze verklaren ook het Monitoring Project voor toeristen.

Taal: Engels, Spaans komt van pas.

Accomm.: Diverse lodges in het regenwoud.

Kosten: Vier weken ƒ 2660,-, iedere week extra ƒ 475,-, geen maximum periode.

Vert.: Kantoren van het Ecovolunteer Network.

Aanvr.: Via de agentschappen van het Ecovolunteer Network of via www.ecovolunteer.org

Vrijwilligerswerk & natuurbehoud

ARK VAN NOACH, GRIEKENLAND

Noah's Ark Animal Shelter
P.O. Box 241, Agia Triada, Akrotiri, Chania
Kreta, TK 73100
Griekenland
Tel. 0030 (821) 66146

Beschr.:	Noah's Ark is het enige dierenopvangcentrum in Griekenland. Het heeft ongeveer 600 dieren en draait op giften en kleine subsidies uit het buitenland. Het project houdt zich bezig met het redden, behandelen, verzorgen en zo mogelijk uitzetten van dieren.
Soorten:	Huiskatten, honden, ezels, vogels (parkieten, kanaries, papegaaien, uilen, haviken).
Hab.:	Middellandse-Zeegebied.
Loc.:	West-Kreta, Griekenland.
Reis:	Vliegen naar Chania (10 minuten van het centrum) of Heraklion (2 uur van het centrum), of naar Athene en vervolgens de nachtboot naar Chania.
Duur:	Twee weken tot een jaar.
Per.:	Het hele jaar.
Leeft.:	Min. 16, max. 60.
Vereist:	De vrijwilligers moeten van dieren houden en tegen de aanblik van mishandelde, uitgehongerde en zieke dieren kunnen.
Werk:	Verzorgen, verschonen, voederen, diëten controleren, kleine dieren onder toezicht behandelen, helpen bij het bouwen van nieuwe quarantaineafdelingen.
Taal:	Engels, Duits, Grieks.
Accomm.:	Accommodatie in een landhuis voor redelijke prijs.
Kosten:	De vrijwilligers betalen voor accommodatie. Noah's Ark helpt bij het zoeken naar accommodatie en lokaal vervoer.
L. term.:	Lange termijn wordt op prijs gesteld, informeer bij de organisatie.
Vert.:	Neem contact op met mw. Silke Wrobel van Noah's Ark.
Aanvr.:	Geen aanmeldingsformulier, het sturen van een brief volstaat.
Opm.:	's Zomers is het er erg heet. De winters zijn nat en modderig.

BELUGA-ONDERZOEKSPROJECT IN DE WITTE ZEE, RUSLAND

EcoVolunteer Program (http://www.ecovolunteer.org)

Nederland	België
Wolftrail	¡Tierra!
Postbus 144	Heidebergstraat 223
1430 AC Aalsmeer	B-3010 Leuven
Tel. 0297-368504	Tel. 016-255616
Fax 0297-367686	Fax 016-255616
Email: wolftrail@image-travel.nl	

Beschr.: Ieder jaar in juli and augustus verzamelt zich een grote groep beluga's bij de kust van de Solovetski-eilanden in het zuiden van de Witte Zee. Met dit project, onder leiding van wetenschappers van het Shirshov oceano-logisch instituut van de Russiche academie voor de wetenschappen, wordt het gedrag van en de communicatie tussen beluga's onderzocht, die in dit gebied bij elkaar komen om te socialiseren.

Soorten: Beluga (*Delphinapterus leucas*).

Hab.: Subarctische zeeën en kusten.

Loc.: Solovetski-eilanden, District Archangelsk, Witte Zee, Rusland.

Reis: Vliegen naar Solovetski via Archangelsk. Verzamelen op het vliegveld.

Duur: Min. twee weken.

Per.: Juni, juli, augustus.

Leeft.: Min. 18, geen max.

Vereist: Er worden geen speciale vaardigheden gevraagd, wel een goede gezondheid.

Werk: De vrijwilligers en onderzoekers delen de volgende taken: beluga's observeren, bezoekers informeren, een nieuwe observatiepost bouwen, herstel- en verbeteringswerk aan het kamp. De vrijwilligers maken ook eten klaar, verzamelen hout in het bos, vissen en verzamelen paddestoelen.

Taal: Engels.

Accomm.: Kamperen.

Kosten: ƒ 1188,- voor twee weken.

L. term.: Niet mogelijk.

Vert.: Nationale afdelingen van het Ecovolunteer Network.

Aanvr.: Bij het Ecovolunteer Network of via www.ecovolunteer.org.

BESCHERMING VAN GRIENDEN, TENERIFE, SPANJE

EcoVolunteer Program (http://www.ecovolunteer.org)

Nederland	België
Wolftrail	¡Tierra!
Postbus 144	Heidebergstraat 223
1430 AC Aalsmeer	B-3010 Leuven
Tel. 0297-368504	Tel. 016-255616
Fax 0297-367686	Fax 016-255616
Email: wolftrail@image-travel.nl	

Beschr.: Tenerife is een van de belangrijkste plekken ter wereld om walvissen te observeren. In dit gebied komt de griend voor. Schepen die walvissen kijken, hebben een verwoestend effect op deze zeezoogdieren. Bij dit project wordt onderzoek uitgevoerd dat hun bescherming ten goede komt en wordt de interesse onder de toeristen gewekt. Onder leiding van het Proyecto Ambiental Tenerife.

Soorten: Griend.

Hab.: Subtropische zee.

Loc.: Huis bij de dorpen Arafo en Guimar, Tenerife, Spanje.

Reis: Vliegen naar Tenerife, verzamelen op het vliegveld.

Duur: Een, twee of drie weken.

Per.: Juli-oktober.

Leeft.: Min. 18, geen max.

Vereist: Er zijn geen bijzondere vaardigheden vereist, wel een goede gezondheid.

Vrijwilligerswerk & natuurbehoud

Werk: De vrijwilligers worden bij allerlei activiteiten op de volgende gebieden ingezet: gidswerk, onderzoek, educatie, lezingen, straatkunst, reclame maken voor educatieve tochten om walvissen te kijken, cursussen.

Taal: Engels.

Accomm.: Twee- en driepersoonskamer in een huis, geen eenpersoonskamers.

Kosten: Een week *f* 285,-, twee weken *f* 504,- drie weken *f* 713,-.

L. term.: Niet mogelijk.

Vert.: Kantoren van het Ecovolunteer Network.

Aanvr.: Via de kantoren van het Ecovolunteer Network of via www.ecovolunteer.org

BESCHERMING VAN MOERASHERTEN IN ARGENTINIË

Fundacion Ibera
Boedo 90, Florida 1602, Buenos Aires, Argentinië
Tel.: 0054 (1) 797 2251 of 0054 (1) 747 7421
Fax: 0054 (1) 742 3015
E-mail: iucnvet@wamani.apc.org

Beschr.:	In 1991 en 1992 werd met steun van The Nature Con-servancy (VS) in Ibera een onderzoek uitgevoerd naar de toestand van het bedreigde moerashert. In 1998 worden nieuwe inventarisaties en ecologisch onder-zoek uitgevoerd om de factoren te bepalen die de pop-ulatiegroei beperken en om praktische plannen op te stellen om de populatie te vergroten en veilig te stel-len. Deze gegevens worden gebruikt voor een betere besluitvorming over de bescherming en het behoud van de moerasherten en de wetlands waar ze leven.
Soorten:	Moerasherten (*Blastocerus dichotomus*).
Hab.:	Subtropisch wetland (met 1.200.000 hectare is dit het op een na grootste wetland van Zuid-Amerika. Tevens galerijbossen.
Loc.:	Noordoost-Argentinië (provincie Corrientes).
Reis:	Neem contact op met dr. Marcelo D. Beccaceci op het adres hierboven.
Duur:	Twee weken (twaalf dagen in het veld).
Per.:	Augustus en september.
Leeft.:	Min. 20, max. 70.
Vereist:	Er zijn geen bijzondere vaardigheden vereist.
Werk:	Tellingen van het moerashert (dood en levend), te voet en per boot. Bepaald worden de leeftijd en het geslacht van ieder dier, patronen van habitatgebruik, competitie met andere soorten (zoals de capibara) en wat de die-ren eten. Gedragsobservaties overdag.
Taal:	Engels, Spaans of Italiaans.
Accomm.:	Twee mooie lodges met eigen kamer en toiletten voor twee personen.
Kosten:	ƒ 2850,-. Inbegrepen zijn vier maaltijden per dag en vervoer van en naar het internationale vliegveld van Buenos Aires. Eveneens inbegrepen zijn een over-nachting in Buenos Aires op dag 1 en dag 14. De vrij-willigers betalen alleen hun vliegreis.
L. term.:	De vrijwilligers kunnen na de reguliere periode langer blijven met toestemming van de projectleiders.

Vert.:	PANGAEA. Mrs. Bonnie Hayskar, 226 South Wheeler St., St. Paul MN 55105, VS. Tel.: 001 (612) 690 3320, fax: 001 (612) 690 1485, e-mail: bonzi@pangaea.org
Aanvr.:	Deadline: juni. Voor die tijd moeten de vrijwilligers een kopie van hun vliegticket opsturen.
Opm.:	De vrijwilligers moeten een ziektekosten- en reisverzekering hebben. Er kan eerste hulp worden verleend.

BESCHERMING VAN VALE GIEREN OP CRES, KROATIË

EcoVolunteer Program (http://www.ecovolunteer.org)
Nederland
Wolftrail
Postbus 144
1430 AC Aalsmeer
Tel. 0297-368504
Fax 0297-367686
Email: wolftrail@image-travel.nl

België
¡Tierra!
Heidebergstraat 223
B-3010 Leuven
Tel. 016-255616
Fax 016-255616

Beschr.: De vale gier is een van de grootste vliegende vogels ter wereld. Vale gieren zijn in veel Europese landen al verdwenen. In het Zuid-Europese deel van hun verspreidingsgebied neemt hun aantal af. De Kroatische populatie bestaat momenteel uit 120-150 broedparen. De meeste daarvan broeden op de kliffen van de Kvarner-eilanden. De grootste kolonie bevindt zich op het eiland Cres (ongeveer 60 paren). Het doel van dit project is het bestuderen van de biologie en ecologie van de vale gier om de kritische factoren voor hun overleven op de eilanden te bepalen. De resultaten dragen bij aan het ontwikkelen van nieuwe strategieën om de huidige populaties in stand te houden.

Soorten: Vale gier (*Gyps fulvus*), steenarend (*Aquila chrysaetos*), slangenarend (*Circaetus gallicus*), slechtvalk (*Falco peregrinus*), oehoe (*Bubo bubo*) enzovoort.

Hab: Mediterrane kliffen, mediterrane eikenbossen, mediterrane graslanden.

Vrijwilligerswerk & natuurbehoud

124

Loc.: Kvarner-eilanden, noordoostelijke Adriatische Zee, Kroatië.

Reis: Vliegen naar Triëst of naar Venetië en dan de trein naar Triëst, Zagreb of Ljubljana, vervolgens de bus naar Rijeka en Cres.

Duur: Zeven of acht dagen, maar het is mogelijk om twee weken of langer te blijven.

Per.: Mei, juni, september, oktober. Juli en augustus zijn optioneel, maar worden niet aangeraden.

Leeft.: Min. 18, geen max.

Vereist: Er zijn geen bijzondere vaardigheden vereist.

Werk: De vrijwilligers observeren de gierenkolonies en noteren alle waarnemingen, documenteren de zichtbare vleugelmerken (labels) en noteren het gedrag op de kliffen (nestelactiviteit en dergelijke).

Taal: Engels.

Accomm.: Het huis van het ecocenter heeft twaalf bedden voor vrijwilligers en twee badkamers met douches en warm water. Er is een keuken die is uitgerust voor vijftien personen. De vrijwilligers helpen bij het koken en het huishouden.

Kosten: ƒ 475,- voor een week.

L. term.: Mogelijk voor zeer gemotiveerde en geschikte vrijwilligers.

Vert.: Kantoren van het Ecovolunteer Network.

Aanvr.: Via de kantoren van het Ecovolunteer Network of via www.ecovolunteer.org

Opm.: Op het programma staan voordrachten over ornithologie, vogels determineren, biologie en ecologie van de gier, fauna van de eilanden en over zeldzame en bedreigde vogels en hun leefgebied in Kroatië. De vrijwilligers hebben dagelijks enkele uren vrij om van het mooie eiland Cres en zijn stranden te genieten.

BESCHERMING VAN ZWARTE GIEREN, BULGARIJE

BTCV – British Trust for Conservation Volunteers
36 St. Mary's Street Wallingford
Oxfordshire OX10 0EU Engeland
Tel.: 0044 (1491) 839766 of (1491) 824602 (Brochure hotline)
Fax: 0044 (1491) 839646
E-mail: information@btcv.org.uk – URL: http://www.btcv.org.uk

Beschr.:	Het project wordt samen met de plaatselijke organisa-tie Green Balkan uitgevoerd in een landelijk en bebost gebied dat zich erop beroemt dat er het op een na grootste aantal roofvogels van Europa voorkomt.
Soorten:	Drie gierensoorten, slangenarend en arendbuizerd.
Hab.:	Beboste gebieden.
Loc.:	Oostelijke Rhodope-gebergte (landelijk en bebost ge-bied).
Reis:	Vliegen naar Sofia (verzamelen op het vliegveld).
Duur:	Twee weken.
Per.:	Augustus.
Leeft.:	Min. 18.
Werk:	Hekken en voedselplatforms bouwen om de vogels tegen roofdieren te beschermen. Kunstmatige nesten bouwen en observeren van de gieren.
Vereist:	Er zijn geen bijzondere vaardigheden vereist.
Taal:	Engels.
Accomm.:	Kamperen.
Kosten:	ƒ 837,-, vliegreis niet inbegrepen.
L. term.:	Neem contact op met de organisatie voor details.
Vert.:	Zie de BTCV-pagina (Lijst van organisaties).
Aanvr.:	Zie de BTCV-pagina (Lijst van organisaties).

BOMENONDERZOEK IN BRAZILIË

Universidade Estadual de Londrina
Depto de Agronomia Londrina-PR
Caixa Postal 6001
CEP 86051-970 Brazilië
Tel.: 0055 (43) 371 4000 – fax: 0055 (43) 371 4079
E-mail: efraim@oeb.harvard.edu

Beschr.: Dit project wordt geleid door een Braziliaanse alumnus van Organismic and Evolutionary Biology van Harvard. Het doel van het onderzoek is kleine bomen labelen en determineren teneinde inzicht te krijgen in het effect van microklimatologische invloeden, isolatie enzovoort op de vermindering van de diversiteit van zich herstellende regenwoudfragmenten.

Soorten: Ongeveer 350 boomsoorten.

Hab.: Restanten van het regenwoud.

Loc.: Noorden van de staat Parana, Zuid-Brazilië.

Duur: Twee maanden.

Per.: Juni-augustus, afhankelijk van het jaar.

Leeft.: Min. 20, max. 28.

Vereist: Ervaring met botanie is vereist.

Accomm.: Kosthuis in Londrina, een stad met 450.000 inwoners.

Kosten: Vrijwilligers moeten zelf voor hun vervoer zorgen en voor onderdak betalen (f 380,-).

L. term.: Studenten die voor langere tijd willen werken, zijn welkom. Ze kunnen zelf projecten bedenken als de onderzoekers hun plan interessant genoeg vinden.

Taal: Engels, Spaans of Portugees.

Vert.: Neem rechtstreeks contact op met de organisatie.

Aanvr.: Neem alleen per e-mail contact op met de organisatie.

Lijst van projecten

BRUINE BEREN IN MIDDEN-ITALIË

CTS – Centro Turistico Studentesco e Giovanile
Via A. Vesalio 6
00161 Rome, Italië
Tel.: 0039 (6) 44111471/2/3/4/5 – 4679228
Fax: 0039 (6) 44111401
E-mail: ambiente@cts.it – URL: http://www.cts.it

Beschr.:	Dit ecologisch-etologische project wordt uitgevoerd door onderzoekers van staatsbosbeheer in het gebied van Abruzzo, het enige leefgebied van *Ursus arctos marsicanus*, een ondersoort van de bruine beer die de laatste tientallen jaren op de rand van uitsterven heeft gestaan. Nu leeft er in het beschermde gebied een populatie van ongeveer 100 exemplaren. Wetenschappers verzamelen gegevens over het leefpatroon van de beren, hun gedrag, verplaatsingen en eetgewoonten.
Soorten:	Bruine beer (*Ursus arctos marsicanus*).
Hab.:	Bergwouden.
Loc.:	Abruzzo, Midden-Italië tussen de nationale parken Abruzzo en Maiella.
Reis:	Per vliegtuig of trein naar Rome, vervolgens de trein en bus naar Castel di Sangro.
Duur:	Een week.
Per.:	Juli-september.
Leeft.:	Min. 16.
Vereist:	De vrijwilligers moeten grote afstanden kunnen lopen.
Werk:	De teamleden observeren dieren en verzamelen gegevens over de beren langs het transect.
Taal:	Italiaans, Spaans en Engels.
Kosten:	Ongeveer ƒ 608,-.
L. term.:	Niet mogelijk.
Accomm.:	Kamers in plaatselijke pensions.
Vert.:	Plaatselijke CTS-bureaus in Italië (zie Lijst van Organisaties).
Aanvr.:	Vraag op bovenstaand adres een aanmeldingsformulier aan.

BULTRUG-ONDERZOEK, ABROLHOS, BRAZILIË

EcoVolunteer Program (http://www.ecovolunteer.org)

Nederland	België
Wolftrail	¡Tierra!
Postbus 144	Heidebergstraat 223
1430 AC Aalsmeer	B-3010 Leuven
Tel. 0297-368504	Tel. 016-255616
Fax 0297-367686	Fax 016-255616
Email: wolftrail@image-travel.nl	

Beschr.:	Het Humpback Research project voert wekelijks onderzoekstochten uit naar bultruggen in het nationale mariene park Abrolhos. In dit gebied overwinteren de bultruggen en planten ze zich tussen juli en november voort. Het onderzoek richt zich op het observeren en het bestuderen van het gedrag van de bultruggen.
Soorten:	Bultrug.
Hab.:	Zee, koraalriffen en koraaleilanden.
Loc.:	Caravelas, Bahia en de Abrolhos-eilanden, Brazilië.
Reis:	Naar Caravelas, Bahia, Brazilië. Verzamelen op het vliegveld of het busstation.
Duur:	Twee of drie weken.
Per.:	Juli-november.
Leeft.:	Min. 18, geen max.
Vereist:	Er zijn geen bijzondere vaardigheden vereist, de vrijwilligers moeten in goede gezondheid zijn.
Werk:	De vrijwilliger zoeken de walvissen op, bedienen het

GPS en leggen het gedrag van de dieren vast. Wetenschappers en vrijwilligers nemen aan alle activiteiten
deel, zoals gegevensverwerking, computerwerk, bedienen van de buitenboordmotor, koken, schoonmaken
en andere huishoudelijke taken. Vrijwilligers kunnen
ook worden gevraagd om te helpen bij andere onderzoeksprojecten in het park, zoals het toerisme inventariseren, schildpadden beschermen of vogels tellen.

Taal: Engels.

Accomm.: Gemeenschappelijke kamers, te land in een hotel, op
zee op het onderzoeksschip.

Kosten: Twee weken ƒ 2379,-, drie weken ƒ 2945,-.

L. term.: Niet mogelijk.

Vert.: Kantoren van het Ecovolunteer Network.

Aanvr.: Via de kantoren van het Ecovolunteer Network of via
www.ecovolunteer.org

CAPE TRIBULATION TROPICAL RESEARCH STATION, AUSTRALIË

PMB 5, Cape Tribulation
Qld. 4873, Australië
Tel./fax: 0061 (70) 98 00 63
E-mail: Austrop@altnews.com.au
URL: http://www.altnews.com.au/austrop

Beschr.: Het Cape Tribulation Tropical Research Station is een klein, afgelegen veldstation in het laag gelegen tropische regenwoud van Australië (op de lijst van het World Heritage). Het onderzoeksstation staat open voor onderzoekers die in het gebied willen werken. Het is een onafhankelijke instelling, de enige in het gebied, en is opgericht door de Australian Tropical Research Foundation. De bemanning van het station leidt het onderzoek op allerlei gebieden, van radiografisch opsporen van vleermuizen tot alternatieve technologie.

Soorten: Ongeveer twaalf kleine en vijf grote vleermuissoorten, ten minste twaalf vijgensoorten en een groot aantal soorten Angiospermen, veel zeldzame en endemische soorten. Het station houdt zelf 25 kalongs van drie soorten *Pteropus* in gevangenschap.

Hab.: Regenwoud en tropische kusten.

Loc.: Australië (uiterste noorden van Queensland).

Duur: Vrijwilligers worden in eerste instantie voor twee weken aangenomen.

Per.: Het hele jaar.

Leeft.: Liefst ouder dan 23, geen max.

Vereist: Iedereen kan deelnemen, van timmerlieden tot botanici en computerprogrammeurs. De vrijwilligers doen allerlei werk, van dagelijks onderhoud tot assisteren bij de onderzoeksprojecten. De vrijwilligers moeten de handen uit de mouwen willen steken, aangezien het gebied afgelegen is en het klimaat en de omstandigheden zwaar kunnen zijn. Met name onderzoekers zijn welkom, maar er moet wel een samenvatting van het voorgestelde onderzoek worden ingeleverd. Voor vervoer van en naar het station wordt gezorgd als dat mogelijk is, maar de vrijwilligers moeten zelf hun busreis betalen.

Kosten: De vrijwilligers betalen *f* 133,- per week voor eten. Onderzoekers en assistenten betalen meer, afhankelijk van de beschikbare financiering door derden.

L. term.: Langetermijnwerk is mogelijk, en de duur ervan kan na het eerste verblijf worden besproken.

Taal: Engels.

Vert.:   Aanmelding rechtstreeks bij de manager van het station.

Aanvr.:   Verstuur aanmeldingen bij voorkeur per e-mail (het kan nodig zijn herinneringen te sturen, aangezien de aanvragen wel eens over het hoofd worden gezien), gevolgd door een brief. Hierin moeten een recente foto, een korte samenvatting en beschrijving van het interessegebied worden bijgevoegd. Faxen kan ook, maar ze kunnen alleen op kantooruren worden ontvangen, dus let op het tijdsverschil.

Opm.:   Vrijwilligers worden aangeraden de website van het station te bekijken (URL zie hiervoor).

Vrijwilligerswerk & natuurbehoud

COSTA RICA ECO-SERVICE PROJECT

Global Service Corps (GSC)
300 Broadway, Suite 28
San Francisco, CA 94133 – 3312 VS
Tel.: 001 (415) 788-3666 Ext. 128 – fax: 001 (415) 788-7324
E-mail: gsc@igc.apc.org
URL: www.earthisland.org/ei/gsc/gschome.html

Beschr.: Een van de belangrijkste problemen van Costa Rica is tegenwoordig de snelle toename van het toerisme. Hoewel 12% van het land beschermd regenwoud is, worden de overige gebieden snel verwoest om plaats te maken voor toeristenhotels, meestal in handen van buitenlanders. Het Global Service Corps werkt rechtstreeks met de plaatselijke bevolking, die bereid is zijn natuurlijke hulpbronnen te beschermen en hun levenswijze in stand te houden. De vrijwilligers helpen met het schoonmaken van paden, organisch tuinieren en bouwprojecten die worden beheerd door de plaatselijke bevolking.

Hab.: Regenwoud.

Loc.: Nevelwoud van Monteverde, Costa Rica.

Reis: De projecten beginnen in San José, Costa Rica.

Duur: Projecten van achttien dagen. Langere aanstellingen eveneens mogelijk.

Per.: Het hele jaar: maart, juni, augustus, oktober, december.

Leeft.: Min. 18, geen max.

Vereist: Het enige wat wordt vereist zijn flexibiliteit, het respecteren van de cultuur van een ander land en de oprechte wens de bevolking te helpen.

Werk: Varieert afhankelijk van de behoeften van het project. Meestal licht bouwwerk, paden onderhouden, organisch tuinieren en landarbeid.

Taal: Spaans komt van pas, maar is niet vereist.

Accomm.: De helft van de periode is de huisvesting in slaapzalen op het onderzoeksstation, de andere helft in huis bij plaatselijke gezinnen. Voor de hele periode wordt voor bedden gezorgd.

Kosten: ƒ 3031,-. Hierbij inbegrepen is het ophalen van het vliegveld volgens schema, vervoer binnenslands, eten, onderdak, excursies in San José en La Fortuna.

L. term.: Aanstellingen voor lange termijn zijn mogelijk op allerlei verwante terreinen, van biologisch boeren tot sociaal werk zoals lesgeven op plaatselijke scholen. In sommige gevallen kunnen vrijwilligers voor een gereduceerde prijs worden geplaatst zonder dat ze eerst aan een kortetermijnproject hoeven mee te doen. Deelname aan een kortetermijnproject wordt aangeraden als inleiding tot een langere plaatsing. Afspraken over langetermijnplaatsing moeten worden gemaakt voor vertrek naar het gastheerland.

Vert.: Neem rechtstreeks contact op met het GSC.

Aanvr.: Een nieuwsbrief en een aanmeldingformulier worden gestuurd naar iedereen die als vrijwilligers bij het GSC wil werken. De deadline voor intekening is 90 dagen voor vertrek.

EL CUSTODIO DE LAS TORTUGAS, MEXICO

P.O. Box 614
Winthrop, WA 98862, VS
Tel : 001 (509) 996-3356
E-mail: custodio@methow.com
URL: http://methow.com/~custodio

Beschr.:	El Custodio is een Mexicaanse instelling die zich bezig-houdt met het behoud en beheer van een 45.000 ha groot natuurreservaat, 100 km ten noorden van Puerto Vallarta. De vrijwilligers nemen deel aan een project voor het uitzetten van zeeschildpadden en een pro-gramma van expedities voor onderzoek naar bultrug-gen, trekvogels, estuariene visgronden en reptielen. De onderzoekers worden ook gevraagd op het veldstation van het project te werken en cursussen aan vrijwilligers te geven. De onderzoekers werken samen met de plaatselijke bevolking en het ministerie van milieu, na-tuurlijke hulpbronnen en visserij bij het ontwikkelen van plannen voor landgebruik.
Soorten:	Zeezoogdieren, zeeschildpadden, trekvogels.
Hab.:	Tropisch droog bladverliezend woud, riviermondingen, zeeën.
Loc.:	Centrale westkust van Mexico, 100 km ten noorden van Puerto Vallarta.
Reis:	Vliegen naar Puerto Vallarta, verzamelen op het vlieg-veld.
Duur:	Min. een week, geen max.
Per.:	Bescherming van zeeschildpadden: april-september, walvissen inventariseren, trekvogels en zeeschildpad-den (lederschildpad en echte karetschildpad) tellen: december-maart.
Leeft.:	Min. 18, geen max.
Vereist:	De voorkeur gaat uit naar vrijwilligers met interesse voor management van natuurlijke hulpbronnen en so-ciaal-economische ontwikkeling.
Werk:	Onderzoek, enig bouwwerk en nachtelijke inspecties op een 20 km lang strand om schildpadeieren te ver-zamelen om ze uit te laten broeden en later uit te zet-ten.
Taal:	Engels, kennis van het Spaans is erg nuttig.
Accomm.:	Bungalowtenten op een platform in het palmbos aan het strand. Badkamer, centrale keuken en eetgelegen-heid. Ter plaatse wordt uitstekend gekookt met verse ingrediënten.

135

Kosten:	Onderzoeksexpedities van ƒ 950,- tot ƒ 1425,- per week, inclusief boten, gidsen en cursussen. Alles is inbegrepen, behalve luchtvervoer. Het werk aan de zeeschildpadden kost ongeveer ƒ 475,- per week voor onderdak en eten.
L. term.:	Langetermijnwerk is mogelijk.
Vert.:	Neem rechtstreeks contact op met de organisatie.
Aanvr.:	Er is geen aparte aanmelding nodig, wel een waarborgsom voor de reservering, aangezien het aantal plaatsen beperkt is.
Opm.:	Er is gelegenheid voor intensieve Spaanse les.

DIERENLEVEN IN DE SINAÏ, EGYPTE

p/a Sanafir, Naama Bay, Sinai
Sharm El Sheikh, Egypte
Tel.: 0020 (62) 600242
Fax: 0020 (62) 600601

Beschr.: Het SWP is een ngo die is gericht op natuurbehoud, programma's voor de gezondheidszorg in dorpen, milieueducatie voor kinderen, centra voor herstel van het dierenleven en gezondheidszorg voor bedoeïenen in de woestijn.

Soorten: Ooievaar (*Ciconia ciconia*), gazelle, steenbok, zeeschildpadden, vogels.

Hab.: Woestijn, tropische zeeën.

Loc.: Zuidpunt van de Sinaï aan de Rode Zee bij het begin van de Golf van Akaba.

Duur: Artsen en dierenartsen min. zes maanden, overigen min. een jaar.

Per.: Het gehele jaar, begin januari of augustus.

Leeft.: Min. 18, max. 60.

Vereist: De voorkeur wordt gegeven aan de volgende beroepsgroepen: artsen, dierenartsen, natuurmanagers, verplegers, docenten milieueducatie en studenten in deze en verwante disciplines. De gegadigden moeten tegen het buitenleven en zeer warm weer kunnen, aangezien veel van het werk in de woestijn en in de bergen aan de kust van de Rode Zee gebeurt. Ervaring met duiken is nuttig.

Accomm.: Huizen met airconditioning.

Kosten: Gratis voor artsen en dierenartsen, f 570,- per maand voor de overigen. Er wordt voor accommodatie en maaltijden gezorgd, er zijn wasfaciliteiten. Bezoldiging van ongeveer f 285,- per maand. De vrijwilligers moeten zelf hun vervoer naar Egypte regelen.

Taal: Vloeiend Engels is verplicht. Arabisch is nuttig, maar niet vereist.

Vert.: Neem rechtstreeks contact op met het project.

Aanvr.: Per fax.

DOLFIJNEN-PROJECT IN DE ADRIATISCHE ZEE, KROATIË

EcoVolunteer Program (http://www.ecovolunteer.org)

Nederland
Wolftrail
Postbus 144
1430 AC Aalsmeer
Tel. 0297-368504
Fax 0297-367686
Email: wolftrail@image-travel.nl

België
¡Tierra!
Heidebergstraat 223
B-3010 Leuven
Tel. 016-255616
Fax 016-255616

Beschr.: Sinds 1987 leidt het Tethys Research Institute een langetermijnonderzoek aan de ecologie van de tuimelaar in de wateren van Cres en Losinj (Kroatië). Deze dolfijn behoort tot de best bestudeerde soorten van de Middellandse Zee. De grootte van de populatie wordt geschat op 100-150 exemplaren. De meerderheid hiervan is geïdentificeerd en hun dagelijkse bewegingen worden regelmatig gevolgd. De tuimelaars worden aan de hand van foto's geïdentificeerd en hun gedrag wordt bestudeerd. Er worden gegevens verzameld over het gebruik door de tuimelaars van hun habitat, hun sociale gedrag en voortplantingsratio.

Soorten: Tuimelaar (*Tursiops truncatus*). Andere zeedieren die af en toe worden geobserveerd, zijn zeeschildpad, blauwe haai, tonijn, aalscholver, meeuwen, sterns en andere zeevogels.

Hab.: Kustwateren.

Vrijwilligerswerk & natuurbehoud

138

Loc:	Cres-Losinj-eilanden, noordelijke Adriatische Zee (Kroatië).
Reis:	Het eiland Losinj is gemakkelijk per bus vanuit Triëst (Italië), Zagreb (Kroatië) en Ljubljana (Slovenië) te bereiken, of per veerboot of draagvleugelboot ('s zomers) vanuit Triëst en Venetië. Deze steden hebben belangrijke trein- en luchtverbindingen.
Duur:	Elf dagen. Er kunnen tot zes vrijwilligers tegelijk meedoen.
Per.:	April-oktober.
Leeft.:	Min. 18, geen max.
Vereist:	Er zijn geen bijzondere vaardigheden vereist. De vrijwilligers moeten geïnteresseerd zijn in alle aspecten van het onderzoek en gemotiveerd zijn. Ze moeten zich ervan bewust zijn dat ze deelnemen aan wetenschappelijk onderzoek en niet aan een vakantiereisje.
Werk:	Bij goed weer zoekt het team dolfijnen. Als die worden gevonden, worden ze een aantal uren gevolgd. Bij ruwe zee houdt het team zich bezig met het verwerken en analyseren van gegevens. Er worden lezingen en diavoorstellingen georganiseerd en de vrijwilligers zijn vrij om het eiland te verkennen en van het uitzicht en de schone zee te genieten.
Accomm.:	In een huis bij de mooie oude haven van Veli Losinj. Iedereen doet mee aan het koken en het huishouden. De basis heeft een wetenschappelijke bibliotheek (met 2000 werken), fotoarchieven, een diaprojector, een lichtbak, telefoon, fax, computer, modem en FM.
Kosten:	Min. ƒ 1264,-, max. ƒ 1520,-, afhankelijk van het sei-

zoen. De vrijwilligers moeten een speciale verzekering hebben. De bijdrage van de vrijwilligers wordt gebruikt om de kosten van het onderzoek te dekken en voor eten. Voor reiskosten wordt geen vergoeding gegeven. Toeristen die naar Losinj gaan, moeten de plaatselijk toeristenbelasting betalen (ongeveer *f* 36,- voor de duur van het programma).

L. term.: Er kunnen tot twee achtereenvolgende perioden worden geboekt. Om praktische redenen kunnen vrijwilligers niet voor of na de werkperiode in het veldstation verblijven.

Vert.: Ecovolunteer Network. Zie Lijst van organisaties.

Aanvr.: Bij het Ecovolunteer Network of via: www.ecovolunteer.org

Opm.: Twee tot drie onderzoekers verblijven bij de vrijwilligers in het veldstation. De boot voor het veldwerk is een stevige opblaasboot van 4,7 m met een kiel van glasvezel en een 50 pk viertaktmotor. Door de geringe afmetingen van de boot en de geruisloze motor zijn de dolfijnen gemakkelijk te benaderen en te volgen, zonder dat ze hun gedrag veranderen. Tot de uitrusting van de boot behoren GPS (Global Positioning System), zend- en ontvangstapparatuur, binoculair, hydrofoon en reddingsmateriaal.

DOLFIJNEN-PROJECT IN DE IONISCHE ZEE, GRIEKENLAND

EcoVolunteer Program (http://www.ecovolunteer.org)

Nederland	België
Wolftrail	¡Tierra!
Postbus 144	Heidebergstraat 223
1430 AC Aalsmeer	B-3010 Leuven
Tel. 0297-368504	Tel. 016-255616
Fax 0297-367686	Fax 016-255616
Email: wolftrail@image-travel.nl	

Beschr.: Dit is het eerste langetermijnproject voor walvisachtigen in Griekenland en werd in 1993 opgezet door het Tethys Research Institute (zie Lijst van organisaties) met als doel het bestuderen van het gedrag en de ecologie van de bruinvissen en de tuimelaars die in de kustwateren rond het eiland Kalamos voorkomen. Bruinvissen gaan achteruit in de Middellandse Zee door overbevissing, bijvangst, vervuiling en verstoring door de mens. Door de populatie te observeren, hopen de onderzoekers mogelijkheden voor bescherming te vinden. Tot de onderzoeksmethoden behoren foto-identificatie, gedragswaarnemingen, gegevens over de ademhaling verzamelen en biopsieën nemen van vrij rondzwemmende geïdentificeerde dieren.

Soorten: Bruinvis (*Delphinus delphis*), tuimelaar (*Tursiops truncatus*). Onechte karetschildpad (*Caretta caretta*) en monniksrobben (*Monachus monachus*) kunnen eveneens worden waargenomen.

Hab.:	Kustwateren van de centrale Ionische Zee.
Loc.:	Eiland Kalamos, Griekenland.
Reis:	Vliegen naar Athene of Preveza, vervolgens de bus naar Mytika. Vervoer naar Kalamos wordt verzorgd door de onderzoekers. Patras kan worden bereikt per veerboot via de Italiaanse havens Venetië, Ancona en Brindisi.
Duur:	Tien volle dagen.
Per.:	Half april tot half oktober.
Leeft.:	Min. 18, geen max.
Vereist:	Er zijn geen speciale vaardigheden vereist. De vrijwilligers moeten geïnteresseerd en gemotiveerd zijn.
Werk:	Het werk bestaat uit observeren vanuit een opblaasboot en vanaf het land. De vrijwilligers wisselen dit om de dag af. Bij goed weer voert één groep vrijwilligers het onderzoek vanuit de boot uit, terwijl de andere groep waarnemingen vanaf het land doet. De beide groepen staan via de FM met elkaar in contact om elkaar informatie over de bruinvissen en tuimelaars door te geven. Bij slecht weer blijven de vrijwilligers op de basis en voeren ze gegevens in en analyseren ze en zoeken ze dia's uit het archief erbij. Ook worden door de onderzoekers voordrachten gehouden over de biologie van de dolfijnen.
Taal:	Engels, Italiaans. Grieks komt van pas.
Accomm.:	De basis bevindt zich in het dorp Episcopi. Boodschappen worden op de wal gedaan. Het huis heeft vijf slaapkamers met elk zes bedden voor de vrijwilligers. Iedereen doet mee aan het koken en huishouden. De basis

Vrijwilligerswerk & natuurbehoud

is uitgerust met een computer, een eenvoudige wetenschappelijke bibliotheek, fotoarchieven, een diapro-
jector, telefoon, fax en FM.

Kosten: Ongeveer f 1 140,- tot f 1406,-, afhankelijk van het seizoen, inclusief eten, exclusief reiskosten. De vrijwilligers moeten een reisverzekering en een ziektekostenverzekering hebben die bij het boeken kunnen worden
afgesloten.

L. term.: Er kunnen aaneensluitende perioden worden geboekt.
Om praktische redenen kunnen de vrijwilligers niet
eerder komen of langer blijven.

Vert.: The Ecovolunteer Network (zie Lijst van organisaties).

Aanvr.: Bij het Ecovolunteer Network of via:
www.ecovolunteer.org.

Opm.: Per onderzoekstocht doen vijf vrijwilligers mee. Er verblijven drie tot vier onderzoekers in het veldstation.
Door de geringe omvang van de boot en de geluidsar-
me motor zijn de dieren gemakkelijk te benaderen en
op korte afstand te volgen, zonder dat ze zich heel anders gaan gedragen.

DOLPHINLAB, VS

Dolphin Research Center
P.O. Box 522875
Marathon Shores, FL 33052 VS
Tel.: 001 (305) 289-1121 tst. 225
Fax: 001 (305) 743-7627
URL: http://www.florida-keys.fl.us/dolphinresearch

Beschr.:	Het Dolphin Research Center is een organisatie zonder winstoogmerk die zich bezighoudt met onderzoek en educatie. Jaarlijks biedt het DRC ongeveer twintig programma's waarin praktijklessen worden gecombineerd met trainingen en cursussen over gedrag van dolfijnen, taalonderzoek en communicatie, het boerenbedrijf en biologie. Het DRC is de enige particuliere, niet-commerciële instelling in Noord-Amerika die zich met dolfijnen bezighoudt. Het DRC heeft ook een team voor de verzorging van gewonde of verweesde lamantijnen, als onderdeel van het South Florida Stranding Network.
Soorten:	Tuimelaar, gevlekte dolfijn, Californische zeeleeuw.
Loc.:	Grassy Key, Florida, VS.
Reis:	Vliegen naar Miami en overstappen naar Marathon, Florida. Het DRC haalt de mensen op in Marathon.
Duur:	Een week.
Per.:	Het hele jaar.
Leeft.:	Min. 15, geen max. (De meeste deelnemers zijn 20 tot 40 jaar.)
Vereist:	Er wordt geen ervaring vereist.
Kosten:	ƒ 2090,-.
Accomm.:	Gemeenschappelijke kamers en slaapzaal; er is een beperkt aantal eenpersoonskamers beschikbaar.
Werk:	De cursussen bestaan uit demonstraties, workshops en praktijk, zoals zwemmen met de dolfijnen.
L. term.:	Vraag inlichtingen aan bij de organisatie.
Taal:	Engels.
Vert.:	Neem rechtstreeks contact op met het centrum.
Aanvr.:	Bij de aanmelding moet een waarborgsom van ƒ 285,- worden ingesloten.
Opm.:	Er zijn ook mogelijkheden voor groepen.

Vrijwilligerswerk & natuurbehoud

DUURZAME ONTWIKKELING IN BOHOROK, INDONESIË

Bohorok Sustainable Development Program (BSDP)
P.O. Box 1472
Medan 20001
Sumatera Utara, Indonesië
E-mail: gelbert@bluewin.ch of muellerfrey@bluewin.ch

Beschr.: Het BSDP is begin 1995 van start gegaan met het bestrijden van de gevolgen van het toerisme op het milieu in het orang-oetanstation van Bohorok, bij het nationaal park van de Gunung Leuser. Het BDS wil er een milieucentrum opzetten met invloed op het stadsplanningsproces en de milieubeheerprogramma's (zoals bestrijden van watervervuiling en afvalwaterverwerking). Andere doelen zijn het opzetten van milieueducatie en ecovriendelijk toerisme. Heruitzetten van orang-oetans is deel van het algemene concept.

Soorten: Orang-oetan. Ook insecten en orchideeën kunnen worden bestudeerd.

Loc.: Bukit Lawang op Noord-Sumatra, Indonesië.

Reis: Vliegen naar Medan, vervolgens met de bus.

Duur: Min. een maand, max. een jaar voor verschillende BSDP-projecten. Min. twee weken, max. zes maanden voor het orang-oetanstation.

Per.: Het gehele jaar.

Leeft.: Min. 18, geen max.

Vereist: Er worden bepaalde vaardigheden vereist, afhankelijk van het onderwerp. Goed kunnen samenwwerken is vereist.

Werk: Het bouwen van een milieucentrum en een lokale ngo zijn de hoofddoelen. De vrijwilligers maken folders en posters of voeren projecten over speciale onderwerpen uit. Kortetermijnvrijwilligers die op het orang-oetanstation werken, mogen voor de dieren zorgen. De vrijwilligers hoeven daar geen ervaring mee te hebben, maar moeten het wel leuk vinden met wilde dieren om te gaan.

Taal: Bahasa Indonesia is ideaal, vloeiend Engels is absoluut noodzakelijk.

Accomm.: Eenvoudige behuizing en hotels. Voor vrijwilligers die bij een onderzoeksproject werken, is gratis accommodatie mogelijk.

Kosten: De vrijwilligers moeten zelf hun reis naar Sumatra betalen, evenals onderdak en eten (f 48,- per dag). Vrijwilligers die bij verantwoordelijker werk zijn betrokken, steken ƒ 1900,- per maand in het project. De vrijwilligers kunnen voor speciale doelen ook geld bijdragen via sponsors (universiteiten, ngo's, particulieren).

L. term.: Als het milieucentrum klaar is, is vrijwilligerswerk voor lange termijn mogelijk.

Vert.: Vrijwilligers kunnen ook contact opnemen met twee instituten in Zwitserland: Umweltberatung/Environmental consultancy, dr. Michel Gilbert, Pan Eco, Gruenaustrasse 3, 8953 Dietikon, Zwitserland, tel./fax 0041 (1)740 4378 – Regina Frey, Pan Eco Foundation, 8415 Berg am Irchel, Zwitserland, tel. 0041 (52)31815 40, fax 0041 (52)31819 06

Aanvr.: Schrijf een brief naar Zwitserland of naar het project in Indonesië. Sluit een curriculum vitae bij en geef de gewenste periode en de voorkeursgebieden.

Opm.: Het Bohorok Sustainable Development Program en het Environmental Programme for Pulau Banyak werken samen. Er kan een pakket van verschillend vrijwilligerswerk worden samengesteld.

ERIE NATIONAL WILDLIFE REFUGE, VS

11296 Wood Duck Lane
Guys Mills PA 16327, VS
Tel.: 001 (814) 789-3585
Fax: 001 (814) 789-2909
E-mail: r5rw_ernwr@mail.fws.gov

Beschr.:	Dit reservaat van 35 km² met bevers, meertjes, moerassen en kreken wordt begrensd door beboste hellingen met akkers, grasland en natte weiden. Het reservaat is een eldorado voor trekvogels zoals Amerikaanse zeearend, reigers, carolinaeend en Canadese gans.
Loc.:	Het hoofdkantoor/bezoekerscentrum van het reservaat staat 16 km ten oosten van Meadville aan de rand van het dorp Guys Mills in Pennsylvania.
Werk:	Er zijn tolken nodig voor de bemanning van het bezoekerscentrum en om programma's te leiden. Er zijn ook mensen nodig die de gebouwen van het reservaat, het terrein en de paden onderhouden. Biologen kunnen helpen met inventarisaties van dieren en verzamelen van gegevens.
Per.:	Maart-oktober.
Leeft.:	Informeer bij het reservaat.
Vereist:	Informeer bij het reservaat.
Kosten:	Informeer bij het reservaat.
L. term.:	Informeer bij het reservaat.
Taal:	Engels; andere talen voor tolken.
Aanvr.:	Neem contact op met het reservaat voor verdere informatie.

ETNOVETERINAIR ONDERZOEK MOUNDANG
EN ZEEKOE, TSJAAD

Jonathan H. Salkind
217 South Street, Chestnut Hill, MA 02167 VS
Tel : 001 (508) 839-5603 of 001 (617) 327-0342
Fax: 001 (508) 839-7946
E-mail: jsalkind@opal.tufts.edu of jsalkind@bigfoot.com

Beschr.:	Dit project wordt georganiseerd door Les Amis du La-mantin (vrienden van de zeekoe of lamantijn) en Tufts University School of Veterinary Medicine Wildlife Clinic and International Programs. In 1995 werd er een nieu-we populatie zeekoeien ontdekt in twee schilderachti-ge meren in Tsjaad. Ze worden momenteel bejaagd om hun vlees en vet en in de populatie gaat achteruit. Voor-lopig genetisch onderzoek heeft uitgewezen dat deze zeekoeien een afzonderlijke populatie vormen en wel-licht een ondersoort. Bij dit project wordt samenge-werkt met de plaatselijke milieugroep, Les Amis du La-mantin, en de Tsjadische parkdienst om de demografie van de zeekoeien en de interactie tussen de dieren en de plaatselijke Moundang te onderzoeken.
Soorten:	West-Afrikaanse zeekoe (*Trichechus senegalensis*).
Hab.:	Semi-tropische sahel, merengebied.
Loc.:	Zuidwest-Tsjaad, bij de grens met Kameroen.
Reis:	Vliegen naar N'djamena in Tsjaad of Garoua in Kame-roen, vervolgens taxi brousse naar de onderzoeksplek.
Duur:	Een week tot een maand.
Per.:	Oktober 1998-maart 1999.
Leeft.:	Min. 20, max. 70.
Vereist:	In staat zijn in minder ideale omstandigheden te ver-blijven en te reizen. Kennis van fotografie is een pré. De vrijwilligers moeten kunnen zwemmen en in goede conditie zijn.
Werk:	De vrijwilligers nemen deel aan het verzamelen van ge-gevens en het houden van vraaggesprekken. Leden van Les Amis du Lamantin verzamelen in de dorpen ruwe gegevens over de demografie van de zeekoeien. Deze data worden klaargemaakt voor statistische ana-lyse.
Taal:	Praktische kennis van het Frans is nuttig, Arabisch is een pré.
Accomm.:	Een klein huis van traditioneel materiaal (modder en stro). Het is comfortabeler dan het klinkt. Bed en bed-dengoed is beschikbaar.
Kosten:	ƒ 380,- per week. Voor eten en onderdak wordt ge-

Vrijwilligerswerk & natuurbehoud

148

zorgd, maar de vrijwilligers moeten zelf hun vervoer regelen.

L. term.:   Voor een langetermijnverblijf kan toestemming worden verkregen. Een week tot een maand is de aanbevolen verblijfsduur.

Vert.:   Neem contact op met Jonathan H. Salkind op het hiervoor vermelde adres.

Aanvr.:   Er is geen speciale aanvraagprocedure.

FOREST RESTORATION, VS

National Park Service
Rock Creek Park – Eden Crane
3545 Williamsburg Ln, NW
Washington, DC 20008 VS
Tel.: 001 (202) 426-6834 – fax: 001 (202) 426-0964
E-mail: eden_crane@nps.gov

Beschr.:	Dit project richt zich op het beheer van exotische planten, het onder controle houden van de iepenziekte en de plakker en het in kaart brengen van de vegetatie. De projecten zijn seizoengebonden. Er worden ook beurzen toegekend en de wetenschappers zijn betrokken bij het schrijven van geografische en GPS-software.
Soorten:	*Celastrus orbiculatus, Ampelopsis brevipedunculata*, Amerikaanse iep en andere.
Hab.:	Oostelijk bladverliezend bos.
Loc.:	Midden-Atlantische kust van Noord-Amerika.
Reis:	Vliegen naar Washington DC.
Duur:	Verschillend.
Per.:	Het hele jaar.
Leeft.:	Min. 18, geen max.
Vereist:	Kennis van botanie en computers is welkom. De vrijwilligers moeten in goede conditie zijn en vloeiend Engels spreken. Alleen voor studenten en afgestudeerden op minimaal hbo-niveau.
Werk:	Bijvoorbeeld klimplanten kappen, werken met herbiciden, geïntegreerde ziekte- en plagenbeheersing, werk aan bedreigde soorten, botaniseren, GPS, iepenziekte, planteninventarisatie en gegevens invoeren.
Taal:	Engels.
Kosten:	Soms kan voor kamers worden gezorgd, anders kosten kamers ƒ 23,- per dag. De vrijwilligers moeten zelf hun vervoer betalen.
L. term.:	Informeer bij de organisatie.
Accomm.:	Soms is groepshuisvesting beschikbaar. Neem lakens en dekens mee.
Vert.:	Neem rechtstreeks contact op met Eden Crane.
Aanvr.:	Stuur een curriculum vitae, drie referenties en een bewijs van overmaking naar bovenstaand adres.

GEDRAG VAN TUIMELAARS, VS

Earthwatch Institute (US) of Earthwatch Institute (Europa)
680 Mount Auburn St. – P.O. Box 9104
Watertown, MA 02272-9104 USA
Tel.: 001 (617) 926-8200
Fax: 001 (617) 926-8532
E-mail: info@earthwatch.org – URL: http://www.earthwatch.org

Beschr.: Veel van wat we tegenwoordig over het sociale gedrag van de tuimelaar weten, is afkomstig van dit belangrijke onderzoek aan de ongeveer honderd exemplaren van Sarasota Bay, dat nu al in zijn 27ste jaar is (waarvan zestien jaar met vrijwilligers van Earthwatch). Het project heeft model gestaan voor andere onderzoeken aan walvisachtigen.

Soorten: Tuimelaar (*Tursiops truncatus*).

Hab.: Tropische zeeën.

Loc.: Sarasota Bay, centrale westkust van Florida.

Reis: Vliegen naar Tampa of Miami. Het verzamelpunt is Sarasota.

Duur: Vijf of twaalf dagen.

Per.: Januari-september.

Leeft.: Min. 16, geen max.

Vereist: Er zijn geen bijzondere vaardigheden vereist. Ervaring met fotograferen of boten kan nuttig zijn.

Werk: Tot de activiteiten behoren het observeren van dolfijnen, het gedrag en visuele kenmerken vastleggen, gegevens over het milieu verzamelen en foto's archiveren. De vrijwilligers kunnen ook helpen bij het verzorgen van gestrande dolfijnen in het dolfijnenhospitaal van het Mote Marine Lab. De deelnemers doen ook huishoudelijk werk, zoals boodschappen doen, koken en schoonmaken.

Taal: Engels.

Kosten: ƒ 3316,- voor twaalf dagen, ƒ 1891,- voor vijf dagen. De vrijwilligers moeten zelf hun reis naar en van Sarasota bekostigen.

L. term.: Er zijn geen mogelijkheden voor lange termijn.

Accomm.: Een comfortabel halfvrijstaand huis met twee slaapkamers.

Vert.: Neem rechtstreeks contact op met een kantoor van het Earthwatch Institute. Zie de Lijst van organisaties.

Aanvr.: Er is een waarborgsom van ƒ 475,- vereist.

Lijst van projecten

GEDRAG VAN WALVISSEN IN ESTUARIA, CANADA

ORES – Center for Coastal Field Studies
P.O. Box 303
196 Wilson Avenue, Toronto, Ontario M5M4N7 Canada
E-mail: lynas@aol.com
URL: http://www.access.ch/ores

Beschr.: Het subarctisch ecosysteem van de kusten van de monding van de St. Lawrence River staat bekend om de rijkdom en diversiteit aan mariene levensvormen. Er is weinig bekend over de complexiteit van dit unieke ecosysteem en zijn bewoners, met name de baleinwalvissen. ORES bestudeert de ecologie van de voeding en de ademhaling van de walvissen van de St. Lawrence en heeft methoden ontwikkeld en geïntroduceerd die een minimale verstoring teweegbrengen, maar arbeidsintensief zijn. Financiële hulp en assistentie bij het onderzoek zijn nodig voor de continuïteit.

Soorten: Vinvissen, dwergvinvis, beluga, gewone zeehond, blauwe vinvis, bultrug, potvis, griend, witflankdolfijn en witsnuitdolfijn.

Hab: Riviermondingen in het subarctische ecosysteem.

Loc: Provincie Quebec, Grandes Bergeronnes (20 km ten oosten van Tadoussac) en de samenloop van de rivieren de St. Lawrence en de Saguenay.

Reis: Vliegen naar Toronto, Montréal of Quebec-city, per bus naar Grandes Bergeronnes

Per.: Half juli tot half oktober

Leeft.: Min. 18.

Duur: Er worden drie programma's aangeboden: 1. Introductiecursus, om de algemene kennis over oceanen te verbreden en van walvissen in het bijzonder; twee weken. 2. Stageplaatsen, open voor iedereen die de introductiecursus of een equivalent in veldwerk heeft gevolgd (stageplaatsen voor zelfstandige studie of scriptie): tot veertien weken. 3. Veldwerk voor doctoraalstudenten, voor studenten die bezig zijn met hun afstudeerprogramma; duur afhankelijk van het project.

Vereist: Voor de introductie worden geen bijzondere eisen gesteld. De vrijwilliger moet in staat zijn vier tot zes uur in een open boot door te brengen. Van pas komende vaardigheden liggen op gebied van fotograferen, computerwerk, timmeren en varen.

Werk: Observeren en gegevens verzamelen op het water, afhankelijk van het weer, in kleine onderzoeksteams in

Vrijwilligerswerk & natuurbehoud

open opblaasboten en op een aluminium onderzoeks-
boot. De taken zijn opsporen en in kaart brengen van
walvissen met het Global Positioning System, foto-
identificatie, echografie van verspreiding van prooidieren, waarnemingen aan de ademhaling doen, verdach-
te dieren registreren en analyseren, zoöplankton en
fytoplankton verzamelen, interactie tussen mensen en
walvissen documenteren, laboratoriumwerk.

Taal: Engels (de taal in de provincie Quebec is Frans).

Accomm.: De deelnemers aan de introductiecursus beginnen op
de camping Parc Bon Désir, die is uitgerust met bad-
ruimte, douches, een wasruimte en telefoon. Er is een
kooktent. Gewerkt wordt in het Centre, in een ver-
bouwde honderd jaar oude boerderij met uitzicht op
de St. Lawrence, waar ook lezingen worden gehouden.
Deelnemers aan de andere twee programma's verblijven in hutten voor drie tot vier mensen met bedden of
in hun eigen tent. Voor stagiairs wordt het eten vergoed. Anderen betalen ƒ 67,- per week voor eten.

Kosten: De kosten (inclusief accommodatie) zijn ƒ 1710,-. De
vrijwilligers moeten zelf tent en slaapzak meenemen
en moeten betalen voor eten en vervoer naar het Centre. ORES zorgt voor zeilpakken en zwemvesten voor
het werk aan boord en voor vervoer naar de haven.

Vert.: Neem contact op met ORES Stiftung zur Erforschung
der Marinen Umwelt (Lydia Voshardt, Ursula Tscherter),
Postfach 756, 4502 Solothurn, Zwitserland, tel./fax:
0041 (41) 780 30 67, e-mail:
utscherter@envirolink.org

Aanvr.: Neem bij voorkeur voor mei contact op met bovenstaand adres. Meer specifieke informatie en een aanmeldingsformulier worden verstuur per post, fax of e-
mail. Wees op tijd, want het aantal studenten per
seizoen is beperkt tot ongeveer 70.

GENESIS II-RESERVAAT, COSTA RICA

Apdo. 655
7050 Cartago
Costa Rica
Tel.: 00506 381-0739 – fax: 00506 551-0070
E-mail: genesis@yellowweb.co.cr

Beschr.:	Genesis II is een reservaat van 47 ha, dat is gesticht ter bescherming van het bedreigde nevelwoud. Er zijn vrijwilligers nodig om te helpen met het planten van inheemse bomen en het aanleggen en onderhouden van paden.
Soorten:	Vogels, bomen, epifyten, varens, dag- en nachtvlinders.
Hab.:	Nevelwoud, herstellend weidegebied.
Loc.:	Centraal Talamanca-gebergte van Costa Rica, op een hoogte van 2300 m.
Reis:	Vliegen naar San José, vervolgens met de bus.
Duur:	Negen eenheden van ieder vier weken.
Per.:	Januari-november.
Leeft.:	Min. 21, geen max.
Vereist:	De vrijwilligers moeten gezond en gemotiveerd zijn en geïnteresseerd in milieuproblematiek.
Werk:	Het voornaamste werk van juli tot oktober is het planten van inheemse bomen, van november tot juni helpen de vrijwilligers met het aanleggen en onderhouden van paden. De vrijwilligers kunnen ook bij andere projecten worden betrokken, zoals herbebossing, ontwerpen van T-shirts, kartering en vogeltellingen. Per periode van vier weken werken de vrijwilligers twee perioden van tien dagen, met vier dagen vrij na iedere periode. Deze dagen kunnen op het terrein worden doorgebracht of worden gebruikt om andere delen van Costa Rica of Panama en Nicaragua te bezoeken.
Taal:	Engels. Spaans komt van pas.
Accomm.:	De voorzieningen zijn heel eenvoudig. De elektriciteit is 120 volt wisselspanning, er is een kortegolfradio, maar geen tv.
Kosten:	Min. f 285,- per week, inclusief kamer, eten en wasserij.
L. term.:	Vrijwilligers met speciale bekwaamheden of zeer sterke motivatie kunnen langer dan één eenheid blijven.
Vert.:	Neem rechtstreeks contact op met Genesis II Cloudforest.
Aanvr.:	Vraag een aanmeldingsformulier aan, dat moet worden

geretourneerd met een waarborgsom van f 285,- (die wordt teruggestort als de gegadigde niet wordt aangenomen). Het hele bedrag moet een maand voor het begin van het project zijn betaald.

Opm.: Juni tot december is de regentijd. Wie in deze periode wil werken, moet rekening houden met koel, regenachtig weer. De temperatuur kan flink dalen. Door de grote hoogte is er kans op zonnebrand.

GIBBONS UITZETTEN IN THAILAND

EcoVolunteer Program (http://www.ecovolunteer.org)

Nederland	België
Wolftrail	¡Tierra!
Postbus 144	Heidebergstraat 223
1430 AC Aalsmeer	B-3010 Leuven
Tel. 0297-368504	Tel. 016-255616
Fax 0297-367686	Fax 016-255616
Email: wolftrail@image-travel.nl	

Beschr.: Op het tropische eiland Phuket komen geen gibbons in het wild meer voor, maar nog wel in gevangenschap. Bij dit heruitzettingsproject worden in gevangenschap grootgebrachte gibbons in beslag genomen en op terugkeer naar het regenwoud voorbereid. Dit project werd in 1992 gestart door de Amerikaanse zoöloog Terrance Dillon Morin, die in 1995 overleed. Sinds 1993 is het project ondergebracht bij de Thaise WAR (Wildlife Animal Rescue) Foundation. Er zouden meer gibbons kunnen worden gehouden en meer dieren kunnen worden uitgezet als er meer kooien en personeel waren. Vrijwilligers, geld en materiaal zijn altijd nodig in Phuket.

Soorten: Lar (*Hylobates lar*).

Hab.: Tropisch regenwoud.

Loc.: Bang Pae-waterval, nationaal park Khao Phra Thaew, Phuket, Thailand.

Reis: Vliegen naar Phuket (of naar Bangkok en vervolgens de bus naar Phuket).

Duur: Min. drie weken.

Per.: Het hele jaar.

Leeft.: Min. 18, geen max.

Vereist: De vrijwilligers moeten Engels kennen, in goede gezondheid en enthousiast zijn en zelfstandig kunnen werken. Ervaring met dieren en bijzondere vaardigheden (bouwen, toeristen helpen, public relations) kunnen heel nuttig zijn. Als er te veel aanmeldingen zijn, kan ervaring een selectiecriterium zijn.

Werk: Afhankelijk van de duur van het verblijf en ervaring kunnen de vrijwilligers helpen bij het klaarmaken van eten en het voederen van de gibbons, assisteren bij het gedragsonderzoek, bouwen, onderhouden en schoonmaken van de hokken, voetpaden vrijmaken, voordrachten houden en toeristen rondleiden. De vrijwilligers werken zes dagen per week. Op vrije dagen kunnen de vrijwilligers aan sightseeing doen of zich vermaken op het tropische strand van Phuket.

Taal: Engels.

Kosten: Verblijf van drie tot acht weken f 1520,- voor de eerste drie weken en f 190,- voor iedere extra week. Verblijf van langer dan acht weken f 1235,- voor de eerste drie weken en f 95,- voor iedere extra week. Vliegreis, eten, visum en verzekering zijn niet inbegrepen.

L. term.: Met name studenten en afgestudeerde biologen, antropologen en dierenartsen zijn welkom voor een langere periode en kunnen ook onderzoek doen onder toezicht van de projectleider (minimaal twee maanden). Het project biedt ook interessante mogelijkheden voor vrijwilligers die zijn opgeleid in de toeristenbranch of public relations.

Accomm.: Bungalows voor twee of meer personen in een Thais dorp, met toilet, douche en kookgelegenheid.

Vert.: Kantoren van het Ecovolunteer Network.

Aanvr.: Bij het Ecovolunteer Network of via www.ecovolunteer.org

Opm.: Het centrum kan acht tot twaalf mensen tegelijk onderbrengen. Stellen en groepen kunnen worden ondergebracht afhankelijk van het seizoen en het aantal vrijwilligers.

GROTE ROOFDIEREN IN DE KARPATEN, ROEMENIË

EcoVolunteer Program (http://www.ecovolunteer.org)

Nederland	België
Wolftrail	¡Tierra!
Postbus 144	Heidebergstraat 223
1430 AC Aalsmeer	B-3010 Leuven
Tel. 0297-368504	Tel. 016-255616
Fax 0297-367686	Fax 016-255616
Email: wolftrail@image-travel.nl	

Beschr.: Dit project wordt geleid door Christoph Promberger van de Munich Wildlife Society. Er worden wolven en beren bestudeerd met radiografische opsporingsmethoden om hun dagelijkse bewegingen en gewoonten te leren kennen. Analyse van de gevolgen van menselijke activiteiten (bijvoorbeeld jagen) op de soorten maakt ook deel uit van het onderzoek.

Soorten: Wolf (*Canis lupus*), bruine beer (*Ursus arctos*).

Hab.: Gemengd gematigd woud.

Loc.: Gebied van Brasov, 180 km van Boekarest, Roemenië.

Reis: Per vliegtuig of trein naar Boekarest, vervolgens de trein naar Brasov.

Duur: Twee tot vier weken.

Per.: Het hele jaar.

Leeft.: Min. 18, max 65.

Vereist: Er zijn geen bijzondere kwalificaties vereist. De vrijwilligers moeten in goede gezondheid en flexibel zijn en 's nachts kunnen werken.

Werk: De vrijwilligers gebruiken radiografische opsporingstechnieken, verzamelen monsters en volgen wolvensporen in de sneeuw. Verzorgen van gevangen wolven behoort ook tot de werkzaamheden.

Taal: Engels is vereist, Duits en Roemeens zijn nuttig.

Kosten: ƒ 1197,- per week, inclusief eten en accommodatie. De vrijwilligers meten zelf hun vervoer naar Brasov regelen.

L. term.: Niet mogelijk.

Accomm.: Houten berghut en gerenoveerde boerderij.

Vert.: Kantoren van het Ecovolunteer Network.

Aanvr.: Bij het Ecovolunteer Network of via: www.ecovolunteer.org

HERINTRODUCTIE CHIMPANSEES, SIERRA LEONE

EcoVolunteer Program (http://www.ecovolunteer.org)

Nederland	België
Wolftrail	¡Tierra!
Postbus 144	Heidebergstraat 223
1430 AC Aalsmeer	B-3010 Leuven
Tel. 0297-368504	Tel. 016-255616
Fax 0297-367686	Fax 016-255616
Email: wolftrail@image-travel.nl	

Beschr.: Het Sierra Leone Chimpanzee Rehabilitation Programme (SLCRP) is een opvangcentrum voor chimpansees die door hun eigenaar in de steek zijn gelaten en in beslag zijn genomen door de overheid. Om de in gevangenschap opgegroeide dieren uit te kunnen zetten, worden hun vermogen om te overleven en de sociale vaardigheden die ze niet hebben kunnen leren, getraind en vervolgens worden ze groepsgewijs in een halfwilde omgeving vrijgelaten. Het opvangcentrum geeft de broodnodige steun aan de handhaving van de wet en voert programma's voor educatie en ontwikkeling van de bevolking die een essentiële rol spelen in het tegenhouden van de handel in wilde chimpansees en hun bescherming uit.

Soorten: Witsnoetchimpansee (*Pan troglodytes verus*).

Hab: Tropisch regenwoud.

Loc.: Bosreservaat Tacugama bij Freetown, Sierra Leone.

Reis: Vliegen naar Freetown, Sierra Leone, verzamelen op het vliegveld.

Duur: Min. drie weken. Om er de meeste bevrediging uit te halen, wordt een verblijf van acht weken sterk aangeraden.

Per.: Het hele jaar.

Leeft.: Min. 18, geen max.

Vereist: Er zijn geen bijzondere vaardigheden vereist, wel een goede gezondheid.

Werk: 1. Helpen van de verzorgers (eten maken, voederen en de jongere chimpansees mee naar het bos nemen). 2. Helpen bij het vastleggen van de vooruitgang van de chimpansees en hun gedrag. 3. Hokken schoonmaken en bouwen. 4. Bouwen en onderhoud van met schrikdraad omheinde terreinen. 5. Assisteren van de medewerkers bij het Environmental Education Programme. 6. Bouwen en onderhouden van een educatief centrum voor bezoekers. 7. Assisteren van de medewerkers bij het Community Development Programme. 8. Inspecteren van het opvangcentrum en het reservaat. 9. Assisteren bij de fauna-inventarisaties binnen het centrum. 10. Onderhouden van voetpaden in het reservaat.

Taal: Engels.

Accomm.: Sierra Leone Conservation Society Guest House (in de buitenwijken van Freetown). Gemeenschappelijke badkamer (met mandibak) en kookgelegenheid. Een- en tweepersoonskamers.

Kosten: ƒ 1710,- voor de eerste drie weken, ƒ 190,- per extra week. ƒ 143,- per week vanaf de achtste week.

L. term.:	Mogelijk voor zeer gemotiveerde en geschikte vrijwilligers.
Vert.:	Kantoren van het Ecovolunteer Network.
Aanvr.:	Via de kantoren van het Ecovolunteer Network of via www.ecovolunteer.org

HERINTRODUCTIE VAN DIEREN, COSTA RICA

Programa Regional en Manejo de Vida Silvestre
Universidad Nacional
Apartado 1350, 3000 Heredia, Costa Rica
Tel.: 00506 277-3600 of 237-7039 – fax: 00506 237-7036
E-mail: cdrews@una.ac.cr

Beschr.: Door de Costa Ricaanse overheid worden regelmatig grote aantallen wilde dieren in beslag genomen. Ook worden er vaak gewonde en in de steek gelaten dieren naar dierentuinen gebracht en naar de beheerders van natuurreservaten. Hierdoor is er een grote behoefte aan plekken waar deze dieren kunnen worden onderhouden en aan goede regelingen voor wat er met de dieren moet gebeuren (afmaken, blijvende gevangenschap, vrijlaten in het wild). Costa Rica is pas begonnen een systeem van dierenopvangcentra op te zetten, waarvoor vrijwilligers nodig zijn, gezien de geringe financiële middelen van zo'n onderneming. Het Programa Regional en Manejo de Vida Silvestre brengt geïnteresseerde vrijwilligers met deze centra in contact.

Soorten: Voornamelijk inheemse zoogdieren en vogels, en soms reptielen en amfibieën.

Hab.: Regenwoud in het laagland, droog tropisch woud, nevelwoud, landelijke gebieden.

Loc.: Costa Rica.

Reis: Vliegen naar San José, vervolgens de bus naar het opvangcentrum naar keuze.

Duur: Van enkele weken tot een aantal maanden of langer.

Per.: Het hele jaar.

Leeft.: Geen leeftijdsbeperking. Vrijwilligers onder de 18 moeten de duur van hun verblijf met het gekozen opvangcentrum bespreken.

Vereist: Ervaring met de zorg van wilde dieren in gevangenschap, kennis van diergeneeskunde, enige kennis van het Spaans zijn wenselijk, maar niet verplicht.

Werk: Afhankelijk van de vaardigheden van de vrijwilligers varieert het werk van het schoonhouden van het terrein en het voederen van de dieren tot het uitzetten van dieren, secretariaatswerk, leiden of begeleiden van onderzoeksprojecten, bedenken en uitvoeren van milieueducatieve programma's, het werven van fondsen en administratief werk.

Taal: Spaans is wenselijk, anders Engels.

Accomm.: In het algemeen heel eenvoudig.

Kosten: Afhankelijk van het gekozen opvangcentrum. In het algemeen moeten de vrijwilligers zelf voor hun vervoer zorgen. Voor accommodatie en eten wordt door het centrum gezorgd.

L. term.: Te regelen door het gekozen opvangcentrum.

Agent.: Neem rechtstreeks contact op met dr. Carlos Drews van Regional en Manejo de Vida Silvestre.

Aanvr.: Vrijwilligers moeten in een brief hun belangstelling kenbaar maken, vergezeld van een curriculum vitae, opgave van de datums van beschikbaarheid, relevante vaardigheden en speciale voorkeuren. Ook de formulieren van de Green Volunteers kunnen worden gebruikt.

Opm.: De aanvraagprocedure kan lang duren. Na enige tijd neemt een opvangcentrum contact op met de aanvrager.

HERINTRODUCTIE PRZEWALSKI-PAARDEN IN MONGOLIË

EcoVolunteer Program (http://www.ecovolunteer.org)

Nederland
Wolftrail
Postbus 144
1430 AC Aalsmeer
Tel. 0297-368504
Fax 0297-367686
Email: wolftrail@image-travel.nl

België
¡Tierra!
Heidebergstraat 223
B-3010 Leuven
Tel. 016-255616
Fax 016-255616

Beschr.: Het hoofddoel van het project is de herintroductie van het przewalski-paard in het reservaat, het beschermen van de biologische diversiteit van het ecosysteem van Mongolië en het uitvoeren van een sociaal-economisch programma. In de jaren negentig zijn verschillende harems van de paarden in het reservaat uitgezet, nadat ze half wild werden gehouden in gebieden waar ze konden acclimatiseren. De uitgezette paarden worden gevolgd om te weten te komen of ze zich aan hun nieuwe omgeving aanpassen en om hun gedrag te bestuderen. Met de resultaten van het onderzoek wil men een zelfstandige, levensvatbare populatie przewalski-paarden op de Mongoolse steppen vestigen. De vrijwilligers krijgen de gelegenheid om met deze fascinerende dieren te werken en veel op te steken over de bijzondere biodiversiteit van de Mongoolse steppen en de traditionele leefwijze van de nomaden.

Soorten: Przewalski-paard (tahki).

Hab.:	Hoge steppen.
Loc.:	Natuurreservaat Hustain Nuruu.
Reis:	Per vliegtuig of trein naar de Mongoolse hoofdstad Ulan Bator. Verzamelen op het vliegveld of het station.
Duur:	Min. drie weken, geen max.
Per.:	Juni tot september.
Leeft.:	Min. 18, geen max.
Vereist:	De vrijwilligers moeten paard kunnen rijden, verder worden er geen bijzondere eisen gesteld, afgezien van een goede gezondheid.
Taal:	Engels.
Werk:	De vrijwilligers assisteren bij het volgen van de paarden, bij het observeren van gedrag van de merries voor, tijdens en na het werpen en van de paarden tijdens het vrijlaten en bij het onderzoek van het verspreidingsgebied. Deze tochten worden te paard gemaakt, vergezeld van een Mongoolse gids. Er worden verschillende tochten per dag gemaakt. Verder wordt het gedrag van tweejarige paarden voor en tijdens de scheiding van de harem bestudeerd.
Accomm.:	In gemeenschappelijke Mongoolse tenten op de steppe.
Kosten:	Drie weken ƒ 1900,- per extra week ƒ 618,-.
Vert.:	Kantoren van het Ecovolunteer Network.
Aanvr.:	Via de kantoren van het Ecovolunteer Network of via www.ecovolunteer.org

Vrijwilligerswerk & natuurbehoud

HERSTEL- EN ONDERZOEKSPROJECT MANGA DEL MAR, SPANJE

Instituto de Ciencias Sociales y Ambientales & Amigos de la UNESCO
Paseo Marques de Corvera, 33, 4BA A
Apartado de Correos 4.661 Murcia, Spanje
Tel./fax: 0034 (968) 22 05 96
E-mail: murban@ctv.es – URL: http://www.ctv.es/USERS/murban

Beschr.:	Tot het project behoren onderzoek en herstel van cultuur en natuur in verschillende delen van de Manga del Mar Menor, ecologisch onderzoek in het kustlandschap en de wetlands van het Calblanque-park, prehistorisch en archeologisch onderzoek op de vindplaats Cueva Victoria en onderzoek in de omgeving van de wetlands.
Soorten:	Zeevogels, roofdieren, zeezoogdieren, endemische soorten.
Hab.:	Wetlands aan de mediterrane kust.
Loc.:	La Manga del Mar Menor, Spanje.
Reis:	Een folder met informatie wordt op verzoek toegezonden.
Duur:	Vijftien dagen tot drie maanden.
Per.:	Juli-september.
Leeft.:	Min. 18, geen max.
Vereist:	Er worden geen bijzondere eisen gesteld. De vrijwilligers moeten sterk gemotiveerd zijn om aan natuurbehoud te werken.
Werk:	Tot de werkzaamheden behoren het verzamelen van gegevens, grotten schoonmaken, bestuderen van onderzeese gebieden en planten, informeren van bezoekers van het park en milieueducatie voor kinderen.
Taal:	Engels, Frans, Spaans, Italiaans. Andere talen zijn welkom. Er kan voor Spaanse les worden gezorgd.
Accomm.:	Tenten op de toeristencamping, tenten in het park.
Kosten:	Voor vijftien dagen, zonder accommodatie f 276,-. Tenten in het park en eten f 713,-, tenten op een eersteklas camping zonder maaltijden f 627,- (in beide gevallen moeten de deelnemers zelf een tent en slaapzak meenemen). Inbegrepen zijn vervoer van het vliegveld, halfpension en verzekering.
L. term.:	De vrijwilligers kunnen maximaal drie maanden blijven.
Aanvr.:	Vraag een aanmeldingsformulier aan, dat ook op de website is op te halen.

HYENAHONDEN-PROJECT IN SENEGAL

WWF Italië
Via Canzio 15
20131 Milaan, Italië
Tel.: 0039 (2) 20569505 – fax: 0039 (2) 20569246
E-mail: MC2252@mclink.it
URL: http://www.mclink.it/n/assoc.amb/wwf/wwf.htm

Beschr.:	Een samenwerkingsverband tussen het WWF en het Lycaon Fund heeft tot dit onderzoeksproject in Senegal geleid, een van de laatste gebieden waar de hyenahond voorkomt. Biologen verzamelen gegevens over hyenahonden en andere Afrikaanse zoogdieren om meer te weten te komen over de interacties tussen predator en prooi. Met de plaatselijke bevolking wordt gesproken over het natuurbehoud.
Soorten:	Hyenahond (*Lycaon pictus*), leeuwen, hyena's.
Hab.:	Savanne.
Loc.:	Nationaal park Niokolo Koba, Zuidwest-Senegal.
Reis:	Vliegen naar Dakar, vervolgens de bus of ander plaatselijk vervoer.
Duur:	Twee weken.
Per.:	December-januari en maart-april.
Leeft.:	Min. 18, geen max.
Vereist:	Er zijn geen bijzondere eisen gesteld.
Werk:	De vrijwilligers houden zich bezig met het verzamelen van gegevens en inventarisaties, overdag en 's nachts.
Taal:	Italiaans, Engels, Frans.
Kosten:	Ongeveer ƒ 3400,-. Vliegreis vanuit Italië inbegrepen.
L. term.:	Informeer bij de organisatie.
Accomm.:	Plaatselijke huizen en tent.
Aanvr.:	Vraag een aanmeldingsformulier aan, dat moet worden geretourneerd met een deel van het verschuldigde bedrag.
Opm.:	Verdere informatie is beschikbaar bij het bureau werkkampen van het WWF Italië.

INDISCHE KROONAAP- EN KALONG-ONDERZOEK, TAMILNADU, INDIA

EcoVolunteer Program (http://www.ecovolunteer.org)

Nederland
Wolftrail
Postbus 144
1430 AC Aalsmeer
Tel. 0297-368504
Fax 0297-367686
Email: wolftrail@image-travel.nl

België
¡Tierra!
Heidebergstraat 223
B-3010 Leuven
Tel. 016-255616
Fax 016-255616

Beschr.: (1) Bij het makaken-project worden de toestand van de populatie, verspreiding en ecologie bestudeerd en wordt gewerkt aan het behoud van Indische kroonapen in Tamilnadu bestudeerd. (2) Bij het vleermuis-project wordt onderzoek gedaan aan de populatie, en verspreiding en ecologie van vleermuizen in Tamilnadu en werkt men aan het behoud van de dieren.

Soorten: Indische kroonaap (*Macaca radiata*), verschillende vleermuissoorten.

Hab: Tropische kusten, droog groenblijvend woud.

Loc.: (1) Dorpen rond Sirkali in het NQM-district (veldstation bij het dorp Tirunagiri, (2) Point Calimere wildreservaat.

Reis: Verzamelen op het internationale vliegveld van Madras, India.

Duur: Periodes van twee weken.

Per.: Januari en augustus.

Leeft.: Min. 18.
Vereist: Er zijn geen bijzondere vaardigheden of opleiding vereist. De vrijwilligers moeten goed kunnen zien, geïnteresseerd zijn in diergedrag en bereid en in staat zijn
lange perioden buiten te werken, onder verschillende
weersomstandigheden. De vrijwilligers moeten bereid
zijn verschillende aan het onderzoek gerelateerde
taken uit te voeren.

Werk: Het werk wordt uitgevoerd door teams onder leiding van de Principal Investigator of zijn assistenten. De vrijwilligers doen telwerk en gedragswaarnemingen.

Taal: Engels.

Accomm.: In gehuurde huizen bij de veldstation. Er wordt naar andere plaatsen gereisd om de apen te bestuderen.

Kosten: Twee weken: f 1235,-, derde week f 323,-, per extra week f 171,-.

L. term.: Informeer bij de organisatie.

Aanvr.: Bij Ecovolunteer Network of via www.ecovolunteer.org

Opm.: Tot de voorbereidingen behoren lezingen en demonstraties.

INTERNATIONAAL ECOLOGISCH KAMP, SIBERIË
RUSLAND

P.O. Box 52
665718 Bratski-18
Irkoetsk-Gebied
Rusland

Beschr.:	Deze organisatie biedt de gelegenheid om te werken in een vrijwilligerskamp in Siberië en inzicht in de Russische cultuur te verkrijgen.
Hab.:	Boreaal woud.
Loc.:	Siberië.
Duur:	Twee tot drie weken.
Per.:	Het hele jaar, maar vrijwilligers zijn vooral 's zomers nodig.
Leeft.:	Min. 16, geen max.
Vereist:	Er worden geen bijzondere eisen aan de vrijwilligers gesteld. Interesse in of ervaring met de Russische taal en cultuur wordt bijzonder op prijs gesteld. Wie wil helpen bij het gedurende twee tot drie maanden leiden van een werkkamp moet vloeiend Russisch spreken. Ervaren leraren kunnen vijf maanden Engelse les geven.
Kosten:	Informeer bij de organisatie. Eenvoudig accommodatie wordt kosteloos verstrekt.
L. term.:	Voor werkkampleiders en leraren (zie hiervoor).
Taal:	Russisch is nuttig, maar niet vereist.
Vert.:	Neem rechtstreeks contact op met de organisatie.
Aanvr.:	Neem contact op met de organisatie voor details.
Opm.:	Ieder jaar nemen ongeveer 80 personen deel aan de kampen. Onder de vrijetijdsbesteding vallen zwemmen in de meren, het bos verkennen en sightseeing.

Vrijwilligerswerk & natuurbehoud

KAAIMANNEN IN ARGENTINIË

Fundacion Ibera
Boedo 90, Florida 1602, Buenos Aires, Argentinië
Tel.: 0054 (1) 797 2251 of 0054 (1) 747 7421
Fax: 0054 (1) 742 3015
E-mail: iucnvet@wamani.apc.org

Beschr.: In 1990 en 1991 werd er in Argentinië een uitgebreide inventarisatie, gesteund door CITES, uitgevoerd om de status van de bedreigde kaaimanpopulaties vast te stellen. Hieruit bleek dat er in de provincie Corrientes nog een redelijk gezonde en herstelbare kaaimanpopulatie voorkomt, die periodiek moet worden geïnventariseerd. Een eerste poging werd in 1993-1993 gedaan, waarbij de positieve ontwikkeling in het herstel van de kaaimanpopulatie van Corrientes werd bevestigd. Nieuwe inventarisaties en ecologisch onderzoek worden in 1998 uitgevoerd om tot een betere besluitvorming te komen over het beheer en het behoud van de kaaimannen en de wetlands waarin ze leven.

Soorten: Ondersoort van de brilkaaiman (*Caiman yacare*), breedsnuitkaaiman (*Caiman latirostris*).

Hab.: Subtropisch wetland (met 1.200.000 ha is dit het op een na grootste wetland van Zuid-Amerika). Ook galerijwoud.

Loc.: Noordoost-Argentinië (provincie Corrientes).

Reis: Neem contact op met dr. Marcelo D. Beccaceci op het hiervoor vermelde adres.

Duur: Twee weken (twaalf dagen in het veld).

Per.: September en oktober.

Leeft.: Min. 20, max. 70.

Vereist: Er zijn geen bijzondere vaardigheden vereist.

Werk: Merentochten te voet, per truck of boot, nachtelijke tellingen met schijnwerpers om de relatieve dichtheid te schatten, 's nachts kaaimannen vangen om de lengteschattingen te corrigeren, geslachtsbepaling, voedingsonderzoek, merken voor groeibepaling, nemen van bloedmonsters, laboratoriumwerk met kaaimannen en karakterisering van de habitat (waterkwaliteit, vegetatiedekking en landschap).

Taal: Engels, Spaans of Italiaans.

Accomm.: In september op de particuliere Cattle Ranch. Huis met kamers voor vier personen en met privé-toilet (op één na). Lakens of slaapzakken hoeven niet te worden meegenomen. In oktober hut met kamers voor vier personen met toilet.

Kosten: f 2850,-. Kamers, vier maaltijden per dag, accommodatie en vervoer van en naar het internationale vliegveld van Buenos Aires zijn inbegrepen. Ook inbegrepen zijn twee overnachtingen in een hotel in Buenos Aires (dag 1 en dag 14). De vrijwilligers betalen alleen hun vervoer naar Argentinië.

L. term.: Na de reguliere periode kunnen vrijwilligers met toestemming van de projectleiders langer blijven.

Vert.: PANGAEA, Bonnie Hayskar, 226 South Wheeler St., St. Paul MN 55105, VS. Tel. 001 (612) 690 3320, fax 001 (612) 690 1485, e-mail bonzi@pangaea.org

Aanvr.: Deadline juni. De vrijwilligers moeten dan een kopie van de bevestiging van hun vliegreis opsturen.

Opm.: De vrijwilligers moeten een ziektekosten- en reisverzekering hebben. Er is medische begeleiding.

KUDA LAUT-PROJECT, INDONESIË

CTS – Centro Turistico Studentesco e Giovanile
Via A. Vesalio 6
00161 Rome, Italië
Tel.: 0039 (6) 44111471/2/3/4 – fax: 0039 (6) 44111401
E-mail: ambiente@cts.it
URL: http://www.cts.it

Beschr.:	Dit project heeft drie hoofddoelen: het bepalen van de algehele staat van gezondheid van de koraalriffen bij Bunaken en Manado, gegevens verzamelen om de effecten van duiken op het rif te beoordelen en duikers voorlichten over het behoud van het mariene milieu door ze bij het onderzoek te betrekken.
Soorten:	Benthische milieus, acht soorten vlindervissen.
Hab.:	Tropische zeeën en koraalriffen.
Loc.:	Manado en de Bunaken-eilanden, Indonesië.
Reis:	Manado is per directe vlucht vanuit Singapore te bereiken.
Duur:	Elf dagen/tien nachten.
Per.:	Het hele jaar, behalve de laatste week van juli en augustus.
Leeft.:	Min. 18, geen max.
Vereist:	Duikbrevet, enige ervaring met snorkelen is eveneens welkom.
Werk:	De vrijwilligers krijgen een korte training (waarbij het PADI-brevet Underwater Naturalist wordt behaald) voordat ze worden ingezet bij het werk onder water en het gegevens verzamelen op het rif.
Taal:	Italiaans, Engels.
Accomm.:	Hotel in Manado, comfortabele bungalows in Bunaken.
Kosten:	ƒ 1264,-, te betalen bij Indopacific Divers in Manado, plus ƒ 166,-, die aan het CTS moet worden betaald. Inbegrepen zijn een bijdrage aan het onderzoek, zeven dagen B&B in Manado, brunch aan boord tijdens de duik- en onderzoeksactiviteiten, zuurstofles, gewichten en het PADI Underwater Naturalist-brevet. Vervoer naar en van Manado zijn niet inbegrepen.
L. term.:	Deelname voor langer dan elf dagen is mogelijk door betaling van de extra kosten.
Vert.:	Neem rechtstreeks contact op met het CTS.

LAND VAN DE SNEEUWLUIPAARD, INDIA

Earthwatch Institute (VS) of Earthwatch Institute (Europa)
680 Mount Auburn St.
P.O. Box 9104 – Watertown, MA 02272-9104 VS
Tel.: 001 (617) 926-8200
Fax: 001 (617) 926-8532
E-mail: info@earthwatch.org – URL: http://www.earthwatch.org

Beschr.:	De sneeuwluipaard is een van de meest bedreigde kat-achtigen. Dit onderzoek helpt de beheerders van het nationaal park Hemis bij de bescherming van dit zeldzame en schuwe dier en zijn milieu.
Soorten:	Sneeuwluipaard (*Panthera uncia*).
Hab.:	Tibetaans plateau (3200-4500 m).
Loc.:	Zanskar-gebergte, Ladakh, Indiase Himalaja.
Reis:	Vliegen naar Delhi, vervolgens naar Leh, de hoofdstad van Ladakh.
Duur:	Achttien dagen.
Per.:	Augustus.
Leeft.:	Min. 16, geen max.
Vereist:	Er zijn geen bijzondere vaardigheden vereist. Ervaring met bergbeklimmen is nuttig. De deelnemers moeten tegen de grote hoogte kunnen.
Werk:	Na drie dagen acclimatiseren op 3200 m gaan de vrijwilligers naar het kamp, eerst met een jeep en daarna drie uur lopen. Tot het werk behoort het zoeken naar sporen van de sneeuwluipaard, inventariseren van wilde schapen en andere prooidieren, observatie van de begrazingspatronen van hoefdieren, observeren van toeristische activiteiten en bepalen van de toestand van het hooggebergte.
Taal:	Engels.
Kosten:	ƒ 4551,-. De vrijwilligers moeten zelf hun vlucht naar India betalen.
L. term.:	Er zijn geen mogelijkheden voor de lange termijn.
Accomm.:	Kamperen in ruime tenten op grote hoogten, met uitzicht over de Indus. Traditionele maaltijden worden bereid door Ladakhse koks.
Vert.:	Neem rechtstreeks contact op met het Earthwatch Institute. Zie de Lijst van organisaties.
Aanvr.:	Neem contact op met het kantoor van het Earthwatch Institute. Er wordt een waarborgsom van ƒ 475,- gevraagd.

LANGSNUITDOLFIJNEN-PROJECT, MIDWAY, VS

Oceanic Society Expeditions
Fort Mason Center, Building E
San Francisco, CA 94123 VS
Tel.: 001 (415) 441-1106
Fax: 001 (415) 474-3395
URL: http://www.oceanic-society.org

Beschr.:	Midway is een atol in Hawaii met een rijke fauna, waaronder bedreigde dieren zoals een ondersoort van de monniksrob en *Diomedea albatrus* (een albatrossoort). In 1996 was het eiland voor het eerst sinds de Tweede Wereldoorlog toegankelijk voor het publiek, toen het onder de jurisdictie van de US Fish and Wildlife Service werd gesteld. Het OSE ondernam expedities in het atol en onderzocht de natuurlijke historie, dolfijnen, inheemse planten, monniksrobben en zeevogels. Het doel van het project is informatie te verzamelen over het gedrag van een populatie langsnuitdolfijnen, de invloed van de mens te bepalen en richtlijnen te ontwikkelen voor benaderingstechnieken voor boten.
Soorten:	Langsnuitdolfijnen (*Stenella longirostris*).
Hab.:	Tropische zeeën.
Loc.:	Midway, een van de noordwestelijke Hawaii-eilanden, 1900 km ten noordwesten van Honoloeloe.
Reis:	Vliegen naar Honoloeloe.
Duur:	Zeven dagen.
Per.:	Maart-september.
Leeft.:	Min. 18.
Vereist:	Vrijwilligers moeten kunnen zwemmen.
Werk:	De onderzoeksassistenten verzamelen gegevens vanaf een motorboot, doen onderzoek aan de wal (dieren opsporen met een theodoliet), vastleggen van gedragswaarnemingen en maken van filmfoto's aan het oppervlak.
Taal:	Engels.
Kosten:	ƒ 4161,-. Inbegrepen is de vliegreis vanaf Honoloeloe.
L. term.:	Informeer bij de organisatie.
Accomm.:	Een herbouwde barak met tweepersoonskamers en gemeenschappelijke badkamer.
Aanvr.:	Vraag een aanmeldingsformulier aan, dat moet worden teruggestuurd met een waarborgsom van ƒ 570,-.

LONG POINT BIRD OBSERVATORY, CANADA

BTCV – British Trust for Conservation Volunteers
36 St. Mary's Street Wallingford
Oxfordshire OX10 0EU Engeland
Tel.: 0044 (1491) 839766 of (1491) 824602 (Brochure hotline)
Fax: 0044 (1491) 839646
E-mail: information@btcv.org.uk – URL: http://www.btcv.org.uk

Beschr.:	Dit project wordt samen met de Federation of Ontario Naturalists uitgevoerd. Long Point is een 27 km grote zandbank die uitsteekt in het Erie-meer, met een rijk bosgebied, veel moerassen en een uitgebreid barrière-strand. Het onderzoek vindt plaats tijdens de voorjaar-strek. Long Point is wereldberoemd om de trek van watervogels en zangvogels.
Soorten:	Watervogels en zangvogels.
Hab.:	Bos, moeras, strand.
Loc.:	Erie-meer, Ontario, Canada.
Reis:	Vliegen naar Toronto.
Duur:	Twee weken.
Per.:	April.
Leeft.:	Min. 18.
Werk:	Inheemse bomen en heesters planten om een nieuw leefgebied aan te leggen voor broed- en trekvogels bij het Long Point Bird Observatory. De deelnemers bezoeken ook plaatselijke natuurgebieden, verkennen de Point en maken kennis met het werk van het observatorium, zoals het dagelijks leeghalen van de vang-netten.
Vereist:	Er zijn geen bijzondere vaardigheden vereist.
Taal:	Engels.
Accomm.:	Plaatselijke logementen.
Kosten:	ƒ 853,-, exclusief vliegreis.
L. term.:	Neem voor details contact op met de organisatie.
Vert.:	Zie BTCV op de Lijst van organisaties.
Aanvr.:	Zie BTCV op de Lijst van organisaties.

Vrijwilligerswerk & natuurbehoud

MILIEUPROGRAMMA PULAU BANYAK, INDONESIË

Yayasan Pulau Banyak (Pulau Banyak-stichting)
P.O. Box 1021 – Medan – Sumatera Utara
Indonesië
Tel. / fax: 0062 (61) 814 644
E-mail: pbanyak@ibm.net

Beschr.:	Opmerking: dit project is in voorbereiding en zal in de loop van 1998-1999 worden opengesteld voor vrijwilligers. Vraag informatie op. Het Environmental Programme Pulau Banyak is een geïntegreerd natuurbeschermings- en ontwikkelingsprogramma. Het doel is het behoud van de natuur van de Pulau Banyak-archipel – zeeschildpadden, koralen, vissen, bossen, vogels – door concrete en effectieve behoudmaatregelen, geïntegreerd met geselecteerde ontwikkelingsprojecten en activiteiten. De laatste variëren van bewaken van eieren en schildpadden tegen stropers tot het houden van bijeenkomsten om het gebruik van gif en explosieven tegen te gaan en de wettelijke status van de bescherming van belangrijke gebieden te verbeteren. De ontwikkelingsprojecten houden zich bezig met toerisme en kweekprogramma's.
Soorten:	Soepschildpad (*Chelonia mydas*), echte karetschildpad (*Eretmochelys imbricata*), lederschildpad (*Dermochelys coriacea*), krokodillen, koralen, vissen, tropische planten.
Hab.:	Mangrovewoud, koraalriffen, zandstranden (nestelplaatsen van schildpadden).
Loc.:	Kust van Aceh Selatan (Zuid-Aceh), Sumatra, Indonesië.
Reis:	Vliegen naar Medan, vervolgens de bus naar Singkil (een dag) en de boot naar de eilanden (minder dan een halve dag).
Duur:	Iedere tijdsduur, in gehele maanden.
Per.:	Het hele jaar.
Leeft.:	Min. 18 (voor sommige activiteiten 15-17 jaar met begeleiding van een ouder). Er is geen maximum leeftijd. Senioren met bepaalde vaardigheden zijn welkom, maar de vrijwilligers moeten zelfstandig kunnen reizen en een goede gezondheid hebben, aangezien de werkomstandigheden op tropische eilanden nogal zwaar kunnen zijn.
Vereist:	Voor het bewakings- en meetwerk op Bangkaru (zie hierna) zijn geen bijzondere vaardigheden vereist.

Voor het overige werk wordt kennis of vaardigheid op een van de volgende gebieden gevraagd: ecologische of taxonomische inventarisaties, sociaal-economisch onderzoek, fotografie, duiken, IS-ervaring. Voor vogelinventarisaties is ervaring op dit gebied vereist.

Werk: Tot de activiteiten behoren het bewaken van schildpadden meten en labelen van schildpadden, vogels inventariseren, GIS-ontwikkeling, inventarisaties in het bos, koralen determineren en verspreiding bepalen, visgronden, ontwikkeling van (tropische) imkerij.

Taal: Engels is vereist, Bahasa Indonesia komt van pas.

Accomm.: Er wordt voor eten en overnachting gezorgd, maar slaapgerei (lakens, kampeermat) moet zelf worden meegenomen.

Kosten: ƒ 1900,- per maand, inclusief accommodatie, eten en lokaal vervoer. Vervoer naar en van Pulau Banyak is niet inbegrepen.

L. term.: Vrijwilligers kunnen zich aanmelden voor een langetermijnaanstelling. Iedere aanmelding wordt beoordeeld op inhoud, toepasbaarheid en haalbaarheid.

Vert.: Neem rechtstreeks contact op met het project.

Aanvr.: Vrijwilligers kunnen zich aanmelden per fax, e-mail of per post op bovenstaand adres, ter attentie van dr. Arnoud P.J.M. Steeman, onderwerp: Pulau Banyak vrijwilligerswerk. De aanmelding moet vergezeld gaan van een curriculum vitae en een opgave van het gewenste werk en de periode.

Opm.: De vrijwilligers moeten een ziektekostenverzekering hebben, gevaccineerd zijn en middelen tegen malaria meenemen. Het Environmental Programme for Pulau Banyak en het Bohorok Sustainable Development Program werken samen. Een combinatie van werk bij beide projecten kan worden geregeld.

MONNIKSROBBEN IN DE MIDDELLANDSE ZEE, TURKIJE

Middle East Technical University
Institute of Marine Sciences
P.O. Box 28 – Erdemli 33731 Icel, Turkije
Tel.: 0090 (324) 521 3434
E-mail: gucu@deniz.ims.metu.edu.tr

Beschr.: De monniksrob is een van de meest bedreigde zoogdieren en de zuidkust van Turkije is een van de weinige plaatsen waar de soort nog voorkomt. De hoofddoelen van het project zijn a) het bepalen van de
populatiegrootte, de leefgebieden en de belangrijkste
bedreigingen, b) voorlichten van de plaatselijke bevolking, vissers en ambtenaren, c) educatieve programma's voor lagere en middelbare scholen organiseren
en d) compromissen bedenken voor de plaatselijke
vissers die de robben bedreigen.

Soorten: Monniksrob (*Monachus monachus*).

Hab.: Mediterrane kustwateren en grotten.

Loc.: Zuid-Turkije, tegenover Cyprus.

Reis: Vliegen naar Antalya (verzamelen op het vliegveld),
vervoer naar het project per bus (ongeveer vier uur).

Duur: Twee weken.

Per.: De voorlichtingsgroep is vooral in de vakantieperiode
(mei-oktober) nodig, de overige groepen het hele jaar.

Leeft.: Voor veldwerk 18-40, voor voorlichting minimaal 20.

Vereist: Veldwerk: ruime ervaring met snorkelen, ervaring met
opblaasboten is wenselijk, evenals bestendigheid
tegen ruwe zeeën. Voorlichting: vloeiend Duits is gewenst.

Werk: De vrijwilligers nemen deel aan voorlichting en educatie. Het doel van het werk is de interesse in de monniksrob onder de bevolking en toeristen te vergroten.
De vrijwilligers gaan dagelijks mee op boottochten om
informatie over monniksrobben te geven. Ze bezoeken
ook stranden, cafés, hotels en andere toeristencentra
om vragenlijsten op te stellen. Bij het veldwerk observeren en fotograferen de vrijwilligers monniksrobben
om ze te identificeren. Hun grotten worden regelmatig
onderzocht en er worden monsters genomen van de
flora en fauna rond plaatsen waar de robben leven.

Taal: Engels. Duits is nuttig.

Accomm.: In een huis.

Kosten: De vrijwilligers betalen alleen hun vervoer naar het project.

Lijst van projecten

L. term.: Na een periode van twee weken kunnen de vrijwilligers tot een jaar aan het project deelnemen.

Vert.: Neem rechtstreeks contact op met Ali Cemal Gucu, projectleider.

Aanvr.: Sluit een kort curriculum vitae in met vermelding van de opleiding en vaardigheden die voor het project relevant zijn (aanmeldingsformulieren van Green Volunteers zijn geldig).

MONNIKSROBBEN-PROJECT IN TURKIJE

EcoVolunteer Program (http://www.ecovolunteer.org)

Nederland	België
Wolftrail	¡Tierra!
Postbus 144	Heidebergstraat 223
1430 AC Aalsmeer	B-3010 Leuven
Tel. 0297-368504	Tel. 016-255616
Fax 0297-367686	Fax 016-255616
Email: wolftrail@image-travel.nl	

Beschr.: De monniksrob is een van de twaalf meest bedreigde diersoorten en moet dringend worden beschermd. In de Egeïsche Zee zijn er nog maar 150-180 exemplaren. Dit project werd in 1993 gestart met hulp van het WWF en het AFAG, een Turkse natuurbeschermingsorganisatie.

Soorten: Monniksrob (*Monachus monachus*).

Hab.: Middellandse Zee.

Loc.: Foca, 80 km ten noorden van Izmir, Turkije.

Reis: Vliegen naar Izmir, vervolgens vervoer naar Foca.

Duur: Min. twee weken.

Per.: Het hele jaar.

Leeft.: Min. 18, max. 40.

Vereist: De vrijwilligers moeten Engels kennen, in goede conditie zijn, moeilijk terrein kunnen begaan en goed kunnen zwemmen. Duiken en ervaring met boten of kennis van biologie of andere talen is nuttig. De vrijwilligers met ervaring in vogels kijken kunnen meedoen aan de inventarisatie van vogels.

Werk: De vrijwilligers assisteren biologen bij het onderzoek van grotten, het doen van observaties aan land, gegevens over dieren, planten en het weer verzamelen en helpen bij de voorlichting van het publiek (diavoorstellingen, T-shirts verkopen, dagelijkse praatjes op de rondvaartboten).

Taal: Engels, kennis van andere talen is welkom.

Kosten: Twee weken f 475,-, per week extra f 190,-.

Accomm.: Meestal een kampeerplaats. De vrijwilligers moeten bereid zijn rekening te houden met tekort aan water en uitval van de elektriciteit.

Vert.: Kantoren van het Ecovolunteer Network.

Aanvr.: Via de kantoren van het Ecovolunteer Network of via www.ecovolunteer.org

NATIONAAL PARK SKAFTAFELL, IJSLAND

BTCV – British Trust for Conservation Volunteers
36 St. Mary's Street Wallingford
Oxfordshire OX10 0EU Engeland
Tel.: 0044 (1491) 839766 of (1491) 824602 (Brochure hotline)
Fax: 0044 (1491) 839646
E-mail: information@btcv.org.uk – URL: http://www.btcv.org.uk

Beschr.:	Het nationaal park Skaftafell heeft een prachtig landschap van groene oasen die worden omgeven door zwart zand, donkere rivieren en witte gletsjers. Het park werd ongeveer vijftien jaar geleden voor het publiek geopend en erosie is een ernstig probleem geworden. Door het aanleggen van voetpaden kan de toeristenstroom in de goede richting worden geleid, zodat dit unieke landschap bewaard kan blijven.
Hab.:	Gletsjers, subarctische toendra.
Loc.:	Nationaal park Skaftafell, Zuidoost-IJsland.
Reis:	Vliegen vanaf Heathrow Airport (verzamelpunt).
Duur:	Twee weken.
Per.:	Mei-juni.
Leeft.:	Min. 18.
Werk:	Voetpaden aanleggen.
Vereist:	Er zijn geen blJzondere vaardigheden vereist, maar het werk kan zwaar zijn.
Taal:	Engels.
Accomm.:	Slaapzalen in het park.
Kosten:	ƒ 1395,-, inclusief de vlucht vanuit Engeland.
L. term.:	Neem voor details contact op met de organisatie.
Vert.:	Zie BTCV op de Lijst van organisaties.
Aanvr.:	Zie BTCV op de Lijst van organisaties.

OCEANIA-PROJECT, AUSTRALIË

The Oceania Project
P.O. Box 646 Byron Bay NSW 2481
Australië
Tel. : 0061 (2) 66875677 – fax: 0061 (2) 66858998
E-mail: trish.wally@oceania.org.au
URL: http://www.oceania.org.au

Beschr.:	Het Oceania Project is een organisatie voor onderzoek en educatie zonder winstoogmerk en wil de belangstelling voor walvisachtigen en het oceanisch milieu bevorderen. Het project is in het zevende jaar van een tien jaar durend onderzoek naar de aantallen, de verspreiding en het gedrag van bultruggen in het Whale Management and Monitoring Area van het mariene park Hervey Bay, bij de noordoostkust van Queensland, Australië. Het onderzoek wordt uitgevoerd met medewerking van het Ministerie van Milieuzaken van Queensland. Het project heeft toestemming om het onderzoek in de komende drie jaar uit te breiden naar de Mackay/Capricorn Section van het mariene park Great Barrier Reef. Het onderzoek in Hervey Bay wordt uitgevoerd vanaf een schip gedurende de tien weken in augustus en oktober waarin de bultruggen migreren. Het onderzoek wordt bekostigd door betalende vrijwilligers die een week met de expeditie meegaan. De vrijwilligers nemen deel aan het onderzoek aan boord en krijgen diepgaande cursussen over walvisachtigen. Deelname aan het programma op het Barrièrerif is beperkt; informatie wordt op aanvraag toegezonden.
Soorten:	Bultrug (*Megaptera novaeangliae*), Bryde-vinvis (*Balaenoptera edeni*), dwergvinvis (*Balaenoptera acutorostrata*), bruinvis (*Delphinus delphis*), tuimelaar (*Tursiops truncatus*), Chinese witte dolfijn (*Sousa chinensis*).
Hab.:	Tropische kusten, zeearmen, Groot Barrièrif.
Loc.:	Hervey Bay, noordoostkust van Queensland, Australië.
Reis:	Vliegen naar Brisbane (hoofdstad van Queensland). Het vertrekpunt van de expeditie is in Urangan Boat Harbour, Hervey Bay (ongeveer 400 km ten noorden van Brisbane, te bereiken per auto of dagelijkse bus of trein of vliegend).
Duur:	Een of meer weken, max. tien weken, zondag tot vrijdag.
Per.:	Juli tot oktober.
Leeft.:	Min. 14, geen max.

Vereist: Er zijn geen bijzondere vaardigheden vereist, velderva-ring met zeezoogdieren is nuttig. Gezond verstand, be-trokkenheid bij walvissen en dolfijnen en bereidheid lange werktijden te maken als lid van een klein, zeer gemotiveerd en doelgericht team veldwerkers.

Werk: Assisteren bij de observaties en met het verzamelen en vergelijken van gegevens over de verspreiding en het milieu. Algemene taken die behoren bij het dagelijkse werk aan boord.

Taal: Engels.

Accomm.: Kajuit. Het schip is een 17 m lange zeilcatamaran. Over wat moet worden meegebracht, wordt informatie ver-strekt.

Kosten: Voor vrijwilligers van 14 tot 18 f 825,- per week. Afge-studeerden of docenten van een in aanmerking ko-mende onderwijsinstelling f 1045,- per week, overigen f 1265,- per week. Inbegrepen zijn accommodatie aan boord van het expeditieschip of in een slaapzaal, alle maaltijden, deelname aan het veldonderzoek, het uit-werken van gegevens aan boord en educatieve pro-gramma's. Vervoer naar en van het vertrekpunt en ver-zekering zijn niet inbegrepen.

L. term.: De vrijwilligers kunnen minimaal een week en maxi-maal tien weken aan de expeditie deelnemen.

Aanvr.: Aanmelden met een formulier dat op verzoek wordt opgestuurd. De website van het Oceania Project geeft informatie over jaarlijkse walvis- en dolfijnexpeditie, het aanmelden en de betaling.

OLIESLACHTOFFERS ZEEOTTERS REDDEN, VS

Friends of the Sea Otter
2150 Garden Rd.B-4, Monterey, CA 93901
VS
Tel.: 001 (408)-373-2747
Fax: 001 (408)-3732749
E-mail: seaotter@seaotters.org – URL: http://www.seaotters.org

Beschr.:	Friends of the Sea Otter (FSO), een organisatie zonder winstoogmerk die in 1968 werd opgericht, houdt zich bezig met de bescherming van de zeeotter in het Pacifisch gebied. Tot de doelen behoren het handhaven en verbeteren van de huidige maatregelen ter bescherming van zeeotters en hun leefgebied en de voorlichting van het publiek over het unieke gedrag van de zeeotter en zijn habitat. FSO heeft ook een programma om zeeotters te redden in noodsituaties, zoals olierampen.
Soorten:	Zeeotter (*Enhydra lutris*).
Hab:	Amerikaanse (Californische) Pacifische kusten.
Loc.:	Centrale kust van Californië.
Werk:	De vrijwilligers zijn nodig voor het redden van zeedieren en het schoonmaken in het geval van vervuiling door olie en andere noodsituaties.
Aanvr.:	Neem voor informatie contact op met de organisatie.

ONDERZOEK IN FIORDLAND, NIEUW-ZEELAND

Fiordland Ecology Holidays
P.O. Box 40, Manapouri, Zuidereiland, Nieuw-Zeeland
Tel.: 0064 (3) 249 6600
Fax: 0064 (3) 249 6600
E-mail: eco@xtra.co.nz
URL: http://www.sp.net.nz/eco.htm

Beschr.:	Fiordland organiseert een aantal onderzoekstochten, voornamelijk in het Fiordland National Park. De tochten worden ondernomen met een 23 m lange motorzeilboot met comfortabele tweepersoonshutten waar twaalf passagiers en drie bemanningsleden in kunnen. Bij het onderzoek van Fiordland, zowel onder als boven de waterlijn, zijn de belangrijkste wetenschappers van Nieuw-Zeeland betrokken. Veel van hun werk zou niet kunnen worden uitgevoerd zonder de hulp van vrijwilligers. Veel van de onderzoeksprojecten worden uitgevoerd in de zuidelijkste fjorden en soms bij de subantarctische eilanden.
Soorten:	Skinken, graanklanders, vogels, zeedieren, dieren van zilte moerassen, *Phocarctos hookeri*.
Hab.:	Fiordland is een regenwoud waar het twee van de drie dagen regent. 's Winters is er minder regen en wind. De kust van Fiordland is erg wild, afgelegen en ruig, zodat op de tochten op de Tasman-Zee middeltjes tegen zeeziekte nodig zijn. De enige manier om te communiceren, is per radio.
Loc.:	Fiordland National Park is een World Heritage Park in de zuidwest-hoek van het Zuidereiland. Er worden ook tochten gemaakt naar de subantarctische eilanden ten zuiden van Stewart Island, vooral Auckland Island en Campbell Island.
Reis:	Vliegen naar Auckland, Wellington of Christchurch, van daaruit gaan vluchten naar Invercargill en er gaat dagelijks een minibus van het vliegveld naar Manapouri. De meeste tochten beginnen bij Manapouri.
Duur:	Drie tot 21 dagen.
Per.:	De tochten vinden het hele jaar door plaats.
Leeft.:	16 jaar en ouder; er hebben mensen van 80 jaar meegedaan.
Vereist:	Er is geen ervaring vereist. Voor sommige tochten is een duikbrevet vereist en een ervaring van ten minste 50 duiken.
Werk:	Samenwerken met wetenschappers, gevarieerd werk, waarvoor een goede conditie nodig is.

Vrijwilligerswerk & naturbehoud

Taal:	Engels.
Accomm.:	De bedden aan boord zijn voorzien van beddengoed.
Kosten:	Ongeveer f 190,- per dag, waarbij inbegrepen eten, accommodatie, vervoer naar de boot vanuit Manapouri, kosten ministerie van Natuurbehoud; niet inbegrepen zijn de huur van duik- en snorkeluitrusting.
L. term.:	De vrijwilligers nemen deel voor de duur van een onderzoekstocht. De tochten zijn over het hele jaar verspreid met tussendoor tochtjes voor toeristen. Iedere onderzoekstocht wordt door een andere wetenschapper geleid.
Vert.:	Neem rechtstreeks contact op met de organisatie.
Aanvr.:	Lidmaatschap is niet vereist. De website wordt regelmatig bijgewerkt en geeft informatie over de geplande onderzoekstochten en de prijs.

Lijst van projecten

ONDERZOEK ONECHTE KARETSCHILDPAD, VS

Savannah Science Museum
4405 Paulsen St.
Savannah, GA 31405, VS
Tel.: 001 (912) 355-6705
Fax: 001 (912) 355-0182

Beschr.: Sinds 1973 voert het Savannah Science Museum in samenwerking met de U.S. Fish and Wildlife Service en
Wassaw een onderzoeks- en beschermingsprogramma
voor de bedreigde onechte karetschildpad uit. Het doel
van het programma is meer te weten te komen van de
grootte van de populaties en nestelgewoonten van
deze zeeschildpad. Het is ook de bedoeling de overle-
ving van de eieren en de uitgekomen schildpadjes te
verbeteren en het publiek hierbij te betrekken.

Soorten: Onechte karetschildpad (*Caretta caretta*).

Hab.: Barrière-eiland bij de kust.

Loc.: Wassaw Island, ongeveer 15 km ten zuiden van Savannah. Het eiland is alleen per boot te bereiken.

Duur: Een week.

Per.: Mei-oktober.

Leeft.: Min. 15, geen max.

Vereist: Ervaring is niet vereist.

Kosten: ƒ 950,- per week. Hierbij inbegrepen zijn kosten voor
onderdak, eten, begeleiding en vervoer van en naar het
eiland.

Accomm.: Eenvoudige hutten (slaapzalen).

Werk: De vrijwilligers zoeken op het strand naar vrouwtjes-
schildpadden en meten de dieren, verzamelen gegevens, observeren de nesten en begeleiden de uitgekomen jongen naar zee.

L. term.: Vraag inlichtingen bij de organisatie.

Taal: Engels.

Vert.: Neem rechtstreeks contact op met de organisatie.

Aanvr.: Bij de aanvraag moet het hele bedrag worden meege-
stuurd. Bij annulering uiterlijk 60 dagen voor vertrek
wordt dit teruggestort.

Vrijwilligerswerk & natuurbehoud

ONDERZOEKSPROJECT LAMANTIJNEN, BELIZE

Oceanic Society Expeditions
Fort Mason Center, Building E
San Francisco, CA 94123 VS
Tel.: 001 (415) 441-1106
Fax: 001 (415) 474-3395
URL: http://www.oceanic-society.org

Beschr.: Dit project houdt zich bezig met het opzetten van een lijst voor het identificeren van lamantijnen (zeekoeien). Belize is de laatste plek waar deze soort voorkomt, die wordt bedreigd door activiteiten van de mens. Onder leiding van de bioloog Greg Smith worden gegevens verzameld over de verplaatsingen van de lamantijnen en het lokaliseren van rust- en voedselgebieden.

Soorten: Lamantijn (*Trichechus manatus*).

Hab.: Tropische zee.

Loc.: Cay Caulker, Belize.

Reis: Vliegen naar Belize. Vanaf Miami is groepskorting mogelijk.

Duur: Acht dagen.

Per.: Februari, maart, juli, oktober, november.

Leeft.: Min. 18, geen max.

Vereist: Er zijn geen bijzondere vaardigheden vereist.

Werk: De vrijwilligers identificeren individuele lamantijnen met behulp van snorkeluitrusting en leggen fotografisch of op onderwaterleitjes bijzondere kenmerken vast.

Taal: Engels.

Kosten: ƒ 2495,- tot ƒ 3420,-, afhankelijk van de duur en de plaats van vertrek.

L. term.: Informeer bij de organisatie.

Accomm.: Hotel.

Aanvr.: Vraag een aanmeldingsformulier aan, dat moet worden teruggestuurd met een waarborgsom van ƒ 570,-.

Opm.: De maximale groepsgrootte is acht. Voor de maand augustus biedt het OSE ook een zeeschildpadden- en lamantijnen-project in Gales Point, Belize. Dit is een achtdaagse expeditie waaraan vrijwilligers kunnen deelnemen die een goede conditie hebben en ervaring hebben met internationaal reizen. Neem contact op met het OSE voor verdere informatie.

Lijst van projecten

ONECHTE KARETSCHILDPADDEN IN LINOSA, ITALIË

CTS – Centro Turistico Studentesco e Giovanile
Via A. Vesalio 6
00161 Rome, Italië
Tel.: 0039 (6) 44111471/2/3/4 – fax: 0039 (6) 44111401
E-mail: ambiente@cts.it
URL: http://www.cts.it

Beschr.:	Onechte karetschildpadden komen eieren leggen op het eiland Linosa, ten zuiden van Sicilië. Hun voortbestaan in de Middellandse Zee wordt bedreigd door watervervuiling, vernietiging van hun leefgebied en activiteiten van de mens. Onderzoekers van de universiteit van Rome proberen de zeldzame broedstranden te beschermen door gegevens te verzamelen, de gebieden te bewaken en de toeristen en de plaatselijke bevolking voor te lichten over het belang van de bescherming van de soorten en hun leefgebied.
Soorten:	Onechte karetschildpad (*Caretta caretta*).
Hab.:	Mediterrane kust.
Loc.:	Linosa, Italië.
Reis:	Vliegen naar Palermo en Linosa, of de boot vanuit Agrigento.
Duur:	Tien tot twaalf dagen.
Per.:	Juni-september.
Leeft.:	Min. 16, geen max.
Vereist:	De vrijwilligers moeten flexibel zijn en bereid zijn 's nachts te werken.
Werk:	De deelnemers observeren en tellen nestelende vrouwtjes, nesten, eieren en uitgekomen jongen en redden gewonde dieren. De vrijwilligers geven ook informatie aan de plaatselijke bevolking en toeristen. Op het programma staan voordrachten over flora, fauna en geologie van het eiland.
Taal:	Italiaans, Spaans is acceptabel.
Kosten:	Ongeveer *f* 950,-, accommodatie en eten inbegrepen.
L. term.:	Informeer bij de organisatie.
Accomm.:	Appartement met keuken.
Vert.:	CTS-kantoren in Italië (zie CTS op de Lijst van organisaties).
Aanvr.:	Vraag een aanmeldingsformulier aan. Lidmaatschap van het CTS is verplicht.
Opm.:	De maximale groepsgrootte is achttien.

Vrijwilligerswerk & natuurbehoud

OPERATIE VISAREND, SCHOTLAND

(The Royal Society for the Protection of Birds – RSPB)
Grianan
Tuylloch
Nethybridge
Inverness-shire PH25 3EF
Schotland

Beschr.:	Naast een Residentlal Voluntary Warden Scheme biedt de RSPB (zie Lijst van organisaties) informatie over speciale projecten zoals Operation Osprey, en mogelijkheid om te werken aan vogelbescherming en natuurbehoud. Visarenden zijn in Schotland een bedreigde soort (in 1996 waren er maar 104 broedpaartjes).
Soorten:	Visarend (*Pandion haliaetus*).
Hab.:	Naaldbos met *Pinus sylvestris*, lochs en heide.
Loc.:	Abernethy Forest Reserve, Loch Garten, Schotland.
Duur:	Min. een week (zaterdag tot zaterdag), voor wie voor het eerst meedoet een week.
Per.:	Eind maart-begin september.
Leeft.:	Min. 18, geen max.
Vereist:	Goede gezondheid.
Werk:	Bescherming van het gebied waar visarenden nestelen, patrouilleren en informeren van het bezoekende publiek.
Kosten:	Accommodatie in tenten wordt gratis verstrekt. Voor het eten wordt f 62,- per week gerekend.
L. term.:	Na de eerste week is een langer verblijf bespreekbaar.
Taal:	Engels.
Accomm.:	Grote tweepersoonstent of caravan.

OPERATIE WALLACEA, INDONESIË

p/a Ecosurveys Ltd.
Priory Lodge-Hagnaby-Spilsby
Lincolnshire PE23 4BP Engeland
Tel.: 0044 (1790) 763665 – fax: 0044 (1790) 763417
E-mail: tcoles@ecosurveys.win-uk.net
URL: http://www.cru.uea.ac.uk/ukdiving/org/opwal

Beschr.:	Operation Wallacea (OW) is een project zonder winstoogmerk onder beheer van Ecosurveys Ltd. onder de auspiciën van het Care for Nature Program van de Hongkong Bank. Het project, dat in de zomer van 1995 van start ging, bestaat uit een wetenschappelijke inventarisatie van de mariene habitats van de Tukanbesi-eilanden in Indonesië. OW werft vrijwillige duikers die helpen met het verzamelen van gegevens voor de inventarisatie. Er zijn ook expedities waarbij vogels en zoogdieren worden gedetermineerd en geteld.
Soorten:	Hard en zacht koraal, baarzen, lipvissen, *Plectorhinchus*, neushoornvogels, *Spilornis*, papegaaien, ijsvogels.
Hab.:	Koraalriffen, primair regenwoud.
Loc.:	Tukanbesi-eilanden, Zuid-Celebes en het eiland Buton, Indonesië.
Reis:	Vliegen naar Singapore, vervolgens naar Celebes.
Duur:	Twee, vier, zes of acht weken.
Per.:	Het hele jaar.
Leeft.:	Min. 18, geen max.
Vereist:	Duikers met brevet zijn nodig voor de expedities op zee, maar voor volledige beginners zijn er duiklessen. Voor het onderzoekswerk wordt een training gegeven.
Werk:	Vrijwillige duikers leggen het percentage hard en zacht koraal vast door met de methode van manta towing en voeren twee keer per dag tellingen uit van de voornaamste roofdieren op de riffen op diepten van 5, 10 en 15 m. Er is ook tijd voor duiken voor de lol tussen de schildpadden, dolfijnen, reusachtige manta's en met wat geluk zelfs de zeldzame doejong. De deelnemers aan de vogelexpedities brengen acht dagen op Buton door en inventariseren het gebied met terreinwagens, te voet of per kano. De inventarisaties beginnen op 5.30 uur en gaan door tot halverwege de ochtend. Een tweede tocht wordt in de middag gemaakt. Aan het eind van de expedities sluit de vogelgroep zich aan bij de zeegroep voor twee dagen snorkelen of duiken op de riffen van het eiland Hoga.

Taal: Engels.

Kosten: Zeeonderzoek: *f* 5890,- voor twee weken, *f* 8525,- voor vier weken, *f* 10.695,- voor zes weken en *f* 12.245,- voor acht weken, inclusief vluchten en vervoer in Indonesië, huren van boten, vullen van cilinders, eten, accommodatie en duiken. Prijzen voor het landonderzoek zijn bij de organisatie op te vragen.

L. term.: Informeer bij de organisatie.

Accomm.: De vrijwilligers voor zee worden ondergebracht in een eenvoudig pension van de overheid op het eiland Hoga en brengen een deel van de tijd door aan boord van het onderzoeksschip. De vrijwilligers voor land verblijven in huizen in dorpen tussen de plaatselijke bevolking.

Vert.: Ecosurveys Ltd, Engeland (zie hiervoor).

Aanvr.: Vrijwilligers moeten een aantal vragen op het aanmeldingsformulier beantwoorden. Duikers wordt gevraagd om kopieën van hun duikbrevet en van de laatste zes duiken uit het logboek en een medisch getuigschrift.

Opm.: Duikuitrusting kan ter plaatse worden gehuurd tegen een niet noemenswaard bedrag. Persluchttanks en loodgordels worden gratis geleverd.

PELIKANEN-PROJECT IN MEXICO

One World Workforce (OWW)
Rt 4 Box 963A
Flagstaff, Arizona 86001
VS
Tel. : 001 (520) 779-3639 fax: 001 (520) 779-3639
E-mail: 1world@infomagic.com

Beschr.:	Dit pelikanen-project wordt verzorgd door de OWW (zie Lijst van organisaties).
Soorten:	Bruine pelikaan (*Pelecanus occidentalis*).
Hab.:	Subtropische kusten.
Loc.:	Baja California, Mexico.
Reis:	Het busje van de organisatie vertrekt van San Diego, Californië.
Duur:	Een week tot twee maanden.
Per.:	Maart, april, eerste twee weken van mei, oktober.
Leeft.:	Min. 10 met ouder, 18 zonder ouder, max. 75.
Vereist:	Er zijn geen bijzondere vaardigheden vereist. De vrijwilligers moeten in goede conditie zijn en gewend aan het buitenleven. Respect voor andere culturen is noodzakelijk.
Werk:	Tellingen, observaties, gegevens verzamelen en ander onderzoekswerk.
Taal:	Spaans komt van pas, maar is niet verplicht.
Accomm.:	Eenvoudig onderkomens op het strand met palmdak en stenen muren aan drie zijden en stretchers.
Kosten:	De tochten kosten f 1045,- tot f 1520,- per week; studenten, senioren en groepen (minimaal vier personen) krijgen korting. Inbegrepen zijn kamers en pension en vervoer van San Diego naar de plaats van het project. Bij de tochten inbegrepen zijn nevenuitstapjes naar dorpen, riviermondingen, regenwouden, boerderijen enzovoort.
L. term.:	Korting wordt gegeven bij langer verblijf van een maand of twee. Een vrijwilliger kan worden aangenomen voor kosteloos langer verblijf door voor het project als gids in het veld te werken, als hij genoeg tijd in het veld heeft doorgebracht.
Aanvr.:	Vraag een aanmeldingformulier aan. Lidmaatschap is niet vereist. Aanmelding en betaling moeten een maand voor het begin van het project ontvangen zijn.

PROJECT TAMAR, BRAZILIË

EcoVolunteer Program (http://www.ecovolunteer.org)
Nederland   België
Wolftrail   ¡Tierra!
Postbus 144   Heidebergstraat 223
1430 AC Aalsmeer   B-3010 Leuven
Tel. 0297-368504   Tel. 016-255616
Fax 0297-367686   Fax 016-255616
Email: wolftrail@image-travel.nl

Beschr.: De Braziliaanse Fundação Pro-Tamar, een stichting van
de overheid die zich bezighoudt met zeeschildpadden,
werd in 1988 opgericht met als hoofddoel het onderzoek naar en de bescherming van zeeschildpadden in
Brazilië financieel te steunen. Met het Project Tamar wil
de stichting de natuurlijke voortplantingscyclus van
zeeschildpadden herstellen door een deel van de nesten naar een beschermd broedgebied over te brengen
en de uitgekomen jongen vrij te laten, de nestelende
vrouwtjes te labelen en daarmee de belangstelling van
het publiek te wekken. Er werken voor deze instelling
momenteel 350 mensen aan de bescherming van zeeschildpadden.

Soorten: Lederschildpad, echte karetschildpad, warana, onechte karetschildpad, soepschildpad.

Hab.: Tropische kusten.

Loc.: Verschillende stranden aan de Braziliaanse kust.

Reis: Vliegen naar Vitoria.

Lijst van projecten

Duur:	Min. twee weken.
Per.:	Oktober-februari.
Leeft.:	Min. 18, geen max.
Vereist:	Er worden geen bijzondere eisen gesteld. De vrijwilligers moeten in goede gezondheid zijn en lange afstanden door mul zand kunnen lopen (10-15 km per dag) en tegen de hitte van het tropische klimaat kunnen. Kennis van het Portugees is erg nuttig, omdat er veel met de plaatselijke vissers wordt samengewerkt.
Werk:	De vrijwilligers doen mee met de nachtelijke tochten op de stranden, identificeren van nesten, overbrengen van eieren, tellen en vrijlaten van jongen, labelen van vrouwtjes enzovoort.
Taal:	Portugees, Engels.
Kosten:	ƒ 1235,- voor twee weken, extra weken mogelijk voor een lager bedrag.
L. term.:	Informeer bij de organisatie.
Accomm.:	Het project is gestationeerd bij of in kleine vissersdorpen. Ieder station heeft een keuken en warm en koud stromend water.
Vert.:	Kantoren van het Ecovolunteer Network.
Aanvr.:	Via de kantoren van het Ecovolunteer Network of via www.ecovolunteer.org
Opm.:	De stichting heeft 22 veldstations aan de Braziliaanse kust, maar bij slechts drie daarvan kunnen buitenlandse vrijwilligers werken. Ieder station kan acht vrijwilligers tegelijk herbergen.

Vrijwilligerswerk & natuurbehoud

PROYECTO TORTUGA, MEXICO

Coastal Conservation Foundation (CCF)
P.O. Box 2083
Tucson, Arizona 85702 VS
Tel.: 001 (520) 798-1844 – fax: 001 (520) 882-7721
E-mail: sonoran@azstarnet.com
URL: http://www.azstarnet.com/~sonoran

Beschr.: De CCF is een organisatie zonder winstoogmerk die zich bezighoudt met de bescherming van de Golf van Californië door middel van educatieve programma's en natuurbehoudprogramma's in Arizona en Mexico. De afgelopen drie jaar heeft er een programma gelopen voor het herstel van warana's in Nayarit in Mexico. De deelnemers aan het programma helpen de medewerkers van de CCF met de nachtelijke verkenningen van het strand, het verplaatsen van nesten en het verzamelen van gegevens. De CCF geef ook lessen ecologie en milieu aan de plaatselijke kinderen en voert een doorlopend onderzoek aan de biodiversiteit van het gebied uit.

Soorten: Warana (*Lepidochelys olivacea*), vogels en planten.

Hab.: Tropische kusten.

Loc.: Nayarit, Mexico.

Reis: Vliegen naar Puerto Vallarta. De deelnemers worden opgehaald door medewerkers van de CCF. Vanuit de VS kan ook per bus of trein naar Puerto Vallarta worden gereisd.

Duur: Min. tien dagen.

Per.: Augustus-september.

Leeft.: Min. 18, geen max.

Vereist: De deelnemers moeten gewend zijn aan kamperen in een landelijke omgeving en enige veldervaring hebben. Fotografen zijn welkom. Het werkterrein is tropisch en heel gevarieerd. Er zijn veel mogelijkheden voor individuele projecten.

Werk: De deelnemers helpen de CCF met de nachtelijke verkenningen van de stranden om nestelende zeeschildpadden te zoeken. Als er een nest wordt gevonden, wordt het opgegraven en naar een beschermd gebied bij het kamp verplaatst. Als er een vrouwtje wordt gevonden, wordt het gemeten en worden al haar kenmerken genoteerd. De nesten worden in de gaten gehouden en de uitgekomen jongens worden 's nacht vrijgelaten. De deelnemers kunnen helpen bij de educatieve programma's voor de plaatselijke kinderen en bij het lopende onderzoek naar planten en vogels van het gebied. Het onderhouden en schoonmaken van het kamp behoort ook tot het werk.

Taal: Engels en Spaans zijn nuttig, maar niet vereist.

Accomm.: Het kamp bestaat uit drie grote legertenten met een keuken en badfaciliteiten met stromend water. Er wordt voor stretchers gezorgd. De deelnemers moeten zelf beddengoed, een klamboe en persoonlijke benodigdheden meenemen.

Kosten: ƒ 713 voor studenten, overigen ƒ 988,- (inclusief eten, drinken en accommodatie). De deelnemers moeten zelf hun vervoer regelen.

L. term.: De vrijwilligers kunnen het hele seizoen aan het programma meedoen, en kunnen zich de volgende zomer opnieuw aanmelden.

Aanvr.: Neem contact op met de CCF voor een informatiepakket waarin het Proyecto Tortuga gedetailleerd wordt besproken en waarin alle benodigde formulieren zitten.

Opm.: De medewerkers van de CCF zijn vrijwilliger en alle inkomsten worden in het project gestoken.

PUNTA SAN JUAN-PROJECT, PERU

Wildlife Conservation Society – Universidad Peruana Cayetano Heredia
Proyecto Punta San Juan UPCH-Casa Honorio Delgado
Av Armendariz
445 Lima 18, Peru
Tel. /fax: 0051 (1) 4478887
E-mail: psj@datos.limaperu.net en guanera@datos.limaperu.net

Beschr.: Punta San Juan (PSJ) is het belangrijkste terrestrische en mariene reservaat van Peru. Meer dan 50% van de zuidelijke zeeberen, ongeveer 30% van de manenrobben en ongeveer 75% van de Humboldt-pinguïns komen er voor. Deze soorten doen het hier zo goed doordat het de plek is met het koudste water, de sterkste opstijging en de grootste primaire productie. PSJ is het enige mariene reservaat in Peru waar een langetermijnprogramma voor onderzoek aan en bescherming van het mariene dierenleven draait en het is de enige plek aan de Peruviaanse kust waar de terrestrische ecologie van zeehonden en pinguïns gedetailleerd zijn bestudeerd. In de haven van San Juan wordt een inventarisatie van de omvang van de wisselwerking tussen het dierenleven en de kunstmatige visgronden uitgevoerd.

Soorten: Humboldt-pinguïn (*Spheniscus humboldti*), zuidelijke zeebeer (*Arctocephalus australis*), manenrob (*Otaria byronia*), simeonsmeeuw (*Larus belcheri*), guanovogels, bruine pelikaan (*Pelecanus occidentalis*), Peruviaanse aalscholver (*Phalacrocorax bouganvilli*), *Sula variegata*.

Hab.: Kustwoestijn.

Loc.: Zuidwest-Peru.

Reis: Vliegen naar Lima, vervolgens de bus naar Marcona, Ica, daarna de taxi naar de 'Guanera' of twintig minuten lopen naar het Guano-reservaat.

Duur: Verschillend, afhankelijk van de bestudeerde soorten.

Per.: Verschillend, afhankelijk van de bestudeerde soorten.

Leeft.: Min. 20, max. 40.

Vereist: Er wordt ervaring met veldwerk en werken met computers vereist.

Werk: Verzamelen van gegevens over het gedrag, helpen bij het vangen van dieren en merken, verzamelde gegevens in de computer verwerken, huishoudelijke karweitjes, zoals koken en schoonmaken.

Taal: Bij voorkeur Spaans, ook Engels.

Accomm.: In een huis met gemeenschappelijke kamers. Matrassen zijn beschikbaar. Er moet een slaapzak of bedden-goed worden meegebracht.

Kosten: Eten en accommodatie kosten f 10,- per dag. Vlieg-prijs en vervoer binnen Peru niet inbegrepen.

L. term.: Met toestemming van de projectleider.

Vert.: Neem rechtstreeks contact op met de organisatie.

Aanvr.: Stuur een curriculum vitae, een intentieverklaring en re-ferenties. Geef een e-mail-adres op indien beschikbaar.

Opm.: Wie allergisch is voor stof, teken of vlooien kan beter niet gaan. Afhankelijk van de tijd van het jaar zijn zon-werende middelen nodig. Zoet water is schaars in het reservaat en de stroomvoorziening is beperkt. De toi-letten zijn zeer primitief en water om ze door te spoe-len moet uit zee worden gehaald. Elektrische verlich-ting is er alleen in de gemeenschappelijke ruimten. Bij zee kan een koude douche worden genomen.

REDDINGSCENTRUM VOOR ZEESCHILDPADDEN, GRIEKENLAND

The Sea Turtle Protection Society of Griekenland (STPS)
Solomou 35
106 82 Athene, Griekenland
Tel./fax: 0030 (1) 3844146
E-mail: stps@compulink.gr

Beschr.:	De STPS is een organisatie zonder winstoogmerk die projecten ter bescherming van zeeschildpadden leidt met steun van internationale vrijwilligers. Dit project is gericht op het verzorgen en terugzetten van gewonde, zieke of verzwakte schildpadden. Voorlichting aan het publiek behoort ook tot de activiteiten, evenals het uitbreiden en verbeteren van het Sea Turtle Rescue Network in Griekenland.
Soorten:	Zeeschildpadden.
Hab.:	Mediterrane kust.
Loc.:	Glyfada, ongeveer 20 km van Athene, Griekenland.
Reis:	Vliegen naar Athene. Informeer bij de organisatie.
Duur:	Min. vier weken.
Per.:	Het hele jaar.
Leeft.:	Min. 18.
Vereist:	Er worden geen bijzondere eisen gesteld. Een sterke motivatie is een aanbeveling.
Werk:	Verzorgen van schildpadden, bouw- en onderhoudswerk, schilderen, schoonmaken.
Taal:	Een beetje Engels is onmisbaar, Duits en Grieks zijn nuttig.
Accomm.:	Op het Centrum of in een flat in de buurt.
Kosten:	De bijdrage voor deelname is ongeveer ƒ 57,-. De vrijwilligers moeten hun eigen reiskosten betalen en ook een minimum van ƒ 17,- per dag voor eten.
L. term.:	Na de eerste periode van vier weken kunnen de vrijwilligers voor een langere termijn blijven.
Vert.:	Neem rechtstreeks contact op met de STPS.
Aanvr.:	Gegadigden moeten een aanmeldingsformulier invullen.
Opm.:	Bij de bijdrage inbegrepen is een jaarabonnement op de nieuwsbrief Turtle Tracks. De vrijwilligers moeten een internationale ziektekostenverzekering hebben.

REDDINGSPROJECT NEUSHOORNS IN SWAZILAND

EcoVolunteer Program (http://www.ecovolunteer.org)

Nederland	België
Wolftrail	¡Tierra!
Postbus 144	Heidebergstraat 223
1430 AC Aalsmeer	B-3010 Leuven
Tel. 0297-368504	Tel. 016-255616
Fax 0297-367686	Fax 016-255616
Email: wolftrail@image-travel.nl	

Beschr.: Bescherming van dieren tegen stropen heeft de hoogste prioriteit in het Mkhaya Game Reserve in Swaziland. In dit beschermde gebied leven puntlip- (zwarte) en breedlip- (witte) neushoorns. Veel andere dieren, zoals olifanten, buffels, antilopen, krokodillen, nijlpaarden, zebra's, giraffen, apen, luipaarden enzovoort kunnen in het reservaat worden geobserveerd. Vrijwilligers zijn nodig om te helpen met het onderhoudswerk in het reservaat en helpen met het bestrijden van stropers. Financiële bijdragen die hieruit voortkomen zijn essentieel voor het project.

Soorten: Breedlipneushoorn (*Ceratotherium simum*) en puntlipneushoorn (*Diceros bicornis*).

Hab.: Afrikaanse savanne.

Loc.: Mkhaya Game Reserve, Lowveld, Swaziland.

Reis: Vliegen naar Mbabane. Noodzakelijk zijn een visum en een paspoort die ten minste zes maanden na vertrek uit Swaziland geldig zijn.

Vrijwilligerswerk & natuurbehoud

Duur:	Min. twee, max. vijf weken.
Per.:	Het hele jaar.
Leeft.:	Min. 18, geen max.
Vereist:	De vrijwilligers moeten Engels spreken, lange afstanden kunnen lopen en tegen de hitte kunnen. Enige kennis van vogels en andere dieren is nuttig. De vrijwilligers moeten bereid zijn zich te onderwerpen aan de voorschriften van het reservaat.
Werk:	De vrijwilligers nemen deel aan het dagelijkse observeren van bedreigde dieren, het vanuit wachttorens speuren naar nachtelijke activiteiten van stropers en onderhoudswerk. De meeste werkdagen beginnen voor zonsopkomst. Er kunnen halve of hele dagen vrij worden gevraagd om bij te komen. Koken en schoonmaken wordt bij toerbeurt door de vrijwilligers gedaan. De vrijwilligers werken altijd samen met een Swazi-gids, die de absolute baas is: bij alle activiteiten staat de veiligheid van mensen en dieren voorop.
Taal:	Engels.
Kosten:	Twee weken f 1568, drie weken f 1900, vier tot vijf weken, f 2138,- (de vijfde week is gratis). Vluchten, visum, plaatselijke belastingen en verzekering zijn niet inbegrepen.
Accomm.:	Eenvoudige hutten of tenten vlak bij het werkgebied. Het kamperen is primitief, met een koude douche, een kuil in de grond als toilet, eenvoudige bedden en klamboes.
Vert.:	Kantoren van het Ecovolunteer Network.
Aanvr.:	Via de kantoren van het Ecovolunteer Network of via www.ecovolunteer.org

Lijst van projecten

Opm.: De vrijwilligers kunnen naburige parken verkennen, waar voor accommodatie wordt gezorgd als dat beschikbaar is. Als dat mogelijk is, wordt de gelegenheid geboden voor wildwatertochten en safari's met gids. De vrijwilligers moeten voorzorgsmaatregelen nemen tegen malaria en Lymeziekte.

REGENWOUD VAN CASA RIO GRANDE BLANCO, COSTA RICA

Apdo. 241-7210
Guaplies, Pococi
Costa Rica
Tel.: 00506 382-0957

Beschr.:	Het Casa Rio Blanco Reserve doet onderzoek naar het behoud van het regenwoud. Het voert educatieve programma's, sociaal werk en onderhoud aan paden uit, evenals herbebossingsprojecten, zoals het verzamelen van zaden, in het tropisch regenwoud van Midden-Costa Rica.
Soorten:	Varens, bromelia's, vogels.
Hab.:	Tropisch regenwoud.
Loc.:	Midden-Costa Rica.
Reis:	Vliegen naar San José, vervolgens ongeveer 2 uur 30 minuten per bus.
Duur:	Perioden van vier weken.
Per.:	Het hele jaar, behalve mei en oktober.
Leeft.:	Min. 19, geen max.
Vereist:	Er zijn geen bijzondere vaardigheden vereist. Vrijwilligers die op plaatselijk scholen willen werken, moeten Spaans kennen.
Werk:	Verzamelen van zaden, organisch tuinieren, planten determineren, lesgeven, dienstverlening aan de bevolking.
Taal:	Engels, Spaans voor lesgeven.
Accomm.:	In nieuwe vierpersoonshutten, met stapelbedden en warme douches. De vrijwilligers moeten een slaapzak en handdoek meenemen.
Kosten:	ƒ 1140,- voor vier weken, inclusief kamer, eten en kleren wassen.
L. term.:	Vrijwilligers kunnen langer blijven met toestemming van de projectleider.
Vert.:	Neem rechtstreeks contact op met het reservaat.
Aanvr.:	Vrijwilligers moeten vijf internationale antwoordcoupons voor het informatiepakket opsturen. Aanmeldingen moeten vier maanden van tevoren worden verzonden, in verband met vertraging van de post.

Lijst van projecten

REGENWOUD VAN TAMBOPATA, PERU

Peruvian Safaris, S.A.
Av. Garcilaso de la Vega 1334
P.O. Box 10088
Lima (1) Peru
Tel.: 0051 (431) 6330 of 431-3047 – fax: 0051 (432) 8866

Beschr.: De organisatie Peruvian Safaris verleent de noodzakelijke steun en faciliteiten aan biologen die zijn geïnteresseerd in onderzoek aan de flora en fauna van het regenwoud van de Amazone. De hoofddoelen van het programma zijn onderzoeken en inventariseren van de planten- en diersoorten van het natuurreservaat Tambopata, bestuderen van het gedrag van de dieren, het kweken van verantwoordelijkheidsgevoel voor de natuur bij de plaatselijke medewerkers en bevolking, praktische middelen aanreiken voor het behoud en herstel van de soorten en de toeristische infrastructuur voor het observeren van dieren in het reservaat ontwikkelen.

Soorten: Soorten van het tropisch regenwoud.

Hab.: Subtropisch vochtig woud.

Loc.: Natuurreservaat Tambopata in de zuidoostelijke Peruaanse provincie Madre de Dios. Het reservaat ligt aan de linker oever van de rivier de Tambopata.

Reis: Vliegen naar Lima, vervolgens naar Puerto Maldonado, de hoofdstad van de provincie Madre de Dios. Het reservaat is vanuit Puerto Maldonado over de rivier te bereiken.

Duur: Min. drie maanden.

Per.: Het hele jaar. Aanbevolen perioden zijn 1 januari tot 31 maart, 1 april tot 30 juni, 1 juli tot 30 september, 1 oktober tot 31 december. De vrijwilligers moeten er ten minste een week eerder zijn om goed getraind door de vertrekkende Resident Naturalist hun plaatsen in te nemen.

Leeft.: Geen leeftijdsbeperking.

Vereist: Opgeleid in de biologie of een andere natuurwetenschap of een verwante discipline.

Werk: Tot de taken van de Resident Naturalist behoren het uitvoeren van een onderzoek gerelateerd aan de flora en fauna van het reservaat, geven van adviezen en training aan de Peruaanse medewerkers op gebied van natuurbehoud, leiden van en toezicht houden op de werkzaamheden voor het verbeteren van de toeristi-

Vrijwilligerswerk & natuurbehoud

sche infrastructuur in het reservaat, helpen bij het onderhouden van paden, ontvangen en wegwijs maken van nieuwe gasten, rondleidingen en voordrachten houden en een eindrapport schrijven. Er zijn ten minste vier Resident Naturalists tegelijkertijd in het reservaat aanwezig. De vermelde taken kunnen bij toerbeurt worden uitgevoerd of naar eigen inzicht worden verdeeld, met medeweten van de General Manager. Peruvian Safaris verleent assistentie voor het onderzoek in de vorm van het nodige personeel, materiaal en financiën.

Taal: Spaans is verplicht.

Accomm.: Eigen of gemeenschappelijk kamer in de Explorer's Inn Lodge in het reservaat.

Kosten: De deelnemers moeten zelf de reis naar en van Peru bekostigen. Accommodatie en drie maaltijden per dag worden door de organisatie verstrekt (er zijn vegetarische maaltijden beschikbaar). Peruvian Safaris zorgt ook voor het vervoer over de rivier tussen de lodge en Puerto Maldonado en de kosten van verlenging van het visum als dat nodig is.

L. term.: In geval dat het onderzoek meer dan drie maanden vergt, kan de Resident Naturalist onder dezelfde voorwaarden een langere periode blijven, vooropgesteld dat deze noodzaak reeds bij de aanvraag is vermeld.

Vert.: Voormalige Resident Naturalists in Engeland hebben de Tambopata Reserve Society (TRees) opgericht. Gegadigden kunnen contact opnemen met John Forrest van TRees voor informatie uit de eerste hand over het programma en advies voor het voorgenomen onderzoek. TRees, 64 Belize Park, London NW3 4EH, Engeland.

Aanvr.: Aanvragen moeten ruim van tevoren naar Peruvian Safaris worden gestuurd en moeten een curriculum vitae en een beschrijving van het voorgenomen onderzoek bevatten.

RINGEN VAN TREKVOGELS IN SPANJE

Estación biologica de Doñana (Csic)
Charo Cañas (Reserva biologica de Doñana)
Apartado de Correos 4
21760 Matalascañas, Almonte, Huelva, Spanje
Tel.: 0034 (59) 440032 – 440036 fax: 0034 (59) 440033
E-mail: charina@cica.es – URL: http://gopher://abd03.ebd.csic.es

Beschr.:	Het Estación Biologica de Doñana heeft een ringstation in het nationaal park Doñana opgezet, waar tijdens de najaarstrek de migratie van kleine trekvogels over de Sahara wordt bestudeerd.
Hab.:	Nationaal park Doñana.
Loc.:	Manecorro-gebied (bij het dorp El Rocio) in Spanje.
Duur:	Neem voor details contact op met de organisatie.
Werk:	De vrijwilligers doen van zonsopkomst tot zonsondergang mee aan het ringen van vogels. Na één werkdag zijn er twee dagen vrij. Ook begeleiden de vrijwilligers schoolkinderen die het centrum bezoeken. Tijdens de vrije dagen kunnen de vrijwilligers zich aansluiten bij een van de onderzoeksteams die in het gebied werken.
Taal:	Engels, Spaans.
Accomm.:	Gemeenschappelijke kamers met badkamer en douche. Kookgelegenheid, koelkast en wasmachine zijn aanwezig. De vrijwilligers zorgen zelf voor het schoonhouden van kamers en bedden enzovoort. Er wordt een bijdrage voor accommodatie en eten gevraagd.
Kosten:	Neem contact op met de organisatie.
L. term.:	Neem contact op met de organisatie.
Vert.:	Neem contact op met de organisatie.
Aanvr.:	Neem contact op met de organisatie.

LOS ROQUES-EILANDEN, VENEZUELA

WWF Italië
Via Canzio 15
20131 Milaan, Italië
Tel.: 0039 (2) 20569505 – fax: 0039 (2) 20569246
E-mail: mc2252@mclink.it
URL: http://www.mclink.it/n/assoc.amb/wwf/wwf.htm

Beschr.:	Het nationaal park Los Roques is een eilandengroep die uit meer dan 50 eilanden van zandbanken en koraalriffen bestaat. De Fundacion Cientifica Los Roques (FCLR) voert projecten uit ter bescherming van de natuurlijke hulpbronnen uit zee en om het duurzame gebruik daarvan te propageren.
Soorten:	Tropische zeedieren.
Hab.:	Tropische zee.
Loc.:	Los Roques-eilanden, Venezuela.
Reis:	Vliegen naar Caracas, vervolgens boot of vliegtuig naar Los Roques.
Duur:	Twee weken.
Per.:	Het hele jaar.
Leeft.:	Min. 18, geen max.
Vereist:	Er zijn geen bijzondere vaardigheden vereist. De vrijwilligers moeten kunnen zwemmen.
Werk:	Deelname aan de lopende projecten van de FCLR, zoals het zeeschildpadden-project, het project om kreeften te bestuderen en het koraal-project.
Accomm.:	In eenvoudige bungalows of tenten, afhankelijk van het project.
Kosten:	f 1463,- tot f 1558,-.
L. term.:	Informeer rechtstreeks bij het WWF.
Taal:	Spaans, Italiaans, Engels.
Vert.:	WWF Italië.
Aanvr.:	Neem contact op met het WWF Italië voor een aanmeldingsformulier.

SLOPE (SQUID-LOVING ODONTOCETE PROJECT), ITALIË

EcoVolunteer Program (http://www.ecovolunteer.org)

Nederland	België
Wolftrail	¡Tierra!
Postbus 144	Heidebergstraat 223
1430 AC Aalsmeer	B-3010 Leuven
Tel. 0297-368504	Tel. 016-255616
Fax 0297-367686	Fax 016-255616
Email: wolftrail@image-travel.nl	

Beschr.: In 1997 begon het Tethys Research Institute een diep-gaand langetermijnonderzoek naar de tandwalvissen van westelijke Ligurische Zee, gebaseerd op gegevens die de ze daar daarvoor waren verzameld. Het doel van dit project is het verkrijgen van informatie over de biologie, ecologie, sociale structuur en populatiedyna-mica van deze soorten. Tot de onderzoeksmethoden behoort foto-identificatie van afzonderlijke dolfijnen, wat informatie levert over honkvastheid, dagelijkse en seizoensverplaatsingen en de sociale structuur van de kuddes. Het gedrag wordt vastgelegd en soms worden gesynchroniseerde beeld- en geluidsopnamen ge-maakt om de geluiden die ze maken aan hun gedrag te correleren. Ademhalingspatronen van bepaalde exem-plaren worden bestudeerd om de mate van verstoring door de scheepvaart te bepalen. Biopsieën worden ge-nomen voor genetisch en toxicologisch onderzoek en analyse van stabiele isotopen.

Soorten: Grijze dolfijn (*Grampus griseus*), potvis (*Physeter cato-don*), *Ziphius cavirostris*, griend (*Globicephala melas*) en gestreepte dolfijn (*Stenella coeruleoalba*). Soms ge-wone vinvis (*Balaenoptera physalus*).

Hab.: Kustwateren en oceanisch plat.

Loc.: Middellandse Zee, Ligurische Zee.

Reis: Aankomst en vertrek zijn in San Remo of in Santo Stefano Mare, Italië. Vliegen naar het internationale vlieg-veld van Nice, Genua of Milaan, vervolgens de trein naar San Remo of Santo Stefano.

Duur: De tochten duren minimaal zes dagen. Er kan aan meer dan één tocht worden deelgenomen.

Per.: Juni-juli.

Leeft.: Min. 18.

Vereist: Er zijn geen bijzondere vaardigheden vereist.

Werk: Iedereen wordt gevraagd om aan alle onderzoeksacti-viteiten deel te nemen, bijvoorbeeld waarnemingen doen, gegevens verzamelen, deze op formulieren vast-leggen, daarna in de computer invoeren en voorlopige

analyses maken. De deelnemers worden aan het begin van de tocht getraind door de onderzoekers. Ze worden gevraagd mee te doen met het koken en het in orde houden van de boot.

Taal: Italiaans en/of Engels.

Accomm.: In een zeilboot voorzien van hijs en kombuis. Slaapzak en kussensloop moeten zelf worden meegebracht.

Kosten: ƒ 855,- tot ƒ 1045,- voor een tocht van zes dagen. De bijdrage van de vrijwilligers wordt geheel gebruikt ter gedeeltelijke dekking van de kosten van het onderzoek, accommodatie aan boord en eten. Niet inbegrepen zijn uitgaven voor de reis naar en van de haven en ontscheping en de verplichte verzekering (ƒ 29,- voor zes dagen).

L. term.: De vrijwilligers kunnen reserveren en betalen voor achtereenvolgende tochten indien plaats beschikbaar is.

Vert.: Het Ecovolunteer Network.

Aanvr.: Kantoren van het Ecovolunteer Network of: www.ecovolunteer.org

STEENARENDEN VAN MULL, SCHOTLAND

Earthwatch Institute (Europa) of Earthwatch Institute (VS)
57 Woodstock Road, Oxford, OX2 6HJ, Engeland
Tel.: 0044 (1865) 311600 – fax: 0044 (1865) 311383
E-mail: info@uk.earthwatch.org
URL: http://www.earthwatch.org

Beschr.:	Een op de tien steenarenden in de mistige kloven van dit eiland van de Inner Hebrides. Het doel van het project is erachter te komen welke milieuomstandigheden ertoe leiden dat de steenarenden en andere roofvogels het hier zo goed doen, bijvoorbeeld het gebruik dat de dieren van hun gemeenschappelijke leefgebied maken en de effecten van het landgebruik op de populaties.
Soorten:	Steenarend, buizerd en raaf.
Hab.:	Kliffen en heide.
Loc.:	Eiland Mull, Schotland.
Reis:	Het verzamelpunt is bij Ben Doran aan de kust bij de laag gelegen Ross of Mull.
Duur:	Twaalf dagen.
Per.:	Juli-september.
Leeft.:	Min. 16, geen max.
Vereist:	Er zijn geen bijzondere vaardigheden vereist.
Werk:	De vrijwilligers helpen met het in kaart brengen van de leefgebieden en rijden over het eiland om gegevens te controleren en te verzamelen. Ook worden individuele vogels op hun nest of jaagplek geobserveerd.
Taal:	Engels.
Accomm.:	Een afgezonderde stenen cottage met vijf slaapkamers, 400 m van zee.
Kosten:	ƒ 2899,-.
L. term.:	Er zijn geen mogelijkheden voor langetermijnverblijf.
Vert.:	Neem rechtstreeks contact op met het Earthwatch Institute. Zie Lijst van organisaties.
Aanvr.:	Neem contact op met het bureau van het Earthwatch Institute. Er wordt een waarborgsom van ƒ 620,- gevraagd.

Vrijwilligerswerk & natuurbehoud

STUDIETOCHTEN DOOR TIGER RESERVES, INDIA

EcoVolunteer Program (http://www.ecovolunteer.org)

Nederland	België
Wolftrail	¡Tierra!
Postbus 144	Heidebergstraat 223
1430 AC Aalsmeer	B-3010 Leuven
Tel. 0297-368504	Tel. 016-255616
Fax 0297-367686	Fax 016-255616
Email: wolftrail@image-travel.nl	

Beschr.: 60% van alle tijgers leeft in India, waar 23 Project Tiger Reserves zijn opgericht. De afgelopen honderd jaar heeft er een snelle afname van het aantal tijgers plaatsgevonden (momenteel zijn er naar schatting nog 40.000), wat wordt veroorzaakt door het verdwijnen van het leefgebied, ongecontroleerde bejaging, stropen en illegale handel in delen van tijgers. In 1973 startte de Indiase regering het Project Tiger, waaraan het WWF en vele organisaties een bijdrage hebben geleverd. Er wordt een van de belangrijke Tiger-reservaten in India bezocht. De vrijwilligers krijgen de gelegenheid om uit de eerste hand kennis te maken met de methoden voor de bescherming van tijgers en de problemen waar de regering en de betrokkenen mee te maken krijgen.

Soorten: Tijger (*Panthera tigris*).

Hab.: Droog bladverliezend tropisch woud.

Lijst van projecten

Loc.:	Vijf tijgerreservaten in India (Ranthambor, Keladevi, Sawai Mansingh-Kuwalji, Ramgarh en Sariska).
Reis:	Vliegen naar New Delhi. De verantwoordelijke organisatie is gevestigd in Jaipur (35 minuten vliegen van Delhi en vijf uur over de weg). De vrijwilligers krijgen hun eerste instructies in Jaipur, van waaruit ze naar de plaats van hun project worden vervoerd.
Duur:	Min. twee weken.
Per.:	Het hele jaar.
Leeft.:	Min. 18.
Vereist:	De vrijwilligers moeten in goede conditie zijn en in staat zijn temperaturen van 37-39 °C te verdragen. Informeer bij het Ecovolunteer Network over de specifieke vereisten.
Werk:	De vrijwilligers brengen ten minste twee weken door in een van de tijgerreservaten. Het bezoek biedt de zeldzame kans om een geschreven of audiovisueel verslag over de bescherming van tijgers in India en in het eigen land te produceren. Voor en na het veldwerk verblijven de vrijwilligers in Jaipur voor besprekingen met de hoofdcoördinator die het verantwoordelijke instituut vertegenwoordigt. De coördinator helpt de vrijwilliger met het opstellen van zijn eindrapport. Op de basis in het bos wordt een dagprogramma van tien uur gedraaid, waarbij de vrijwilligers observaties doen en autoriteiten, tolken en dorpelingen ontmoeten.
Taal:	Praktische kennis van het Engels is noodzakelijk.
Kosten:	ƒ 2043,- voor twee weken, ƒ 2987,- voor drie weken en ƒ 3800,- voor vier weken. Bij de kosten inbegrepen zijn

accommodatie en maaltijden, begeleiding, de studie-
tocht, vervoer van en naar Delhi, vliegticket of trein-
kaartje, reisadviezen en -literatuur, toegangsgeld en
jeepsafari in het oerwoud. De vlucht naar en van Delhi,
visum, luchthavenbelasting (ongeveer f 19,-), verzekering en persoonlijke uitgaven zijn niet inbegrepen.

L. term.: Informeer bij het Ecovolunteer Network.

Accomm.: In eenvoudige hotels of huizen. Het hotel zorgt voor
eten met een vastgesteld menu. De vrijwilligers krijgen
een lunchpakket mee als ze het oerwoud in trekken.

Vert.: Kantoren van het Ecovolunteer Network.

Aanvr.: Via de kantoren van het Ecovolunteer Network of via
www.ecovolunteer.org

Opm.: Het hoofdpark, Ranthambhor, is gesloten van 1 juli tot
30 september in verband met de moesson. Tijdens de
moesson kan het project doorgang vinden in andere
reservaten.

TAIGA-PROJECT IN RUSLAND

Wild Explorer Holidays / Skye Environmental Centre Ltd.
Broadford, Isle of Skye
Schotland, IV49 9AQ
Tel./fax: 0044 (1471) 822 487
E-mail: iosf@aol.com

Beschr.:	Het Skye Environmental Centre houdt zich bezig met milieueducatie, natuurbehoud en het redden van dieren en werkt samen met het International Otter Survival Fund (zie Lijst van organisaties). Het centrum organiseert sinds 1991 onderzoekstochten naar het Central Forest Biosphere Reserve. Dit project biedt de mogelijkheid te assisteren bij het onderzoek aan wilde dieren.
Soorten:	Beren, wolven, otters.
Hab.:	Gematigde bossen.
Loc.:	Central Forest Biosphere Reserve, 300 km ten westen van Moskou.
Reis:	Vliegen naar Moskou, vervolgens lokaal vervoer.
Duur:	Twee tot vier weken.
Per.:	De werkzaamheden beginnen in april.
Leeft.:	Informeer bij de organisatie.
Vereist:	Er worden geen bijzondere eisen gesteld.
Werk:	Afhankelijk van het tijdstip helpen de vrijwilligers bij het verzorgen van weesbeertjes, het bouwen van hokken, het observeren van vrijgelaten beren, het opsporen van wilde beren, het bestuderen van het gedrag van wolven in gevangenschap, het analyseren van de roep en de sporen van wolven en het opsporen en bestuderen van secundaire sporen van otters enzovoort.
Taal:	Engels.
Kosten:	ƒ 86,- per dag (tot twee weken), ƒ 48,- per dag (na twee weken), wat rechtstreeks aan het reservaat moet worden betaald voor accommodatie en eten. De kosten van een vlucht naar Moskou, een visum en administratiekosten zijn ongeveer ƒ 1225,-. Vervoer van en naar het vliegveld van Moskou is niet inbegrepen en moet ter plekke worden betaald.
L. term.:	Informeer bij de organisatie.
Accomm.:	Plaatselijke gezinnen (houd er rekening mee dat het toilet meestal buiten is).
Vert.:	Neem rechtstreeks contact op met Wild Explorer Holidays.

Aanvr.: Neem voor verdere informatie contact op met de organisatie.

Opm.: Het in het reservaat beschikbare eten is eenvoudig (plaatselijke producten zoals eieren, wilde bessen, groente, paddestoelen). Ziektekosten- en annuleringsverzekering zijn verplicht.

Lijst van projecten

TROPISCH REGENWOUD VAN EL AMARGAL, COLOMBIA

EcoVolunteer Program (http://www.ecovolunteer.org)

Nederland	België
Wolftrail	¡Tierra!
Postbus 144	Heidebergstraat 223
1430 AC Aalsmeer	B-3010 Leuven
Tel. 0297-368504	Tel. 016-255616
Fax 0297-367686	Fax 016-255616
Email: wolftrail@image-travel.nl	

Beschr.: Dit project richt zich op het behoud van het tropisch regenwoud. Er worden ter ondersteuning van de plaatselijk bevolking kleinschalige economische activiteiten georganiseerd voor duurzaam gebruik van de opbrengst van het bos.

Soorten: Tropische planten en dieren.

Hab.: Tropisch regenwoud.

Loc.: Noordwest-Colombia.

Reis: Vliegen naar Nuqui, Colombia. Boek en coördineer de reis bij het Ecovolunteer Network. De vrijwilligers worden opgehaald van de airstrip en per boot naar El Amargal vervoerd (ongeveer één uur). Als door het getij en het weer niet dezelfde dag kan worden uitgevaren, moeten de vrijwilligers op eigen kosten de nacht in het dorp doorbrengen. Er zijn geen wegverbindingen van dit deel van de kust met de rest van Colombia. De enige manier om het gebied te bereiken, is vliegen vanaf Medellín of per boot van de zuidelijk haven Buenaventura naar Nuqui.

Duur: Min. drie weken.

Per.: Het hele jaar.

Leeft.: Min. 18.

Vereist: De vrijwilligers moeten in goede gezondheid verkeren, flexibel zijn, kunnen zwemmen en lange afstanden kunnen lopen. Ongeduldige types en zij die niet tegen stress kunnen, kunnen het moeilijk krijgen. De luchtvochtigheid in het werkgebied is voortdurend hoog. Er worden verder geen bijzondere eisen gesteld.

Werk: De vrijwilligers assisteren de wetenschappers bij het veldwerk, bijvoorbeeld meten en merken van bomen, met speciale uitrusting in bomen klimmen om te botaniseren, observeren van de bloei en vruchtzetting van bomen, planten en paddestoelen voor botanisch onderzoek verzamelen en vogelgeluiden opnemen. De vrijwilligers helpen ook bij het ontwerpen en aanleggen van voetpaden door het oerwoud, openleggen van ontoegankelijke gebieden in het bos (bijvoorbeeld brug-

getjes bouwen, omgevallen bomen opruimen enzovoort), helpen aan de infrastructuur (huis en laboratorium), materiaal (palmbladeren, stenen) voor de bouw verzamelen en voorraden voor het station vervoeren.

Taal: Engels of Spaans.

Accomm.: De vrijwilligers verblijven in het station met de Colombiaanse manager en de tijdelijke Colombiaanse onderzoekers. Het station heeft geen elektriciteit; de verlichting is met olielampen. Momenteel is er geen zendapparatuur.

Kosten: ƒ 2185,- voor de eerste drie weken en ƒ 475,- voor iedere extra week. Niet inbegrepen zijn de reis naar en van Colombia en ander vervoer, luchthavenbelasting en bagagetoeslag, visum, privé-uitgaven, reis- en annuleringsverzekering (beide zijn nodig) en excursies.

L. term.: De vrijwilligers kunnen zo lang blijven als ze willen.

Vert.: Ecovolunteer Network.

Aanvr.: Via het Ecovolunteer Network of:
www.ecovolunteer.org

Opm.: Het station ligt afgelegen. De vrijwilligers moeten geen romantische verwachtingen hebben over het leven aldaar, dat primitief en soms zwaar is. Ze moeten deze situatie kunnen accepteren en tolerant zijn.

Lijst van projecten

TUIMELAAR-PROJECT, SARDINIË EN LAMPEDUSA, ITALIË

CTS – Centro Turistico Studentesco e Giovanile
Via A. Vesalio 6
00161 Rome, Italië
Tel.: 0039 (6) 44111471/2/3/4 – fax: 0039 (6) 44111401
E-mail: ambiente@cts.it – URL: http://www.cts.it

Beschr.:	De doelen van dit project zijn het onderzoek en de bescherming van tuimelaars in Italië. Tot de werkzaamheden behoren het in kaart brengen van de verspreiding van tuimelaars, de gezondheidstoestand van de dieren bepalen, bestuderen van de gevolgen van toerisme en visserij en het opzetten van een strategisch plan.
Soorten.:	Tuimelaar (*Tursiops truncatus*).
Hab.:	Kustwateren.
Loc.:	Sardinië (Tyrrheense Zee) en Lampedusa (een eilandje ver uit de zuidkust van Sicilië).
Reis:	Sardinië is gemakkelijk te bereiken per boot vanaf Civitavecchia (Rome) en Livorno per vliegtuig vanuit de grote Italiaanse steden. Er gaan directe vluchten naar Lampedusa vanuit Rome, Milaan en Palermo.
Duur:	Zeven tot tien dagen.
Per.:	22 juni tot 14 september.
Leeft.:	Min. 18 (16 met toestemming van de ouders).
Vereist:	Er zijn geen bijzondere vaardigheden vereist, maar de vrijwilligers moeten wel kunnen zwemmen. Kennis van fotografie is welkom.
Werk:	De vrijwilligers krijgen een korte training voordat ze beginnen met het verzamelen van gegevens over dit zeezoogdier.
Accomm.:	In tenten.
Kosten:	ƒ 760,- voor een week, alles inbegrepen, behalve vervoer.
L. term.:	Vraag informatie op bij de organisatie.
Vert.:	Neem rechtstreeks contact op met het CTS.

Vrijwilligerswerk & natuurbehoud

VELDWERK ZEESCHILDPADDEN, GRIEKENLAND

The Sea Turtle Protection Society of Griekenland (STPS)
Solomou 35
106 82 Athene, Griekenland
Tel./fax: 0030 (1) 3844146
E-mail: stps@compulink.gr

Beschr.: De STPS is een organisatie zonder winstoogmerk die projecten ter bescherming van zeeschildpadden in Griekenland uitvoert met steun van internationale vrijwilligers. Tot het werk in de zomer dat door de STPS wordt georganiseerd behoren observeren van het nestelen van schildpadden op het strand, labelen van nestelende vrouwtjes, bescherming van nesten en de interesse van bezoekers en de plaatselijke bevolking opwekken.

Soorten: Onechte karetschildpad (*Caretta caretta*).

Hab.: Kust van de Middellandse Zee.

Loc.: Peloponnesus en de eilanden Zakynthos en Kreta in Griekenland.

Reis: Vliegen naar Athene, vervolgens de bus of de veerboot.

Duur: Min. vier weken.

Per.: Half mei-half oktober.

Leeft.: Min. 18.

Vereist: Er zijn geen bijzondere vaardigheden vereist. Motorrijbewijs of ervaring met opblaasboten met buitenboordmotor is nuttig.

Werk: De vrijwilligers worden ter plekke opgeleid en worden begeleid door projectleiders en/of ervaren leden. De taken worden verdeeld naar de eisen die het project stelt. Tot de activiteiten behoren inspecteren van het strand, nesten verplaatsen, beschermen van nesten, 's nachts labelen van nestelende vrouwtjes, patrouilleren op het strand en de belangstelling van het publiek stimuleren door informatiestands en diavoorstellingen.

Taal: Er is enige kennis van het Engels nodig. Duits, Italiaans, Nederlands, Zweeds of Grieks komen ook van pas.

Accomm.: De vrijwilligers verblijven op daarvoor aangewezen gratis kampeerterreinen met eenvoudig sanitair en kookgelegenheid.

Kosten: De bijdrage voor deelname is ongeveer ƒ 57,-. De vrijwilligers moeten hun eigen reis bekostigen en minimaal ƒ 17,- per dag voor eten bijdragen.

L. term.:	Vooral vrijwilligers die voor langere tijd willen werken, zijn welkom.
Vert.:	Neem rechtstreeks contact op met de STPS.
Aanvr.:	De vrijwilligers moeten een aanmeldingsformulier invullen.
Opm.:	Bij de bijdrage inbegrepen is een jaarabonnement op de nieuwsbrief Turtle Tracks. De vrijwilligers moeten een internationale ziektekostenverzekering hebben. Leden van groepen (meer dan twee personen) kunnen niet tegelijkertijd in hetzelfde gebied en op hetzelfde tijdstip werken.

Vinvissen in de Middellandse Zee.

Vrijwilligerswerk & natuurbehoud

VINVISSEN IN DE MIDDELLANDSE ZEE, ITALIË

EcoVolunteer Program (http://www.ecovolunteer.org)

Nederland	België
Wolftrail	¡Tierra!
Postbus 144	Heidebergstraat 223
1430 AC Aalsmeer	B-3010 Leuven
Tel. 0297-368504	Tel. 016-255616
Fax 0297-367686	Fax 016-255616
Email: wolftrail@image-travel.nl	

Beschr.: Sinds 1987 voert het Tethys Research Institute onderzoek uit naar de vinvissen die zich in de zomer in de westelijke Ligurische Zee en de Straat van Corsica verzamelen. Ecologie, habitatgebruik en populatiedynamica van deze walvissen worden bestudeerd. Tot de onderzoektechnieken behoren foto-identificatie, het nemen van biopsieën en fotometrie.

Soorten: Gewone vinvis (*Balaenoptera physalus*), gestreepte dolfijn (*Stenella coeruleoalba*), grijze dolfijn (*Grampus griseus*), potvis (*Physeter catodon*), griend (*Globicephala melaena*).

Hab.: Diepzee en kustwateren.

Loc.: Ligurische Zee, Middellandse Zee.

Reis: Vertrek en aankomst zijn in San Remo, Italië. Vliegen naar Nice, Genua of Milaan, vervolgens de trein naar San Remo.

Duur: Zes tot twaalf dagen of meer.

Per.: Juni-september.

Leeft.: Min. 18, geen max.

Vereist: Er worden geen bijzondere eisen gesteld. De vrijwilligers moeten kunen zwemmen. Flexibiliteit, enthousiasme en bereidheid te helpen met het onderzoek en het huishouden zijn noodzakelijk.

Werk: De vrijwilligers worden aan het begin van de tocht opgeleid en assisteren vervolgens bij de onderzoeksactiviteiten (foto-identificatie, gegevens verzamelen en opslaan, observaties) en doen gezamenlijk het koken en schoonmaken. Op het programma staan voordrachten en diavoorstellingen over mariene biologie en walvisachtigen.

Taal: Italiaans en/of Engels.

Accomm.: Aan boord van de 19 m lange kits Gemini Lab worden de deelnemers ondergebracht in drie tweepersoonshutten en een vierpersoonshut met stapelbedden. Ze moeten zelf een slaapzak meenemen. Er zijn twee douches en twee toiletten.

Kosten: De kosten variëren van ongeveer ƒ 950,- (voor zes

dagen) tot ongeveer ƒ 2090,- (voor twaalf dagen), afhankelijk van het seizoen. Niet inbegrepen zijn reiskosten, verzekering (ƒ 29,- per dag) en eten.

L. term.: Er kan voor opeenvolgende tochten worden geboekt.

Vert.: The Ecovolunteer Network (zie Lijst van organisaties).

Aanvr.: Kantoren van het Ecovolunteer Network of:
www.ecovolunteer.org

Opm.: De deelnemers moeten zich ervan bewust zijn dat dit
een wetenschappelijk onderzoek is en geen vakantie.
Houd er ook rekening mee dat er bij slecht weer geen
onderzoek kan worden gedaan, dat het streng verbo-
den is aan boord en op de opblaasboot te roken en dat
het kan gebeuren dat een hut moet worden gedeeld
met iemand van de andere kunne.

VOGELS VAN TORTUGUERO, COSTA RICA

Caribbean Conservation Corporation
4424 NW 13th Street, Suite A-1
Gainesville, Florida 32609 USA
Tel. : 001 (904) 373-6441
Fax: 001 (904) 375-2449
E-mail: resprog@cccturtle.org

Beschr.:	Tortuguero is de belangrijkste plek in Costa Rica voor trek- en standvogels uit de neotropen. De Caribbean Conservation Corporation (CCC) verzamelt informatie over de toestand van vogelpopulaties en het aantal soorten dat hier verblijft (tot 300).
Soorten:	Stand- en trekvogels uit de neotropen.
Hab.:	Tropische kusten.
Loc.:	Tortuguero, Costa Rica.
Reis:	Vanuit Miami, Florida.
Duur:	Drie dagen tot twee weken.
Per.:	Augustus-november.
Leeft.:	Min. 18, geen max.
Vereist:	De vrijwilligers moeten in goede conditie zijn, in staat zijn om op het platteland te leven en tegen moeilijke weersomstandigheden kunnen.
Werk:	Onderzoekers assisteren bij vangen met mistnetten, tellingen vanaf een vaste plek, identificatie, en uitzetten van transecten.
Taal:	Engels.
Accomm.:	Op slaapzalen met gemeenschappelijke badruimte in het onderzoeksstation.
Kosten:	ƒ 3772,- voor twee weken. Inbegrepen zijn de reis vanuit Miami, twee nachten in San José, vervoer naar Tortuguero, accommodatie en maaltijden.
L. term.:	Vrijwilligers kunnen langer dan twee weken blijven met goedkeuring vooraf.
Aanvr.:	Neem contact op met Daniel Evans van de CCC voor datums en waarborgsom.

VOORLICHTINGSPROGRAMMA IN CHINA

Earthcare
GPO Box 11546, Hongkong
Tel.: 00852 25780434 – fax.: 00852 25780522
E-mail: care@earth.org.hk
URL: http://www.earth.org

Beschr.:	De plaatselijke bevolking onderwijzen zodat zij groene consumenten worden en ze leren de soorten in hun omgeving te beschermen.
Soorten:	Alle bedreigde en niet-bedreigde soorten.
Hab.:	Alle habitats in Hongkong en China.
Loc.:	Hongkong, China.
Duur:	Minimaal zes maanden.
Per.:	Nader af te spreken.
Leeft.:	Min. 18, max. 55.
Vereist:	Er zijn geen bijzondere vaardigheden vereist. De vrijwilliger moet in staat zijn goed met de plaatselijke bevolking te communiceren. Kennis van fotografie wordt gewaardeerd.
Werk:	Coördineren van een project waarbij de plaatselijke bevolking wordt geleerd schildpadden en andere soorten te beschermen. Tevens werk om geld in te zamelen.
Kosten:	De vrijwilligers moeten zelf het vervoer naar Hongkong bekostigen.
L. term.:	De vrijwilligers kunnen gedurende een lange periode aan een project meedoen, van een maand tot een jaar na de normale periode en met goedkeuring van de projectleider.
Taal:	Engels is verplicht. Een plaatselijke taal (Kantonees of Mandarijn) komt van pas, maar is niet verplicht.
Accomm.:	Verschillend. De vrijwilligers worden geholpen iets te regelen. Bij sommige projecten wordt er in tenten geslapen en hebben de vrijwilligers lakens of een slaapzak nodig.
Vert.:	Neem rechtstreeks contact op met de organisatie.
Aanvr.:	De vrijwilligers krijgen een standaardformulier.
Opm.:	Er kan een klein salaris worden toegekend.

Vrijwilligerswerk & natuurbehoud

VRIJWILLIGERS VOOR HET BAIKALMEER, RUSLAND

Assistentie voor het Baikal-Lena-natuurreservaat
Baikal-centrum voor ecologische en burgerinitiatieven
P.O. Box 1360
Irkoetsk 664000 Rusland
Tel./fax: 007 (3952) 381-787
E-mail: irkutsk@glas.apc.org

Beschr.: Dit project vindt plaats in een Russisch reservaat met beperkte toegang. In 1996 werd begonnen met een padenstelsel en het bouwen van hutten met medewerking van de eerste vrijwilligers, en dit werk ging in de zomer van 1997 verder. In 1998 en 1999 heeft het Baikal-Lena-natuurreservaat hulp nodig bij de ontwikkeling van het padenstelsel (ecologische paden), bouwen van hutten, markeren van grenzen, evenals bij telwerk en populatietellingen.

Soorten: Bruine beer (*Ursus arctos*), ree (*Capreolus capreolus*), edelhert (*Cervus elaphus*), Amerikaanse eland (*Alces alces*).

Hab.: Steppe, bergtaiga, taiga- en boreaal woud.

Loc.: Oost-Siberië, noordwest-oever van het Baikalmeer, omgeving van de bron van de Lena.

Reis: Naar Irkoetsk via Moskou, Chabarovsk, Novosibirsk of Niyagata (Japan). Het reservaat is moeilijk te bereiken, maar er wordt gezorgd voor vervoer vanaf Irkoetsk. Hierbij zijn bus en boot inbegrepen. Een deel van de route is te voet met rugzak.

Duur: Drie tot zes weken. Telwerk verloopt via een speciaal schema en speciale regelingen.

Per.: Juni-augustus paden herstellen, telwerk. Februari-maart beren en hoefdieren. April-september vogels.

Leeft.: Min. 18, max. 45-50.

Vereist: Voor het herstellen van paden zijn geen speciale vaardigheden vereist. Voor telwerk is kennis van de soorten en een speciale opleiding nodig.

Werk: Paden en hutten herstellen. Tellen van hoefdieren, roofdieren en vogels.

Taal: Engels; Russisch is wenselijk.

Accomm.: Tenten en hutten. De vrijwilligers moeten zelf een tent en slaapzak meenemen. Wees voorbereid op lage temperaturen.

Kosten: Vervoer naar Irkoetsk moet zelf worden geregeld. Drie weken in het reservaat kosten ƒ 950,-, inclusief vervoer van en naar het reservaat en maaltijden. Een visum kost ƒ 76,- per twee weken. Accommodatie in Irkoetsk (B&B) is *f* 38,- per nacht. Voor telwerk wordt de prijs individueel geregeld, maar de kosten zijn niet hoger dan *f* 57,- tot *f* 76,- per dag. Er wordt groepskorting gegeven.

L. term.: Dit is een seizoengebonden project, dat jaarlijks wordt ondernomen. De vrijwilligers mogen langer in het gebied verblijven om er te reizen en rond te kijken (er is veel te zien in dit gebied). Als je tijdens het project aankondigt langer te willen blijven, kunnen er regelingen voor onderdak worden getroffen.

Aanvr.: Er moet een aanmeldingsformulier worden ingevuld (bij voorkeur in het Russisch) en worden gestuurd naar Baikalo-Lenskiy c/o Baikal Center. Dat kan per e-mail of fax. Na bevestiging van deelname volgt een officiële uitnodiging, die nodig is om een visum te krijgen. Aanmeldingsformulieren kunnen op ieder moment worden aangevraagd.

Opm.: Neem voor verdere informatie en inlichtingen over andere mogelijkheden voor vrijwilligers contact op met het Baikal-centrum voor ecologische en burgerinitiatieven via e-mail: irkutsk@glas.apc.org

Een groep bestaat uit vijf tot twaalf personen. De vrijwilligers moeten warme kleren, buitenkleding, rubberlaarzen, persoonlijke medicijnen, insectenwerende middelen en zonnebrandolie meenemen. Wees voorbereid op lage temperaturen. Er zijn teken in het gebied. Een goede conditie is onontbeerlijk. Neem contact op met Viktor Popov of Olga Moiseeva van het Baikal-centrum.

WALVISSEN EN DOLFIJNEN-PROJECT, LA GOMERA, SPANJE

Dolphin Project Arion
Weichselstr. 20
10247 Berlin, Duitsland
Tel.: 0049 (30) 2928033 – fax: 0049 (30) 2948931
E-mail: delpharion@aol.com

Beschr.:	Observatie van walvisachtigen. Wetenschappelijk onderzoek aan boord van een klein observatieschip. Documentatie van het gedrag van walvisachtigen en interactie tussen schip en walvissen.
Soorten:	Dolfijnen, walvissen, schildpadden, haaien en andere zeedieren.
Hab.:	Kustwateren en open zee in het tropische deel van de Atlantische Oceaan.
Loc.:	Ten zuidwesten van La Gomera (Canarische Eilanden, Spanje).
Reis:	Vliegen naar Tenerife, vervolgens de boot naar La Gomera.
Duur:	Twee weken tot een maand.
Per.:	Het hele jaar.
Leeft.:	Min. 18, geen max.
Vereist:	Er zijn geen bijzondere vaardigheden vereist. De voorkeur gaat uit naar biologiestudenten. Ervaring met onderzoek aan gedrag van zeedieren wordt gewaardeerd.
Werk:	De vrijwilligers nemen deel aan de observatietochten, verzamelen gegevens en voeren deze in een database in. Hulp is nodig bij de dagelijkse werkzaamheden.
Taal:	Engels of Duits.
Kosten:	Nader te bepalen.
L. term.:	Informeer bij de organisatie voor details.
Accomm.:	Nog te bepalen.
Vert.:	Neem rechtstreeks contact op met de organisatie.
Aanvr.:	Neem contact op met Fabian Ritter op het hiervoor vermelde adres.

WALVISSEN-PROJECT IN CANADA

Coastal Ecosystems Research Foundation
1843 W 12th Ave, Vancouver, BC V6J 2E7 Canada
Tel.: 001 (604) 736 5188
Fax: +1 (604) 732 0476
E-mail: info@cerf.bc.ca
URL: http://www.cerf.bc.ca

Beschr.: De Coastal Ecosystem Research Foundation leidt onderzoek vanuit kuststations en een 40' zeilboot aan de verspreiding, aantallen, verplaatsingen en habitat van een groep grijze walvissen die daar 's zomers verblijft. Tot de projecten behoren tellingen, bepaling van het verspreidingsgebied, onderzoek van gebruik van microhabitat, bepaling van de stofwisselingssnelheid, sociaal gedrag op de fourageerplaatsen en toxicologie van de prooi van de walvissen. Tot de projecten voor 1998 behoren een onderzoek naar het effect van predatie door grijze walvissen op de populatiedynamica van hun prooi en onderzoek naar de geluiden die de grijze walvissen op hun fourageerplaatsen maken. Tot het onderzoek aan andere soorten behoren populatiegrootte, verspreiding en sociale patronen van bultruggen, witgestreepte dolfijnen en orka's. Er komt ook een onderzoek aan het fourageergedrag van bultruggen en de biodiversiteit van kelpweiden in het sublitoraal.

Soorten: Zeezoogdieren: grijze walvis (*Eschrichtius robustus*), orka's (*Orcinus orca*), bultrug (*Megaptera novaeangliae*), witgestreepte dolfijn (*Lagenorhynchus obliquidens*).

Hab.: Kusten van het gematigde regenwoud.

Loc.: Centrale kust van British Columbia, Canada (kust van het vasteland, tussen Port Hardy en Bella Bella.)

Reis: Port Hardy kan over de weg of door de lucht worden bereikt en de deelnemers gaan de ene keer per boot naar de onderzoeksplaats en de andere keer per vliegboot.

Duur: Een week (zondag-zaterdag, zaterdag-vrijdag).

Per.: Juni-september.

Leeft.: Min. 15, geen max.

Vereist: Er zijn geen bijzondere vaardigheden vereist. De vrijwilligers moeten medewerkzaam zijn en in staat zijn in het regenwoud te kamperen (bijvoorbeeld slapen in puptentjes en door de modder lopen). Ervaring met boten of fotograferen is een voordeel, maar niet verplicht.

Vrijwilligerswerk & natuurbehoud

Werk:	De vrijwilligers worden voor de duur van hun verblijf in het onderzoeksteam opgenomen en doen mee aan het hele onderzoek, wat het omgaan met boten (met zeil of motor, er wordt lesgegeven), foto-identificatie (foto's van de dieren nemen en de afzonderlijke exemplaren identificatie aan hun kleurpatroon, gegevens verzamelen) en studie van gedrag, verspreiding, gebruik van microhabitat en verplaatsing met zich meebrengt. Iedere ochtend wordt er een kort praatje gehouden over de onderzoeksmethoden en 's avonds wordt door lezingen de achtergrond van het werk geschetst.
Taal:	Engels, Frans, of Duits. Op sommige tochten Spaans.
Accomm.:	Puptentjes, neem een slaapzak en matje mee.
Kosten:	Volwassenen f 1680,-, studenten f 1530,- verstrekt. De deelnemers moeten hun eigen vervoer naar Port Hardy regelen. De organisatie kan nadere afspraken maken op het moment van boeking.
L. term.:	Voor langetermijnwerk kan toestemming worden verkregen, wat meestal afhangt van ruimte en geld.
Vert.:	Neem rechtstreeks contact op met het Central Coast Cetacean project.
Aanvr.:	Een waarborgsom van f 300,- is verplicht, het volledige bedrag moet 60 dagen voor de tocht betaald zijn.
Opm.:	De maximale groepsgrootte is vier tot vijf.

WARANA'S IN COSTA RICA

Regional Wildlife Management Program
Universidad Nacional
Apdo. 1350-3000 Heredia, Costa Rica
Tel.: 00506 237-7039 of 277-3600 – fax: 00506 237-7036
E-mail: clee@una.ac.cr of prmvs@una.ac.cr

Beschr.: Dit project loopt al zestien jaar. Er wordt onderzoek gedaan aan de populatie warana's op het strand van Nancite, aan de noordwestelijke Pacifische kust van Costa Rica. Nancite is een van de weinige 'arribada-stranden', waar tienduizenden schildpadden gedurende een tot zeven dagen het land op komen om eieren te leggen. Voor het project worden de aantallen nestelende schildpadden, de predatiegraad van nesten en jongen en het broedsucces geschat en worden beheerplannen voor deze unieke populatie opgesteld. In tegenstelling tot andere arribada-stranden is Nancite goed beschermd tegen stropers, dankzij zijn onbereikbaarheid en doordat het een deel is van een nationaal park. De gegevens die de afgelopen jaren zijn verzameld, laten zien dat de populatie van Nancite sterk achteruit gaat. Het project heeft ook tot doel om betrokkenheid bij het milieu te verbeteren en manieren te vinden om de negatieve effecten van de mens op de zeeschildpadden te verminderen.

Soorten: Warana (*Lepidochelys olivacea*).

Hab.: Tropische kusten, droog tropisch woud.

Loc.: Noordwest-kust van Costa Rica, in het nationaal park Santa Rosa, provincie Guanacaste.

Reis: Vanaf het internationale vliegveld van San José is het 4 uur 30 min. met de bus naar het nationaal park Santa Rosa, vervolgens een voettocht van 15 km over ruw terrein naar het biologische station van Nancite.

Duur: Min. vier maanden, zes tot twaalf maanden heeft de voorkeur.

Per.: Het gehele jaar.

Leeft.: Min. 21, geen max.

Vereist: Kandidaatsexamen biologie, milieukunde of een verwant gebied. De vrijwilligers moeten veldgericht zijn, hun zaken voor elkaar hebben en zelfstandig zijn, in goede gezondheid verkeren en bereid zijn om in een afgelegen, ongerept gebied te leven. Kennis van windowsprogramma's (tekstverwerker, spreadsheet) is gewenst. De conditie van de vrijwilligers moet goed ge-

Vrijwilligerswerk & natuurbehoud

noeg zijn om lange voettochten in een heet, vochtig klimaat door ruw terrein te maken.

Werk: Schildpadden tellen met twee methoden (kwadranten en transecten) tijdens de arriba's, nesten markeren, predatie en broedresultaat vastleggen, volwassen schildpadden meten en labelen, nesten verplaatsen, milieuparameters meten, wrakstukken van het strand verwijderen en schildpadden redden die in de vegetatie of wrakstukken verstrikt zijn geraakt. Het hele jaar is er een team van twee vrijwilligers op Nancite aanwezig. De vrijwilligers brengen 23 dagen per maand op Nancite door en hebben daarna zeven dagen vrij.

Taal: Engels, Spaans of Portugees (Spaans is zeer wenselijk).

Accomm.: Het biologisch station van Nancite kan tot 25 personen huisvesten. Het heeft stapelbedden en een paar individuele kamers, badkamers met stromend water en een keuken. Er is geen elektriciteit, maar er zijn een zonnepaneel en een gasgenerator om accu's op te laden. Lakens, kussenslopen en een klamboe moeten worden meegebracht. De vrijwilligers moeten zelf hun eten klaarmaken en helpen met het schoonhouden van het station.

Kosten: ƒ 285,- per maand voor eten en busvervoer. Onderdak wordt door het project verzorgd. Persoonlijke uitgaven in de stad zijn voor eigen rekening. Pension in de stad kost ƒ 29,- tot ƒ 67,- per dag.

L. term.: De voorkeur gaat uit naar langetermijnvrijwilligers. De vaste medewerkers zijn nooit lang op het station, maar de vrijwilligers krijgen les om alle taken zelfstandig te kunnen uitvoeren.

Vert.: Vrijwilligers moeten contact opnemen met prof. Claudette Mo (hoofdonderzoeker) of Susana Cruzela op het hiervoor vermelde adres.

Aanvr.: Stuur een curriculum vitae en twee aanbevelingsbrieven van vroegere begeleiders of hoogleraren die borg staan voor de persoonlijke kwaliteiten, met name wat betreft bereidheid onder zware omstandigheden te werken, zelfstandigheid, motivatie, sociale vaardigheden en intellectuele vermogens. Geen deadline.

Opm.: In de afgelopen acht jaar zijn er meer dan zeventien vrijwilligers geweest, uit Costa Rica, Panama, VS, Spanje, Zwitserland en Duitsland.

WETLANDS VAN BELIZE

University Research Expeditions Program (UREP)
University of California
Berkeley, CA 94720-7050 VS
Tel.: 001 (510) 642-6586 – fax: 001 (510) 642-6791
E-mail: urep@uclink.berkeley.edu
URL: http://www.mip.berkeley.edu/urep

Beschr.: De wetlands van Noord-Belize herbergen een rijke fauna en zijn een gevoelige indicator voor veranderingen van het milieu. Deze gebieden worden nu bedreigd doordat steeds meer land wordt ontgonnen voor agrarisch gebruik en huizenbouw. Tot de doelen van het project behoren onderzoek ten behoeve van natuurbehoud en onderzoek aan de wisselwerking tussen mens en milieu, teneinde plannen op te stellen voor een duurzame ontwikkeling in de toekomst.

Hab.: Tropische wetlands (lagunen, moerassen).

Loc.: Orange Walk, Noord-Belize.

Reis: Vliegen naar Belize (stad).

Duur: Twee weken.

Per.: Juli-augustus.

Leeft.: Informeer bij de organisatie.

Vereist: Kennis van het Spaans en interesse in ecologie en natuurbehoud worden gewaardeerd, maar zijn niet vereist. De vrijwilligers moeten erop voorbereid zijn om nat en modderig te worden in een heet, vochtig en regenachtig tropisch klimaat.

Werk: De deelnemers verzamelen planten en bodem-, water- en luchtmonsters in de moerassen. Tot het project behoren ook een workshop ecologie, bijeenkomsten met lokale leraren en leden van de milieuorganisaties van Belize. De vrije tijd kan worden doorgebracht met zwemmen in een meer, bezoek aan het koraalrifreservaat, dierenreservaten en Maya-ruïnes.

Taal: Engels, Spaans.

Kosten: f 2461,-.

L. term.: Informeer bij de organisatie.

Accomm.: Huis in de stad of in Orange Walk.

Aanvr.: Vraag een aanmeldingsformulier aan, dat moet worden geretourneerd met een eerste bijdrage van f 380,-.

WOLVEN & HERDERSHONDEN PROJECT, BULGARIJE

EcoVolunteer Program/Green Balkans
http://www.ecovolunteer.org

Nederland	België
Wolftrail	¡Tierra!
Postbus 144	Heidebergstraat 223
1430 AC Aalsmeer	B-3010 Leuven
Tel. 0297-368504	Tel. 016-255616
Fax 0297-367686	Fax 016-255616
Email: wolftrail@image-travel.nl	

Beschr.: De herintroductie van traditionele Karakatchan herdershonden ziet men als een goed middel ter bescherming van vee tegen wolven. De fok en het beschikbaar maken van dit bijna uitgestorven fraaie hondenras vermindert daarmee het conflict tussen mens en wolf in de Bulgaarse bergen en is daarmee een sleutelfactor in de bescherming van wolven in Bulgarije.

Soorten: Wolf (*Canis lupus*) en Karakatchan herdershonden.

Hab.: Platteland en bos in het gebergte.

Loc.: Het Rila gebergte en het Rhodopes gebergte.

Reis: Deelnemers reizen op eigen gelegenheid en eigen kosten naar Sofia, de hoofdstad van Bulgarije. Vandaar worden deelnemers opgehaald.

Duur: Min. twee weken, max. vier weken deelname.

Per.: Hele jaar door mogelijk.

Leeft.: Min. 18 jaar.

Vereist: Goede gezondheid en conditie, Engels kunnen spreken.

Werk: Deelnemers helpen zowel bij veldonderzoek naar wolven als bij de verzorging van de gefokte herdershonden. Het veldwerk is vooral 's winters heel intensief en er worden dan lange wandelingen gemaakt. De hulp bij de verzorging van de honden is een belangrijke hulp voor de staf. Ook worden herders geïnterviewd over hun levenswijze en hun ervaringen met de doelmatigheid van het gebruik van de honden.

Taal: Engels.

Accomm.: Verblijf in eenvoudige huizen, soms bij lokale bevolking.

Kosten: Twee weken ƒ 1450,-, iedere week extra ƒ 725,-. Prijzen inclusief onderdak en maaltijden.

L.term.: Lange termijn deelname wordt niet aangeboden.

Vert.: Het Ecovolunteer Program.

Aanvr.: Bij Ecovolunteer kantoren in Nederland (Wolftrail; zie boven) en België (Tierra; zie boven), of via de website http://www.ecovolunteer.org/

WOLVEN IN MIDDEN-ITALIË

CTS – Centro Turistico Studentesco e Giovanile
Via A. Vesalio 6
00161 Rome, Italië
Tel.: 0039 (6) 44111471/2/3/4/5 – 4679228
Fax: 0039 (6) 44111401
E-mail: ambiente@cts.it – URL: http://www.cts.it

Beschr.: In 1996 begon het regionaal park Sirente Velino in samenwerking met het CTS en andere milieuorganisaties een voorlopig onderzoek om gegevens te verzamelen over de roofdieren in het park. Het onderzoek is van cruciaal belang omdat het Sirente Velino de natuurlijke verbinding tussen de nationale parken Abruzzo en Gran Sasso vormt. Waarnemingen van beren, wolven en wilde katten worden steeds talrijker en marters, dassen, eekhoorns en wilde zwijnen zijn algemeen. De populaties hoefdieren zijn echter achteruitgegaan door activiteiten van de mens. Men heeft een plan ontwikkeld om herten, reeën en gemzen te herintroduceren, terwijl dit project op de wolf is gericht.

Soorten: Wolf (*Canis lupus*).
Hab.: Bergwoud.
Loc.: Abruzzo, Midden-Italië, regionaal park Sirente Velino.
Reis: Vliegen naar Rome, vervolgens de bus naar L'Aquila en Molina Aterno.
Duur: Een week.
Per.: Juli-september.
Leeft.: Min. 16.
Vereist: Er zijn geen bijzondere vaardigheden vereist.
Werk: De vrijwilligers nemen deel aan het verzamelen van gegevens over de aanwezigheid en aantallen van wolven, hun prooi en andere soorten.
Taal: Italiaans en Engels.
Kosten: Ongeveer ƒ 608,-.
L. term.: Niet mogelijk.
Accomm.: Kamers in de plaatselijke jeugdherberg of in pensions.
Vert.: Regionale kantoren van het CTS in Italië (zie Lijst van organisaties).
Aanvr.: Vraag een aanmeldingformulier aan op het adres hiervoor.

Vrijwilligerswerk & natuurbehoud

WOLVEN OBSERVEREN IN POLEN

BTCV – British Trust for Conservation Volunteers
36 St. Mary's Street Wallingford
Oxfordshire OX10 0EU Engeland
Tel.: 0044 (1491) 839766 of (1491) 824602 (Brochure hotline)
Fax: 0044 (1491) 839646
E-mail: information@btcv.org.uk – URL: http://www.btcv.org.uk

Beschr.:	Bialowieza is het laatste laag gelegen oerbos van Europa. Er komen 225 soorten vogels en 65 soorten zoogdieren voor, een ongelooflijke reeks planten en een troep wolven. Het werk maakt deel uit van een doorlopend natuurbehoudproject, waarbij gegevens over wolven worden verzameld. Hieruit zijn de juiste cijfers over de omvang van de populatie naar voren gekomen en is gebleken dat het niet nodig is de wolven te bejagen.
Soorten:	Vogels, zoogdieren (wisent en andere soorten).
Hab.:	Laaglandbossen.
Loc.:	Bialowieza, Noordoost-Polen.
Reis:	Vliegen naar Warschau (verzamelen op het vliegveld).
Duur:	Twee weken.
Per.:	Het gehele jaar.
Leeft.:	Min. 18.
Werk:	Tot de activiteiten behoren radiolokalisatie, uitwerpselen verzamelen en sporen volgen in de sneeuw.
Vereist:	Er zijn geen bijzondere vaardigheden vereist.
Taal:	Engels.
Accomm.:	Neem voor details contact op met de BTCV.
Kosten:	ƒ 1705,-, exclusief vliegreis.
L. term.:	Neem voor details contact op met de organisatie.
Vert.:	Zie BTCV op de Lijst van organisaties.
Aanvr.:	Zie BTCV op de Lijst van organisaties.

Lijst van projecten

WOLVENONDERZOEK IN HET ZAPOVEDNIK-RESERVAAT, RUSLAND

EcoVolunteer Program (http://www.ecovolunteer.org)

Nederland	België
Wolftrail	¡Tierra!
Postbus 144	Heidebergstraat 223
1430 AC Aalsmeer	B-3010 Leuven
Tel. 0297-368504	Tel. 016-255616
Fax 0297-367686	Fax 016-255616
Email: wolftrail@image-travel.nl	

Beschr.: Bioloog Victor Bologov begon in 1971 met zijn onder-zoek aan wolven. Na zijn pensioen in 1991 nam zijn zoon Vladimir het werk over. Vladimir is wetenschap-per van het Central Forest Nature Reserve (CFNR) en werkt samen met wetenschappers van de universiteit van Moskou. Het hoofddoel van dit onderzoek is het verzamelen van gegevens over de activiteiten, aantal-len en trekroutes van de wolven.

Soorten: Wolf (*Canis lupus*). Tot de overige dieren van het reser-vaat behoren bruine beer, nerts, Amerikaanse eland en veel vogels, zoals kraanvogel, korhoen en zwarte ooie-vaar.

Hab.: Zuidelijke taiga.

Loc.: Het Central Forest Nature Reserve (CFNR) is gelegen in de zuidelijke taiga van centraal Europees Rusland. Het reservaat, ongeveer 600 km² groot, ligt ongeveer 350 km ten noordwesten van Moskou.

Reis: Vliegen naar Moskou. De vrijwilligers kunnen hun reis boeken en coördineren via het Ecovolunteer Network. De reis van Moskou naar de plek van het onderzoek is bij het project inbegrepen.

Duur: Perioden van twee weken. Extra weken zijn mogelijk voor een lagere prijs.

Per.: Het hele jaar.

Leeft.: Min. 18, max. 50.

Vereist: De vrijwilligers moeten in goede conditie zijn en lange afstanden kunnen lopen of skiën ('s winters). De vrijwilligers moeten zich betrokken voelen bij natuurbehoud en dierenbescherming.

Werk: De vrijwilligers nemen deel aan het onderzoek aan de verspreiding en het predatiegedrag van wolven. De activiteiten bestaan voornamelijk uit het maken van lange tochten door het bos op zoek naar sporen die aanwijzingen geven voor de rust- en ontmoetingsplaatsen van de wolven. De vrijwilligers zoeken sporen of uitwerpselen van wolven en andere grote zoogdieren of restanten van hun prooi. 's Winters kan het zoeken naar sporen van wolven per skimotor of skiënd worden gedaan. Overnachtingen in houten boswachtershuisjes in het bos (zonder faciliteiten) zijn mogelijk.

Taal: Engels of Russisch.

Accomm.: Eenvoudige een- en tweepersoonskamers in het onderzoeksstation. Tijdens het veldwerk 's zomers in tenten en 's winters in houten hutjes (neem een slaapzak mee). Soms verblijven de vrijwilligers bij Russische gezinnen (personeel van het reservaat), een unieke gelegenheid om meer over de Russische manier van leven te leren. De omstandigheden zijn nogal primitief en staan weinig privacy toe.

Kosten: f 1900,- voor twee weken, f 3135,- voor vier weken. Bij deelname voor zes weken is de dagprijs f 38,- (alleen voor biologiestudenten). Niet inbegrepen zijn de reis van en naar Moskou, visum, annuleringsverzekering (verplicht) en persoonlijke uitgaven.

L. term.: Er zijn mogelijkheden voor onderzoek voor studenten die geïnteresseerd zijn in een onafhankelijk onderzoeksproject: minimum verblijf een maand, dat na goedkeuring kan worden verlengd.

Vert.: Bureaus van het Ecovolunteer Network.

Aanvr.: Via de bureaus van het Ecovolunteer Network of via www.ecovolunteer.org

Opm.: Aangezien de Russen in het reservaat weinig Engels kennen, moeten de vrijwilligers zelf veel initiatief tonen.

WOLVEN-PROJECT BIESZCZADY, POLEN

EcoVolunteer Program (http://www.ecovolunteer.org)

Nederland
Wolftrail
Postbus 144
1430 AC Aalsmeer
Tel. 0297-368504
Fax 0297-367686
Email: wolftrail@image-travel.nl

België
¡Tierra!
Heidebergstraat 223
B-3010 Leuven
Tel. 016-255616
Fax 016-255616

Beschr.: Dit wolven-project werd in 1988 begonnen door W. Smietana, bioloog en lid van de Poolse academie voor wetenschappen. De onderzoekers verzamelen feces en restanten van prooidieren, observeren prooidieren, brengen zenders op wolven en edelherten aan en sporen ze op met een ontvanger, verzamelen gegevens over de territoria van de wolven en proberen de rust- en ontmoetingsplaatsen van de dieren te bepalen. Deze informatie wordt gebruikt om de bescherming van wolven in Polen te verbeteren en het publiek te bewegen op te houden met jagen.

Soorten: Wolf (*Canis lupus*). Tot de andere dieren in het gebied behoren bruine beer, lynx, edelhert en Amerikaanse eland.

Hab.: Boreaal woud.

Loc.: Nationaal park Bieszczady, 300 km ten zuiden van Krakau.

Reis: Vliegtuig of trein naar Krakau.

Duur: Twee weken.

Vrijwilligerswerk & natuurbehoud

Per.:   Januari-november.

Leeft.:   Min. 18, geen max.

Vereist: Dit project is geschikt voor iedereen met een goede gezondheid die 15 km per dag kan lopen, ook in de sneeuw. De deelnemers moeten zich betrokken voelen bij natuurbehoud en dierenbescherming en een positieve houding hebben ten opzichte van het samenwerken met mensen uit verschillende Europese landen. Voor degenen met gehoorproblemen of problemen met hun gewicht is dit programma extra zwaar.

Werk: De vrijwilligers nemen deel aan de bovengenoemde ac-

243

tiviteiten onder toezicht van de projectmanager. Training voor de onderzoeksmethoden, diavoorstellingen en lezingen zijn in het programma opgenomen.

Taal: Engels.

Accomm.: Kamers voor twee, drie of vier personen in een eenvoudig hotel. Gemeenschappelijke keuken, douche en toilet zijn beschikbaar.

Kosten: Ongeveer *f* 1387,- voor twee weken, inclusief accommodatie en maaltijden, vergunning in het park te werken, supervisie, vervoer tussen Krakau en het park. De vrijwilligers moeten zelf hun vervoer van en naar Krakau, bagagetoeslag, reis- en annuleringsverzekering en persoonlijke uitgaven bekostigen.

L. term.: Vraag informatie aan bij het Ecovolunteer Network.

Vert.: Nationale afdelingen van het Ecovolunteer Network.

Aanvr.: Via de kantoren van het Ecovolunteer Network of www.ecovolunteer.org

Opm.: De vrijwilligers brengen veel tijd door in bosachtig en moerassig terrein. Goede wandelschoenen en water- en winddichte kleding zijn noodzakelijk. De ochtendtemperaturen variëren van -5 °C tot +5 °C, terwijl in de winter de temperatuur tot -30 °C kan dalen.

ZEEBEREN IN NIEUW-ZEELAND

University of Otago, Department of Zoology
P.O. Box 56 Dunedin
Nieuw-Zeeland
Tel.: 0064 (3) 479 7665 – fax: 0064 (3) 479 7584
E-mail: corey.bradshaw@stonebow.otago.ac.nz

Beschr.: De zoöloog Corey Brad probeert te bepalen welke elementen van de habitat belangrijk zijn voor Australische zeeberen door een schatting te maken van de aantallen jongen en hun toestand bij een aantal kolonies bij Nieuw-Zeeland. Door te bepalen welke mariene en terrestrische elementen van de habitat belangrijk zijn of de voorkeur hebben, is het mogelijk een ruimtelijk model op te stellen van de verspreiding van zeehonden langs de kustlijn. Hiervoor worden zoveel mogelijk jonge zeehonden van de twintig kolonies gevangen. Deze worden gelabeld (met een label in het bindweefsel van beide voorvinnen), gewogen, gemeten en geseskst. Ook worden er transecten langs het strand uitgezet om de vorm van de rotsblokken, de helling van het strand enzovoort te bepalen.

Soorten: Australische zeebeer (*Arctocephalus forsteri*).

Hab.: Gematigde kusten.

Loc.: Zuidereiland, Nieuw-Zeeland.

Reis: Vliegen naar Dunedin of Christchurch.

Duur: Min. twee weken, max. acht weken.

Per.: Januari tot half maart, half mei tot half juli.

Leeft.: Min. 20, max. 50.

Vereist: Bekendheid met territoriumvormende vinpotigen en ervaring met natuurwetenschappen wordt gewaardeerd, maar is niet verplicht. Kennis van fotografie is welkom, maar mag niet ten koste gaan van het veldwerk. De vrijwilligers moeten gezond en sterk zijn en bereid zijn lange dagen te maken en in eenvoudige onderkomens te verblijven (zoals tenten).

Werk: Vangen, wegen, labelen en meten van zeebeerjongen.

Taal: Engels, Frans of Spaans.

Accomm.: Variabel: tweepersoonstenten, kleinere tentjes, hutten en veldstations.

Kosten: ƒ 67,- per week voor eten, ƒ 133,- per week voor accommodatie, ƒ 665,- voor bijdrage aan het onderzoek. De vrijwilligers moeten zelf hun reis naar en van Nieuw-Zeeland betalen.

L. term.: De vrijwilligers kunnen een seizoen blijven (zomer of

winter), maar kunnen terugkomen voor meer seizoe-
nen.

Vert.: Neem rechtstreeks contact op met Corey Bradshaw.

Aanvr.: Er is geen speciale aanmeldingsprocedure.

Opm.: De vrijwilligers moeten het volgende meenemen: een
paar rubberen rijglaarzen, een paar wandelschoenen,
twee stevige overalls, tent, goede slaapzak, zaklan-
taarn, warme kleren (muts, handschoenen, trui enzovoort), sterke regenkleding (broek en jas), zuidwester,
twee paar leren handschoenen.

ZEESCHILDPADDEN IN COSTA RICA

Earthwatch Institute (Europa) of Earthwatch Institute (VS)
57 Woodstock Road, Oxford, OX2 6HJ
Engeland
Tel.: 0044 (1865) 311600 – fax: 0044 (1865) 311383
E-mail: info@uk.earthwatch.org
URL: http://www.earthwatch.org

Beschr.:	Lederschildpadden zijn de grootste en oudste levende reptielen. Meer dan 20 miljoen jaar geleden bewoonden deze soms 1000 kg zware oerdieren de wateren van Nieuw-Zeeland tot het arctisch gebied. Er zijn vrijwilligers nodig voor het onderzoek aan de lederschildpadden, die de gelegenheid krijgen de dieren tijdens de maanverlichte nestelperiode te observeren.
Soorten:	Lederschildpad (*Dermochelys coriacea*).
Hab.:	Tropische stranden en ondiepe zeeën.
Loc.:	Nationaal park La Gaulas Guanacaste, Noordwest-Costa Rica.
Reis:	Vliegen naar San José, vervolgens naar Tamarindo.
Duur:	Ongeveer tien dagen.
Per.:	Januari-februari.
Leeft.:	Min. 16, geen max.
Vereist:	Er zijn geen bijzondere vaardigheden vereist.
Werk:	De vrijwilligers tellen en labelen nestelende schildpadden, leggen maten, plaats van het nest, aantal eieren en nesttemperatuur vast en helpen satellietzendertjes aan de schildpadden te bevestigen, waarmee de migratie over lange afstanden wordt gevolgd.
Taal:	Engels.
Accomm.:	Boerenhutten bij het strand met moderne faciliteiten.
Kosten:	ƒ 3348,-.
L. term.:	Er zijn geen mogelijkheden voor langetermijnwerk.
Vert.:	Neem rechtstreeks contact op met het Earthwatch Institute. Zie Lijst van organisaties.
Aanvr.:	Neem contact op met het kantoor van het Earthwatch Institute. Er is een waarborgsom van ƒ 620,- vereist.
Opm.:	Het werk wordt 's nachts uitgevoerd en eindigt vroeg in de ochtend. Overdag wordt geslapen en zijn de vrijwilligers vrij om op het strand te relaxen of paard te rijden.

ZEESCHILDPADDEN VAN KEFALONIA, GRIEKENLAND

Heronfield Main Road Near Shorwell
Isle of Wight PO30
Engeland
Tel/fax: 0044 (1983) 740321
URL: http://www.ex.ac.uk/MEDASSET/kmtp/homepage.htm

Beschr.: Het project ter behoud van de onechte karetschildpad draait iedere zomer sinds 1983 op de zuidpunt van het Griekse eiland Kefalonia. Er worden gegevens over deze bedreigde schildpaddensoort verzameld en er worden voordrachten en diavoorstellingen gehouden voor plaatselijke scholen en toeristen. Zie de website voor meer informatie.

Soorten: Onechte karetschildpad (*Caretta caretta*).

Hab.: Mediterrane stranden.

Loc.: Kefalonia, Griekenland.

Reis: Vliegen naar Athene, vervolgens bus en boot naar de haven Sami op Kefalonia, daarna vervoer naar het kamp. Er gaan ook directe vluchten naar Kefalonia.

Duur: Mei-oktober. Men heeft het liefst dat de vrijwilligers er ongeveer zes weken werken.

Leeft.: Geen maximum leeftijd; de meeste vrijwilligers zijn pas afgestudeerd.

Vereist: Eerder werk met schildpadden is een voordeel, maar niet verplicht.
Kennis van Grieks of Italiaans is wenselijk. Goede gezondheid en conditie. Aantoonbare interesse in natuurbehoud. De voorkeur gaat uit naar afgestudeerden, liefst biologie of mariene biologie. De vrijwilligers moeten in teamverband kunnen werken.

Werk: Nachtelijke strandverkenningen, gegevens verzamelen en analyseren, het contact met de plaatselijke bevolking onderhouden, voordrachten houden voor Britse vakantiegangers, zorgen voor een soepel verloop van het kampleven. Kennis van voertuigonderhoud, koken enzovoort wordt zeer op prijs gesteld.

Taal: Engels is vereist, Grieks strekt tot voordeel, Italiaans is nuttig.

Accomm.: In landhuizen ongeveer 2 km van het dorp en het schildpadstrand. Als er wordt gekampeerd, is dit alleen aan het begin of het eind van het seizoen. Er zijn drie landhuizen in gebruik, met een kantoor, drie douches, een conversatieruimte en een eetruimte buiten.

Kosten: Ongeveer ƒ 1240,- voor zes weken, inclusief verzeke-

	ring. De vrijwilligers moeten zelf hun vervoer bekostigen.
L. term.:	Er zijn enkele aanstellingen voor vier tot vijf maanden beschikbaar. Neem voor details contact op met de organisatie.
Vert.:	Zie de website. Het contactadres wordt hiervoor vermeld en de naam van de directeur is Jonathan Houghton.
Aanvr.:	Aanmelden kan via de website of door naar het hiervoor vermelde adres te schrijven.

Lijst van projecten

ZEESCHILDPADDEN VAN TORTUGUERO, COSTA RICA

Caribbean Conservation Corporation
4424 NW 13th Street, Suite A-1
Gainesville, Florida 32609, VS
Tel.: 001 (904) 3736441 – fax: 001 (904) 3752449
E-mail: resprog@cccturtle.org

Beschr.:	De Caribbean Conservation Corporation (CCC) is al 40 jaar bezig met het observeren en labelen van de soepschildpadden van Tortuguero. De CCC is nu voor het derde jaar eveneens bezig met onderzoek aan lederschildpadden, die in indrukwekkende aantallen op het strand van Tortuguero nestelen.
Soorten:	Soepschildpad, lederschildpad.
Hab.:	Tropische kust.
Loc.:	Tortuguero, Costa Rica.
Reis:	Reis vanaf Miami, Florida is inbegrepen.
Duur:	Een tot twee weken.
Per.:	Soepschildpadden juni-september, lederschildpadden maart-mei.
Leeft.:	Min. 18, geen max.
Vereist:	De vrijwilligers moeten in goede conditie zijn, in een plattelandsomgeving kunnen verblijven en tegen zware klimaatomstandigheden kunnen.
Werk:	De vrijwilligers assisteren de onderzoekers met het labelen van schildpadden, gegevens verzamelen over de afmetingen, aantallen labels, plaats van de nesten enzovoort.
Taal:	Engels; Spaans kan van pas komen.
Accomm.:	Voor het soepschildpad-project worden de vrijwilligers ondergebracht in hutten op Tortuguero. De deelnemers aan het lederschildpad-project verblijven in een hut van het station met een slaapzaal en gemeenschappelijke badkamer.
Kosten:	ƒ 3012,- voor een week, ƒ 3772,- voor twee weken. Bij de prijs inbegrepen zijn de reis vanuit Miami, twee overnachtingen in San José, vervoer naar Tortuguero, accommodatie, eten en training op Tortuguero. Er wordt een waarborgsom gevraagd.
L. term.:	Vrijwilligers kunnen met toestemming vooraf langer dan twee weken blijven.
Vert.:	Holbrook travel, tel. 1 (800) 451-7111.
Aanvr.:	Neem contact op met Daniel Evans van de CCC of met de vertegenwoordiger om de datums te verifiëren.

Vrijwilligerswerk & natuurbehoud

ZEESCHILDPADDEN-PROJECT IN AKYATAN, TURKIJE

CHELON, Marine Turtle Conservation and Research Program
Viale Val Padana, 134/B
00141 Rome
Italië
Tel./fax : 0039 (6) 8125301
E-mail: chelon@tin.it

Beschr.: Ieder jaar worden er op het strand van Akyatan, in Zuid-Turkije, ongeveer 500 nesten van zeeschildpadden gevonden. Dit is het belangrijkste nestelgebied van de soepschildpad in het Middellandse-Zeegebied. Dit onderzoek, dat is begonnen in 1994, is gericht op tellingen en bescherming van nesten, nestelgedrag en broedresultaat en het labelen van twee soorten.

Soorten: Onechte karetschildpad (*Caretta caretta*), soepschildpad (*Chelonia mydas*).

Hab.: Kust van de Middellandse Zee.

Loc.: Strand van Akyatan, centraal Cukurova-gebied, Zuid-Turkije.

Reis: Vliegen naar Adana of de veerboot naar Izmir (12 min.), vervolgens de bus naar Adana.

Duur.: Twee weken.

Per.: Mei-september.

Leeft.: Min. 18, geen max.

Vereist: Er zijn geen bijzondere vaardigheden vereist.

Werk: Overdag verzamelen de vrijwilligers gegevens over sporen en nesten. 's Nachts richt het werk zich op nestelende vrouwtjes. Op het programma staan lessen over het behoud van schildpadden en het doel en de methoden van het onderzoek.

Taal: Engels, Italiaans.

Accomm.: In tenten.

Kosten: In mei, juni en september f 760,- voor twee weken en f 342,- per extra week. In juli en augustus f 950,- voor twee weken en f 380,- per extra week. Inbegrepen zijn maaltijden, accommodatie, vervoer en bezoek aan Adana. Niet inbegrepen zijn de vlucht naar en van Adana, privé-uitgaven en verzekering.

L. term.: Informeer bij de organisatie.

Aanvr.: Neem contact op met Chelon voor informatie en een aanmeldingsformulier. Een werkvergunning moet vooraf worden geregeld; neem contact op met Chelon ASAP.

ZEESCHILDPADDEN-PROJECT IN BAJA CALIFORNIA, MEXICO

One World Workforce (OWW)
Rt 4 Box 963A
Flagstaff, Arizona 86001, VS
Tel. : 001 (520) 779-3639 – fax: 001 (520) 779-3639
E-mail: 1world@infomagic.com

Beschr.: Dit is een van de twee projecten ter bescherming van zeeschildpadden van de OWW. De vrijwilligers zijn nodig om de biologen te helpen bij hun onderzoek en ander werk.

Soorten: Zeeschildpadden: lederschildpad (*Dermochelys coriacea*), warana (*Lepidochelys olivacea*), *Chelonia agassizii*, onechte karetschildpad (*Caretta caretta*).

Hab.: Subtropische kusten.

Loc.: Zuidpunt van Baja California Sur (Cabo San Lucas), Mexico, oostkust van het schiereiland van Baja aan de Zee van Cortez (Baja California Norte, Mexico).

Reis: Baja California Norte: de bus van de organisatie vertrekt uit San Diego; Baja California Sur: vliegen naar Cabo San Lucas.

Duur: Een week tot twee maanden.

Per.: Baja California Norte: maart, april, eerste twee weken van mei, oktober; Baja California Sur: september.

Leeft.: Min. 18, max. 75. Met ouder min. 10.

Vereist: Er zijn geen bijzondere vaardigheden vereist. De vrijwilligers moeten in goede conditie zijn en gewend zijn aan primitieve omstandigheden. Respect voor andere culturen is een voorwaarde.

Werk: Nachtelijke verkenningen op het strand op zoek naar schildpadnesten, opgraven en vervoeren van nesten naar een beschermd gebied en ze daar weer ingraven, verzamelen, tellen en in zee uitzetten van jonge schildpadjes, meten en vanuit een boot vrijlaten van wilde schildpadden voor tellingen, zorgen voor zeeschildpadden in gevangenschap (waaronder schoonmaken van bassins en verzamelen van voedsel) en gegevens verzamelen over het gedane werk.

Taal: Spaans is nuttig, maar niet vereist.

Accomm.: Baja California Norte: eenvoudige optrekjes op het strand met een dak van palmbladeren en aan drie zijden stenen muren, en stretchers. Baja California Sur: overnachting in een hotel.

Kosten: De tochten kosten *f* 1045,- tot *f* 1520,- per week. Senioren, studenten en groepen (minimaal vier personen) kunnen korting krijgen. Inbegrepen zijn accommodatie en vervoer naar en van het vliegveld. Bij de tocht in Baja Norte zijn accommodatie, eten en vervoer van San Diego naar de plaats van het project inbegrepen. Bij alle tochten zijn excursies naar dorpjes in de omgeving, riviermondingen, regenwouden, boerderijen enzovoort inbegrepen.

L. term.: Er wordt korting gegeven voor langer verblijf van een maand of twee. De vrijwilligers kunnen toestemming krijgen om kosteloos langer te blijven en voor het project te werken als veldgids als ze genoeg tijd in het veld hebben doorgebracht.

Vert.: Neem rechtstreeks contact op met de OWW.

Aanvr.: Bel om een aanmeldingsformulier aan te vragen. Er is geen lidmaatschap vereist. De formulieren en verschuldigde bedragen moeten een maand voor de aanvang van het project binnen zijn.

ZEESCHILDPADDEN-PROJECT OP PHRA THONG, THAILAND

CHELON, Marine Turtle Conservation and Research Program
(Tethys Research Institute)
Viale Val Padana, 134/B – 00141 Rome, Italië
Tel./fax: 0039 (6) 8125301
E-mail: chelon@tin.it

Beschr.:	Dit project is in 1996 begonnen, in samenwerking met het marien-biologisch centrum in Phuket en is gericht op het observeren van nestelende zeeschildpadden en hun bescherming, het determineren van nestelende soorten en op het aanwakkeren van de belangstelling voor natuurbescherming onder toeristen en de plaatselijke bevolking (voornamelijk vissers).
Soorten:	Warana, (*Lepidochelys olivacea*), soepschildpad (*Chelonia mydas*), lederschildpad (*Dermochelys coriacea*) en echte karetschildpad (*Eretmochelys imbricata*).
Hab:	Tropische kusten.
Loc:	Eiland Phra Thong, provincie Phang-Nga, Zuid-Thailand.
Reis:	Vliegen naar Phuket of Ranong (via Bangkok), vervolgens de bus naar de pier van Kura Buri en de boot naar Phra Thong.
Duur:	Mln. een week.
Per.:	December-mei.
Leeft.:	Min.18, geen max.
Vereist:	Er zijn geen bijzondere vaardigheden vereist. De vrijwilligers moeten zijn voorbereid op lange voettochten op het strand.
Werk:	Dagelijkse verkenningen op het strand om het aantal schildpadnesten te schatten, de soorten te determineren en beschermingsmaatregelen te nemen. Bezoeken aan dorpen in de omgeving om de plaatselijke bevolking voor het project te interesseren en informatie over de plaatselijke handel in schildpadeieren in te winnen. 's Avonds worden voordrachten gehouden om het besef onder de toeristen wat betreft de biologie van zeeschildpadden en hun bescherming te verhogen.
Taal:	Engels, Italiaans.
Accomm.:	In hutten of eigen tent op het Golden Buddha Beach.
Kosten:	ƒ 1140,- voor twee weken in hutten en ƒ 475,- per extra week. In sommige perioden is op het Golden Buddha Beach goedkopere accommodatie met eigen tent te regelen. Bij de prijs inbegrepen zijn accommodatie en maaltijden. Reiskosten, extra persoonlijk uit-

Vrijwilligerswerk & natuurbehoud

gaven, een tocht naar naburige eilanden en verzekering zijn niet inbegrepen.

L. term.: Informeer bij de organisatie.

Aanvr.: Neem voor verdere informatie en een aanmeldingsformulier contact op met CHELON.

ZEESCHILDPADDEN-PROJECT PUNTA BANCO, COSTA RICA

Sea Turtle Restoration Project
Earth Island Institute
P.O. Box 400 – Forest Knolls, CA 94933 VS
Tel.: 001 (415) 488-0370 – fax: 001 (415) 488-0372
E-mail: seaturtles@igc.apc.org

Beschr.:	Ieder jaar nestelen er meer dan 350 warana's op het strand van Punta Banco in Costa Rica. Deze zeeschild-paddenbroedplaats en het onderzoeksproject zijn een samenwerkingsverband tussen het STRP en de Tiskita Foundation.
Soorten:	Warana (*Lepidochelys olivacea*).
Hab.:	Subtropische kusten, regenwoud.
Loc.:	Punta Banco, Pacifische kust van Costa Rica, bij de grens met Panama.
Reis:	Vliegen naar San José, Costa Rica. Per vliegtuig of truck naar Tiskita Jungle Lodge.
Duur:	Min. twee weken.
Per.:	Augustus-januari.
Leeft.:	Min. 18.
Werk:	De vrijwilligers werken samen met een Costa Ricaanse bioloog en de plaatselijk bevolking. Tot de activiteiten behoren het 's nachts op het strand naar nestelende schildpadden zoeken, nesten naar de kwekerij ver-plaatsen en deelnemen aan de programma's voor mi-lieueducatie. Volwassen schildpadden worden gela-beld en gemeten en er worden gegevens over het broedresultaat vastgelegd.
Vereist:	Er worden geen bijzonder eisen gesteld. Ervaring in de biologie, het onderwijs of met fotografie is nuttig. De vrijwilligers moeten in redelijk goede gezondheid zijn.
Kosten:	ƒ 1900,- voor twee weken (vervoer niet inbegrepen).
L. term.:	Er zijn mogelijkheden voor de lange termijn.
Accomm.:	Eenvoudige hutten die worden beheerd door de Tiskita Jungle Lodge. In iedere hut kunnen tot zes personen worden ondergebracht. De maaltijden worden in de hoofdlodge genuttigd.
Taal:	Spaans komt zeer van pas, maar is niet verplicht.
Vert.:	Neem rechtstreeks contact op met het STRP. Er is ook een kantoor in Costa Rica: STRP, Apdo. 1203-1100, Tibas, San José, Costa Rica, tel. /fax: 00506 240 4242, e-mail: rarauz@cariari.ucr.ac.cr
Aanvr.:	Neem voor informatie contact op met het STRP, in de

Vrijwilligerswerk & natuurbehoud

VS met Todd Steiner en in Costa Rica met Randall Arauz.

Opm.: De Tiskita Jungle Lodge heeft een informele en gezellige sfeer. Voor vogels kijken is het een fantastische plek, want er komen meer dan 230 soorten voor. De Lodge heeft ook een experimentele fruitkwekerij met meer dan 100 soorten fruit. Tot de mogelijkheden in de vrije tijd behoren tochten door de jungle, zwemmen en zonnebaden.

ZEESCHILDPADDEN-PROJECT OP RHODOS, GRIEKENLAND

CHELON, Marine Turtle Conservation and Research Program
Viale Val Padana, 134/B
00141 Rome, Italië
Tel./fax : 0039 (6) 8125301
E-mail: chelon@mbox.vol.it

Beschr.:	Dit project, dat wordt uitgevoerd op het zuiden van Rhodos, richt zich op tellingen en bescherming van nesten, observeren van nestelgedrag, labelen van nestelende vrouwtjes van onechte karetschildpadden en beschrijving van de litorale vegetatie. Voorlichting over natuurbehoud onder toeristen en de plaatselijke bevolking is eveneens gepland.
Soorten:	Onechte karetschildpad (*Caretta caretta*).
Hab.:	Mediterrane kust.
Loc.:	Het Fourni-strand is een mooi, geïsoleerd strand op het zuidwesten van het Griekse eiland Rhodos.
Reis:	Vliegen naar Athene, vervolgens per vliegtuig of boot naar Rhodos.
Duur:	Twee weken.
Per.:	Juli-augustus.
Leeft.:	Min. 18, geen max.
Vereist:	Er zijn geen bijzondere vaardigheden vereist.
Werk:	De vrijwilligers assisteren de onderzoekers met het verzamelen van gegevens over de nesten, het observeren van nestelgedrag, labelen en inventarisatie van de vegetatie. Lessen over bescherming en biologie van zeeschildpadden staan ook op het programma.
Taal:	Engels, Italiaans. Griek komt van pas.
Accomm.:	In eigen tenten.
Kosten:	ƒ 950,- voor twee weken. Inbegrepen zijn maaltijden en kampeerplek. Vervoer, persoonlijke uitgaven en verzekering zijn niet inbegrepen.
L. term.:	Informeer bij de organisatie.
Aanvr.:	Neem voor verder informatie en een aanmeldingsformulier contact op met Chelon.
Opm.:	De maximale groepsgrootte is twaalf.

Vrijwilligerswerk & naturbehoud

ZUIDKAPERS IN BRAZILIË

International Wildlife Coalition – IWC/Brazilië
P.O. Box 5087 – 88040-970 Florianópolis, SC (S. Catarina) Brazilië
Tel.: 0055 (51) 9825157 – 9818477 of 0055 (48) 2340021
Fax: 0055 (48) 2341580
E-mail: mruschel@pro.via-rs.com.br of iwcbr@ax.apc.org
URL: http://www.via-rs.com.br/iwcbr

Beschr.: Dit project werd in 1981 gestart met als doel de bescherming van de overgebleven populatie zuidkapers bij de staat Santa Catarina in Zuid-Brazilië. Tot de activiteiten van het project behoren het verwerken van waarnemingen aan de walvissen, foto-identificatie van afzonderlijke dieren, bevorderen van beschermende wetgeving, publiekseducatie door lezingen en het verspreiden van drukwerk onder de bevolking van de kust en het voorlichten van geïnteresseerde toeristen. Er is onderzoek gepland naar het gedrag en het gebruik van de habitat door walvissen.

Soorten: Zuidkaper (*Eubalaena australis*), tuimelaar en Amazonedolfijn (*Sotalia fluviatilis*).

Hab.: Subtropische kusten.

Loc.: Het hoofdkantoor van het project is gevestigd in Florianópolis, hoofdstad van de staat Santa Catarina. Het veldstation staat bij Rosa Beach, in Imbituba, ongeveer 75 km ten zuiden van Florianópolis. De activiteiten vinden plaats in een gebied van ongeveer 150 km, afhankelijk van de verspreiding van de walvissen gedurende het seizoen.

Reis: Vliegen naar São Paulo (waar verschillende verbindingen beschikbaar zijn) of Rio de Janeiro, overstappen naar Florianópolis, de verzamelplaats. Het project zorgt voor vervoer vanaf Florianópolis.

Duur/Per.: Het veldwerkseizoen is van half juli tot begin november. Er zijn geen beperkingen aan de tijd die de vrijwilligers aan het project kunnen besteden, maar in april of mei is er een seizoensrooster beschikbaar voor accommodatie, aangezien er veel binnenlandse vrijwilligers zijn.

Leeft.: Min. 18, of 16 met toestemming van de ouders. Geen max. De taken worden verdeeld naar de mogelijkheden van de vrijwilligers. De leiding betreurt het dat er niet voor goede accommodatie en voor voorzieningen voor gehandicapten kan worden gezorgd.

Werk: De vrijwilligers bemannen het veldwerkstation, nemen deel aan foto-identificatiewerk met een opblaasboot,

	verspreiden educatief materiaal en koken, maken schoon en onderhouden de uitrusting. Er wordt een flexibele instelling gevraagd.
Taal:	Portugees en Spaans zijn de omgangstalen. Engels-sprekende vrijwilligers zijn echter welkom en de leiding helpt degenen die alleen Engels spreken bij het reizen.
Accomm.:	Het veldwerk wordt gedaan vanuit een houten hut met toilet en kookgelegenheid bij Rosa Beach. Er wordt voor eten gezorgd, maar de vrijwilligers hebben kook- en afwasbeurten.
Kosten:	f 1330,- per week per persoon, alles inbegrepen (behalve alcoholische dranken, die zijn toegestaan, maar worden niet verstrekt) vanaf Florianópolis. Vervoer naar en van Florianópolis is niet inbegrepen.
L. term.:	De vrijwilligers kunnen langer dan het veldwerkseizoen blijven om te helpen bij andere milieuprojecten, zoals dolfijnen observeren. Regelingen kunnen vooraf worden gemaakt of tijdens het verblijf hoewel de accommodatie per geval moet worden geregeld.
Aanvr.:	Vrijwilligers kunnen rechtstreeks schrijven naar José Truda Palazzo jr., project Coordinator. Bij de aanmelding moet een kort curriculum vitae worden gevoegd, evenals een korte toelichting met de motivatie om aan dit project deel te nemen.
Opm.:	Nadat ze zijn aangenomen, moeten de vrijwilligers een recent medisch rapport en een internationaal verzekeringsbewijs overleggen. De vrijwilligers moeten zelf voor hun visum zorgen.

ZWARTE (PUNTLIP)NEUSHOORN, ZIMBABWE

Earthwatch Institute (Europa) of Earthwatch Institute (VS)
57 Woodstock Road, Oxford, OX2 6HJ Engeland
Tel.: 0044 (1865) 311600 – fax: 0044 (1865) 311383
E-mail: info@uk.earthwatch.org
URL: http://www.earthwatch.org

Beschr.: Het aantal puntlipneushoorns is afgenomen van naar schatting 65.000 in 1970 tot ongeveer 2000 tegenwoordig. De voornaamste oorzaak van deze achteruitgang is de voortdurende stroperij. De neushoorn wordt gezocht vanwege het medicinale en decoratieve gebruik van zijn indrukwekkende hoorn. Bij dit project in het nationaal park Hwange worden neushoorns met een zendertje gevolgd om gegevens over gedrag en ecologie van de dieren te verzamelen en de patronen van hun activiteiten vast te leggen, zodat effectievere maatregelen tegen het stropen kunnen worden genomen.

Soorten: Puntlipneushoorn (*Diceros bicornis*), zebra, impala, koedoe, leeuw, luipaard, hyena, wilde hond, giraffe, gnoe en buffel.

Hab.: Bosland, vlakke rivierbeddingen, tafelbergen en heuvelruggen.

Loc.: Hwange National Park, Zimbabwe.

Reis: De ontmoetingsplaats is bij de Victoria Falls.

Duur: Ongeveer tien dagen.

Per.: Mei, juli, augustus, september.

Leeft.: Min. 16. Geen max.

Vereist: Er zijn geen bijzondere vaardigheden vereist. Kennis van fotografie is welkom.

Werk: De vrijwilligers sporen met het Global Positioning System de neushoorns met een zendertje op en observeren ze. De neushoornpaden worden eveneens opgespoord en gefotografeerd. De teams worden voortdurend door bewapende verkenners begeleid.

Taal: Engels.

Accomm.: Er wordt overnacht in tweepersoonstenten.

Kosten: *f* 4635,-.

L. term.: Er zijn geen mogelijkheden voor langetermijnwerk.

Vert.: Neem rechtstreeks contact op met het Earthwatch Institute.

Aanvr.: Neem contact op met het dichtstbijzijnde kantoor van het Earthwatch Institute. Er wordt een waarborgsom van *f* 620,- gevraagd.

OVERIGE PROJECTEN

In dit deel worden projecten of organisaties vermeld die niet bij een van de twee andere delen kunnen worden ondergebracht. Sommige van deze projecten of organisaties overwegen vrijwilligers in te schakelen en zijn bereid gegadigden van de mogelijkheden op de hoogte te houden.

AFRICARE

440 R Street, NW
Washington, D.C. 20001
VS
Tel.: 001 (202) 462-3641

Beschr.: Africare werft vrijwilligers voor een aantal plaatsen in het nonprofit-werk. Kandidaatsexamen, drie jaar ervaring, goed in talen, werkgerichtheid.

BARDSEY ISLAND BIRD AND FIELD OBSERVATORY

B.B.F.O.
Cristin, Bardsey
off Aberdaron
via Pwllheli
Gwynedd LL53 8DE
Wales

Beschr.: Neem contact op met de beheerder Andrew Silcocks voor informatie over vrijwilligerswerk. Houd rekening met vertraging van de post; er is geen telefoon, fax of e-mail beschikbaar.

GRUPO ARGENTINO DE LIMICOLAS

Contact: Patricia Gonzalez
8520 San Antonio Oeste
Rio Negro Argentina
Tel.: 0054 (934) 22524
Fax: 0054 (934) 21740 (attn. mr.Sciu)

Beschr.: Biologen van de Grupo Argentino de Limicolas bestuderen trekkende kustvogels die van Vuurland naar het Canadese noordpoolgebied vliegen. Een team van onderzoekers uit Argentinië, Canada, Australië, Nederland en andere landen wil voor maart en april 1998-1999 expedities in Zuid-Amerika en de VS organiseren om met kanon-netten kustvogels te vangen voor biometrische bepalingen, onderzoek aan de rui te doen, bloedmonsters te nemen voor DNA-onderzoek en kleurringen aan te brengen. De plaatselijke bevolking wordt eveneens getraind in het gebruik van de kanon-netten. Er is vraag naar vrijwilligers die ook financieel willen bijdragen (ongeveer f 2850, – tot f 3800,-. Stuur voor dit project een e-mail naar dr. Allan Baker, Royal Ontario Museum of Toronto: allanb@rom.on.ca

Vrijwilligers die zijn geïnteresseerd de Argentijnse groep te helpen bij toekomstige projecten kunnen contact opnemen met Patricia Gonzalez op het hiervoor vermelde adres.

ALFABETISCHE LIJST VAN ORGANISATIES

*De organisaties zijn in de Lijst van organisaties (bladzijde 33) in al-
fabetische volgorde opgenomen, behalve die van de Overige projecten (bladzijde 263).*

REGISTER VAN PROJECTEN

De projecten zijn in de Lijst van projecten (bladzijde 111) in alfa-betische volgorde opgenomen, behalve die van de Overige projec-ten (bladzijde 263).

GEOGRAFISCH REGISTER

Projecten worden cursief weergegeven. Organisaties met projecten in verschillende gebieden van de wereld kunnen onder ieder van die gebieden worden aangetroffen.

Afrika
Afrikaanse olifant project, Kameroen
Afrikaanse wilde honden project, Zimbabwe
Africare (Overige projecten)
Cedam International
Ecovolunteer Network
Etnoveterinair onderzoek aan moundang en zeekoe, Tsjaad
Europe Conservation Italia
Frontier
Global Service Corps
Herintroductie chimpansees, Sierra Leone
Hyenahonden-project in Senegal
IUCN
Operation Crossroads Africa, Inc.
Raleigh International
Reddingsproject neushoorns in Swaziland
SANCCOB -South African Foundation for the Conservation of Coastal Birds
Trekforce Expeditions
University Research Expeditions Program
Wilderness Trust
Zwarte (Puntlip)neushoorn, Zimbabwe

Azië
Brathay Exploration Group
Cedam International
Coral Cay Conservation
CTS – Centro Turistico Studentesco e Giovanile
Duurzame ontwikkeling in Bohorok, Indonesië
Ecovolunteer Network
Europe Conservation Italia
Frontier
Gibbons uitzetten in Thailand
Global Service Corps
Herintroductie Przewalski-paarden in Mongolië
Indische kroonaap- en kalong-onderzoek, Tamilnadu, India
Involvement Volunteers
IUCN

Kuda Laut-project, Indonesië
Land van de sneeuwluipaard, India
Legambiente
Milieuprogramma Pulau Banyak, Indonesië
Operatie Wallacea, Indonesië
Raleigh International
Studietochten door Project Tiger Reserves, India
Trekforce Expeditions
Voorlichtingsprogramma in China
WWF Italië
Zeeschildpadden-project op Phra Thong, Thailand

Europa
Apenopvangcentrum in Engeland
Arcturos
Ark van Noach, Griekenland
Bardsey Island Bird and Field Observatory, Wales
Beluga-onderzoeksproject in de Witte Zee, Rusland
Bescherming van grienden, Tenerife, Spanje
Bescherming van vale gieren op Cres, Kroatië
Bescherming van zwarte gieren, Bulgarije
Brathay Exploration Group
Bruine beren in Midden-Italië
BTCV – British Trust for Conservation Volunteers
CARAPAX – European Center for Conservation of Chelonians
Centre for Alternative Technology
Centro Turistico Studentesco e Giovanile
Chantiers de Jeunes Provence Côte d'Azur
Coordinating Committee for International Volunteer Service
Cotravaux
Ecovolunteer Network
Europarc Deutschland
Europe Conservation Italia
Grote roofdieren in de Karpaten, Roemenië
Herstel- en onderzoeksproject Manga del Mar, Spanje
Internationaal ecologisch kamp, Siberië
International Otter Survival Fund
Involvement Volunteers Association, Inc.
IUCN
Legambiente
LIPU – Lega Italiana Protezione Uccelli
Nationaal park Skaftafell, IJsland
National Trust
Operatie visarend, Schotland
Ringen van trekvogels in Spanje
Royal Society for the Protection of Birds
SCP – Scottish Conservation Projects Trust
Sea Life Surveys

Service Civil International
Steenarenden van Mull, Schotland
Taiga-project in Rusland
Vrijwilligers voor het Baikalmeer, Rusland
Walvissen en dolfijnen-project, La Gomera, Spanje
Wilderness Trust
Wolven & herdershonden project, Bulgarije
Wolven in Midden-Italië
Wolven observeren in Polen
Wolvenonderzoek in het Zapovednik-reservaat, Rusland
Wolven-project Bieszczady, Polen
WWF Italië

Hele Wereld
Cedam International
Ecovolunteer Network
Coordinating Committee for International Volunteers
Earthwatch Institute (VS)
Earthwatch Institute (Europa)
Expedition Advisory Centre
Oceanic Society Expeditions
Service Civil International (SCI)
United Nations Volunteers (UNV)
University Research Expeditions Program (UREP)

Middellandse-Zeegebied
CHELON – Marine Turtle Conservation and Research Program
CTS – Centro Turistico Studentesco e Giovanile
Dolfijnen-project in de Adriatische Zee, Kroatië
Dolfijnen-project in de Ionische Zee, Griekenland
Ecovolunteer Network
Europe Conservation Italia
Legambiente
LIPU – Lega Italiana Protezione Uccelli
Monniksrobben in de Middellandse Zee, Turkije
Monniksrobben-project in Turkije
Onechte karetschildpadden in Linosa, Italië
Reddingscentrum voor zeeschildpadden, Griekenland
SLOPE (Squid-Loving Odontocete Project), Italië
Tethys Research Institute
Tuimelaar-project, Sardinië en Lampedusa, Italië
Veldwerk zeeschildpadden, Griekenland
Vinvissen in de Middellandse Zee, Italië
WWF Italië
Zeeschildpadden van Kefalonia, Griekenland
Zeeschildpadden-project in Akyatan, Turkije
Zeeschildpadden-project op Rhodos, Griekenland

Midden-Oosten
Dierenleven in de Sinaï, Egypte

Oceanië
ATCV – Australian Trust for Conservation Volunteers
Brathay Exploration Group
BTCV – British Trust for Conservation Volunteers
Cape Tribulation Tropical Research Station, Australië
Involvement Volunteers Association Inc.
Oceania-project, Australië
Onderzoek in Fiordland, Nieuw-Zeeland
Zeeberen in Nieuw-Zeeland

Midden-Amerika en Mexico
ASVO – Asociacion de Voluntarios para el Servicio en las Areas Protegidas
BTCV – British Trust for Conservation Volunteers
Cedam International
Coral Cay Conservation
Costa Rica Eco-Service Project
CTS – Centro Turistico Studentesco e Giovanile
Ecovolunteer Network
El Costudio de las Tortugas, Mexico
Genesis II-reservaat, Costa Rica
Global Service Corps
Herintroductie van dieren, Costa Rica
North American Wetlands Conservation Act Grants
Oceanic Society Expeditions
Onderzoeksproject lamantijnen, Belize
One World Workforce
Pelikanen-project in Mexico
Proyecto Tortugo, Mexico
Raleigh International
Regenwoud Casa Rio Grande Blanco, Costa Rica
Trekforce Expeditions
Vogels van Tortuguero, Costa Rica
Warana's in Costa Rica
Wetlands van Belize
Youth Challenge International (YCI)
Zeeschildpadden in Costa Rica
Zeeschildpadden van Tortuguero, Costa Rica
Zeeschildpadden-project Punta Banco, Costa Rica
Zeeschildpadden-project in Baja California, Mexico

VS en Canada
American Littoral Society
Dolphinlab, VS
Ecovolunteer Network

Erie National Wildlife Refuge (VS)
Forest Restoration, VS
Gedrag van tuimelaars, VS
Gedrag van walvissen in estuaria, Canada
Involvement Volunteers Association Inc.
Klamath Forest Alliance
Langsnuitdolfijnen-project, Midway, VS
Long Point Bird Observatory, Canada
Mingan Island Cetacean Research Expeditions
North American Wetlands Conservation Act Grants
Oceanic Society Expeditions
Olieslachtoffers zeeotters redden, VS
Onderzoek onechte karetschildpad, VS
San Gorgonio Volunteer Association (SGVA)
SCA – Student Conservation Association, Inc.
Sousson Foundation
U.S. Department of Agriculture – Forest Service
U.S. Fish and Wildlife Service, Alaska
U.S. National Park Service
Volunteers for Outdoor Colorado
Walvissen-project in Canada
Wilderness Trust

Zuid-Amerika
Ara's observeren in Amazonië, Peru
Bescherming van moerasherten in Argentinië
Bomenonderzoek in Brazilië
BTCV – British Trust for Conservation Volunteers
Bultrug-onderzoek, Abrolhos, Brazilië
Kaaimannen in Argentinië
Legambiente
Los Roques-eilanden, Venezuela
Oceanic Society Expeditions
Operation Crossroads Africa, Inc.
Project Tamar, Brazilië
Punta San Juan-project, Peru
Raleigh International
Regenwoud van Tambopata, Peru
Tropisch regenwoud van El Amargal, Colombia
WWF Italië
Youth Challenge International (YCI)
Zuidkapers in Brazilië

Vrijwilligerswerk & natuurbehoud

SOORTENLIJST

De meeste soorten worden in soortengroepen ingedeeld. Organisaties die niet op een bepaalde soort zijn gericht, staan niet in deze lijst. Projecten worden cursief vermeld.

Afrikaanse herbivoren
Breedlipneushoorn, Zimbabwe
Dierenleven in de Sinaï, Egypte
Earthwatch Institute Europa
Earthwatch Institute VS
Ecovolunteer Network
Frontier

Amfibieën en reptielen
CARAPAX – European Center for Conservation of Chelonians
Earthwatch Institute Europa
Earthwatch Institute VS
Herintroductie van dieren, Costa Rica
Kaaimannen in Argentinië
University Research Expeditions Program (UREP)
Wetlands van Belize

Apen
Apenopvangcentrum in Engeland
Duurzame ontwikkeling in Bohorok, Indonesië
Earthwatch Institute Europa
Earthwatch Institute VS
Ecovolunteer Network
Gibbons uitzetten in Thailand
Herintroductie chimpansees, Sierra Leone
Indische kroonaap- en kalong-onderzoek, Tamilnadu, India
University Research Expeditions Program (UREP)

Beren
Arcturos
Bruine beren in Midden-Italië
CTS – Centro Turistico Studentesco e Giovanile
Grote roofdieren in de Karpaten, Roemenië
Legambiente
SCA – The Student Conservation Association, Inc.
Taiga-project in Rusland
Vrijwilligers voor het Baikalmeer, Rusland
WWF Italië

Koralen
Cedam International
Coral Cay Conservation
CTS – Centro Turistico Studentesco e Giovanile
Earthwatch Institute Europa
Earthwatch Institute VS
Frontier
Kuda Laut-project, Indonesië
Los Roques-eilanden, Venezuela
Milieuprogramma Pulau Banyak, Indonesië
Operatie Wallacea, Indonesië
WWF Italië

Planten
Association for the Conservation of the Southern Rainforests
ATCV – Australian Trust for Conservation Volunteers
Bomenonderzoek in Brazilië
Cape Tribulation Tropical Research Station, Australië
Costa Rica Eco-Service Project
Duurzame ontwikkeling in Bohorok, Indonesië
Earthwatch Institute Europa
Earthwatch Institute VS
Ecovolunteer Network
Europarc Deutschland
Forest Restoration, VS
Genesis II reservaat, Costa Rica
Milieuprogramma Pulau Banyak, Indonesië
Regenwoud van Tambopata, Peru
Regenwoud Casa Rio Grande Blanco, Costa Rica
San Gorgonio Volunteers Association (SCVA)
Sousson Foundation
The National Trust
Tropisch regenwoud van El Amargal, Colombia
US National Park Service
US Department of Agriculture – Forest Service

Vleermuizen
Cape Tribulation Tropical Research Station, Australië
Ecovolunteer Network
Indische kroonaap- en kalong-onderzoek, Tamilnadu, India

Vogels
Ara's observeren in Amazonië, Peru
ATCV – Australian Trust for Conservation Volunteers
Bardsey Island Bird and Field Observatory, Wales
Bescherming van vale gieren op Cres, Kroatië
Bescherming van zwarte gieren, Bulgarije
BTCV – British Trust for Conservation Volunteers

CTS – Centro Turistico Studentesco e Giovanile
Dierenleven in de Sinaï, Egypte
Earthwatch Institute Europa
Earthwatch Institute VS
Ecovolunteer Network
Erie National Wildlife Refuge (VS)
Genesis II-reservaat, Costa Rica
Herintroductie van dieren, Costa Rica
Herstel- en onderzoeksproject Manga del Mar, Spanje
LIPU – Lega Italiana Protezione Uccelli
Long Point Bird Observatory, Canada
North American Wetlands Conservation Act Grants
Oceanic Society Expeditions
Onderzoek in Fiordland, Nieuw-Zeeland
One World Workforce (OWW)
Operatie visarend, Schotland
Operatie Wallacea, Indonesië
Pelikanen-project in Mexico
Punta San Juan-project, Peru
Regenwoud Casa Rio Grande Blanco, Costa Rica
Regenwoud van Tambopata, Peru
Ringen van trekvogels in Spanje
Royal Society for the Protection of Birds
SANCCOB – South African Foundation for the Conservation of Co-
astal Birds
SCA – The Student Conservation Association, Inc.
Sea Life Surveys
Steenarenden van Mull, Schotland
Tropisch regenwoud van El Amargal, Colombia
University Research Expeditions Program (UREP)
Vogels van Tortuguero, Costa Rica
WWF Italië

Walvissen en dolfijnen
Beluga-onderzoeksproject in de Witte Zee, Rusland
Bescherming van grienden, Tenerife, Spanje
Bultrug-onderzoek, Abrolhos, Brazilië
CTS – Centro Turistico Studentesco e Giovanile
Dolfijnen-project in de Adriatische Zee, Kroatië
Dolfijnen-project in de Ionische Zee, Griekenland
Dolphinlab, VS
Earthwatch Institute Europa
Earthwatch Institute VS
Ecovolunteer Network
Europe Conservation Italia
Gedrag van walvissen in estuaria, Canada
Gedrag van tuimelaars, VS
Langsnuitdolfijnen-project, Midway, VS

Mingan Island Cetacean Research Expeditions
Oceania-project, Australië
Oceanic Society Expeditions
Sea Life Surveys
SLOPE (Squid-Loving Odontocete Project), Italië
Tethys Research Institute
Tuimelaar-project, Sardinië en Lampedusa, Italië
Vinvissen in de Middellandse Zee, Italië
Walvissen en dolfijnen-project, La Gomera, Spanje
Walvissen-project in Canada
WWF Italië
Zuidkapers in Brazilië

Wolven
BTCV – British Trust for Conservation Volunteers
CTS – Centro Turistico Studentesco e Giovanile
Earthwatch Institute Europa
Earthwatch Institute VS
Ecovolunteer Network
Europe Conservation Italia
Grote roofdieren in de Karpaten, Roemenië
Taiga-project in Rusland
Wolven & hershonden project in Bulgarije
Wolven observeren in Polen
Wolven in Midden-Italië
Wolvenonderzoek in het Zapovednik-reservaat, Rusland
Wolven-project Bieszczady, Polen

Zeehonden
Ecovolunteer Network
Monniksrobben in de Middellandse Zee, Turkije
Monniksrobben-project in Turkije
Oceanic Society Expeditions
Onderzoek in Fiordland, Nieuw-Zeeland
Punta San Juan-project, Peru
Sea Life Surveys
Zeeberen in Nieuw-Zeeland

Zeekoeien
Earthwatch Institute Europa
Earthwatch Institute VS
Etnoveterinair onderzoek aan moundang en zeekoe, Tsjaad
Oceanic Society Expeditions
Onderzoeksproject lamantijnen, Belize
University Research Expeditions Program (UREP)

Zeeschildpadden
ATCV – Australian Trust for Conservation Volunteers

BTCV – British Trust for Conservation Volunteers
CARAPAX – European Center for Conservation of Chelonians
CHELON – Marine Turtle Conservation an Research Program
CTS – Centro Turistico Studentesco e Giovanile
Earthwatch Institute Europa
Earthwatch Institute VS
Ecovolunteer Network
El Custodio de las Tortugas, Mexico
Los Roques-eilanden, Venezuela
Milieuprogramma Pulau Banyak, Indonesië
Oceanic Society Expeditions
Onderzoek onechte karetschildpad, VS
One World Workforce (OWW)
Onechte karetschildpadden in Linosa, Italië
Project Tamar, Brazilië
Proyecto Tortugo, Mexico
Reddingscentrum voor zeeschildpadden, Griekenland
SCA – The Student Conservation Association, Inc.
Sea Life Surveys
Veldwerk zeeschildpadden, Griekenland
WWF Italië
Zeeschildpadden in Costa Rica
Zeeschildpadden van Kefalonia, Griekenland
Zeeschildpadden van Tortuguero, Costa Rica
Zeeschildpadden-project Punta Banco, Costa Rica
Zeeschildpadden-project in Akyatan, Turkije
Zeeschildpadden-project in Baja California, Mexico
Zeeschildpadden-project op Phra Thong, Thailand
Zeeschildpadden-project op Rhodos, Griekenland

Zoogdieren
Afrikaanse olifanten project, Kameroen
Afrikaanse wilde honden project, Zimbabwe
Ark van Noach, Griekenland
Association for the Conservation of the Southern Rainforests
Bescherming van moerasherten in Argentinië
BTCV – British Trust for Conservation Volunteers
CTS – Centro Turistico Studentesco e Giovanile
Earthwatch Institute Europa
Earthwatch Institute VS
Ecovolunteer Network
Europe Conservation Italia
Herintroductie Przewalski-paarden in Mongolië
Herintroductie van dieren, Costa Rica
Herstel- en onderzoeksproject Manga del Mar, Spanje
Hyenahonden-project in Senegal
International Otter Survival Fund
Land van de sneeuwluipaard, India

Olieslachtoffers zeeotters redden, VS
Punta San Juan-project, Peru
SCA – The Student Conservation Association, Inc.
Studietochten door Project Tiger Reserves, India
Taiga-project in Rusland
University Research Expeditions Program (UREP)
Vrijwilligers voor het Baikalmeer, Rusland
WWF Italië

Vrijwilligerswerk & natuurbehoud

PRIJSINDICATIES

De kosten van de reis naar en van het project zijn meestal niet inbegrepen, zie de beschrijvingen van de projecten en organisaties.
De projecten zijn cursief gedrukt. De organisaties worden gerang-
schikt naar het goedkoopste project dat ze bieden.

<u>· Geen kosten of minder dan *f* 190,-</u>
American Littoral Society
Apenopvangcentrum in Engeland
Arcturos
Ark van Noach, Griekenland
Association for the Conservation of the Southern Rainforests
ASVO
Bardsey Island Bird and Field Observatory, Wales (Overige
BTCV – British Trust for Conservation Volunteers
Cape Tribulation Tropical Research Station, Australië
CARAPAX – European Center for Conservation of Chelonians
Centre for Alternative Technology
Coordinating Committee for International Volunteers
Cotravaux
Erie National Wildlife Refuge (VS)
Europarc Deutschland
Forest Restoration, VS
Herintroductie van dieren, Costa Rica
Herstel- en onderzoeksproject Manga del Mar, Spanje
IUCN
Klamath Forest Alliance
Monniksrobben in de Middellandse Zee, Turkije
North American Wetlands Conservation Act Grants
Olieslachtoffers zeeotters redden, VS
Operatie visarend, Schotland
Operation Crossroads Africa, Inc.
Punta San Juan-project, Peru
Reddingscentrum voor zeeschildpadden, Griekenland
Regenwoud van Tambopata, Peru
Ringen van trekvogels in Spanje
Royal Society for the Protection of Birds
San Gorgonio Volunteers Association (SCVA)
SANCCOB – South African Foundation for the Conservation of Co-
astal Birds
SCA – The Student Conservation Association, Inc.
SCP – Scottish Conservation Projects Trust
Service Civil International (SCI)

The Wilderness Trust
The National Trust
United Nations Volunteers (UNV)
US Department of Agriculture – Forest Service
US Fish and Wildlife Service
US National Park Service
Veldwerk zeeschildpadden, Griekenland
Volunteers for Outdoor Colorado
Voorlichtingsprogramma in China
WWF Italië
Youth Challenge International (YCI)
Zeeberen in Nieuw-Zeeland

• *f 190,- tot f 950,-*
Bescherming van vale gieren op Cres, Kroatië
Bescherming van zwarte gieren, Bulgarije
Bescherming van grienden, Tenerife, Spanje
Brathay Exploration Group
Bruine beren in Midden-Italië
Chantiers de Jeunes Provence Côte d'Azur
CHELON – Marine Turtle Conservation and Research Program
CTS – Centro Turistico Studentesco e Giovanile
Dierenleven in de Sinaï, Egypte
Duurzame ontwikkeling in Bohorok, Indonesië
Ecovolunteer Network
Etnoveterinair onderzoek aan moundang en zeekoe, Tsjaad
Europe Conservation Italia
Involvement Volunteers Association Inc.
Legambiente
LIPU – Lega Italiana Protezione Uccelli
Long Point Bird Observatory, Canada
Monniksrobben-project in Turkije
Nationaal park Skaftafell, IJsland
Onderzoek onechte karetschildpad, VS
Onechte karetschildpadden in Linosa, Italië
Proyecto Tortugo, Mexico
Sea Life Surveys
SLOPE (Squid-Loving Odontocete Bomenonderzoek in Brazilië
Sousson Foundation
Tuimelaar-project, Sardinië en Lampedusa, Italië
Vrijwilligers voor het Baikalmeer, Rusland
Wolven in Midden-Italië
Zeeschildpadden van Kefalonia, Griekenland
Zeeschildpadden-project op Rhodos, Griekenland
Zeeschildpadden-project in Akyatan, Turkije

• *f 950,- tot f 1900,-*
Afrikaanse wilde honden project, Zimbabwe

ATCV – Australian Trust for Conservation Volunteers
Beluga-onderzoeksproject in de Witte Zee, Rusland
Dolfijnen-project in de Adriatische Zee, Kroatië
Dolfijnen-project in de Ionische Zee, Griekenland
Earthwatch Institute Europa
Earthwatch Institute VS
El Custodio de las Tortugas, Mexico
Gedrag van walvissen in estuaria, Canada
Gedrag van tuimelaars, VS
Genesis II-reservaat, Costa Rica
Gibbons uitzetten in Thailand
Grote roofdieren in de Karpaten, Roemenië
Herintroductie Przewalski-paarden in Mongolië
Herintroductie chimpansees, Sierra Leone
Indische kroonaap- en kalong-onderzoek, Tamilnadu, India
International Otter Survival Fund
Kuda Laut-project, Indonesië
Los Roques-eilanden, Venezuela
Milieuprogramma Pulau Banyak, Indonesië
Oceania-project, Australië
Oceanic Society Expeditions
Onderzoek in Fiordland, Nieuw-Zeeland
One World Workforce
Pelikanen-project in Mexico
Project Tamar, Brazilië
Reddingsproject neushoorns in Swaziland
Regenwoud Casa Rio Grande Blanco, Costa Rica
Studietochten door Project Tiger Reserves, India
Taiga-project in Rusland
Tethys Research Institute
University Research Expeditions Program (UREP)
Vinvissen in de Middellandse Zee, Italië
Walvissen en dolfijnen-project, La Gomera, Spanje
Wolven & herdershonden project, Bulgarije
Wolvenonderzoek in het Zapovednik-reservaat, Rusland
Wolven-project Bieszczady, Polen
Zeeschildpadden-project Punta Banco, Costa Rica
Zeeschildpadden-project in Baja California, Mexico
Zuidkapers in Brazilië

· f 1900,- tot f 2850,-
Afrikaanse olifanten project, Kameroen
Ara's observeren in Amazonië, Peru
Bescherming van moerasherten in Argentinië
Bultrug-onderzoek, Abrolhos, Brazilië
Dolphinlab, VS
Hyenahonden-project in Senegal
Kaaimannen in Argentinië

Mingan Island Cetacean Research Expeditions
Steenarenden van Mull, Schotland
Tropisch regenwoud van El Amargal, Colombia
Walvissen-project in Canada
Wetlands van Belize

· Meer dan *f 2850,-*
Cedam International
Coral Cay Conservation
Costa Rica Eco-Service Project
Frontier
Gedrag van tuimelaars, VS
Land van de sneeuwluipaard, India
Langsnuitdolfijnen-project, Midway, VS
Onderzoeksproject lamantijnen, Belize
Operatie Wallacea, Indonesië
Raleigh International
Trekforce Expeditions
Vogels van Tortuguero, Costa Rica
Zeeschildpadden in Costa Rica
Zeeschildpadden van Tortuguero, Costa Rica
Zwarte (Puntlip-) neushoorn, Zimbabwe

INSCHRIJFFORMULIER

Het inschrijfformulier op de volgende pagina's kunt u uit het boek
kopiëren en opsturen naar:

IN NEDERLAND
Natuurreiswinkel Wolftrail
Postbus 144
1430 AC AALSMEER
Tel.: (0031) (0)297-368504
Fax: (0031) (0)297-367686
E-Mail: wolftrail@image-travel.nl

IN BELGIË
¡TIERRA!
Heidebergstraat 223
B-3010 Leuven
Tel./fax (0032) (0)16-255616

INSCHRIJFFORMULIER

Projectnaam ....
Periode van deelneming
1e keuze ....
2e keuze ....

(Let op minimum/maximum duur en op weekdag aankomst/vertrek)

Deelnemer I
Naam (Dhr/Mw.): ....
Voornamen (volluit): ....
Adres: ....
Postcode: ....
Plaats: ....
Telefoon overdag: ....
Telefoon 's avonds: ....
E-Mail: ....
Geboortedatum: ....
Nationaliteit: ....

Opleiding: ....
Relevante werkervaring: ....
Talenkennis Engels vloeiend/goed/matig
Overige talenkennis ....
Heeft al eerder aan een
Ecovolunteer Program
deelgenomen: ja/nee
Zo ja, welke: ....
Overige opmerkingen: ....

Deelnemer II
Naam (Dhr/Mw): ....
Voornamen (volluit): ....
Adres: ....
Postcode: ....
Plaats: ....
Telefoon overdag: ....
Telefoon 's avonds: ....
E-Mail: ....
Geboortedatum: ....
Nationaliteit: ....

Opleiding: ....
Relevante werkervaring: ....
Talenkennis Engels vloeiend/goed/matig
Overige talenkennis ....

Heeft al eerder aan een
Ecovolunteer Program
deelgenomen: ja/nee
Zo ja, welke: ....
Overige opmerkingen: ....

*Zijn er medische zaken waar de reisleider van op de hoogte dient
te zijn? Indien Ja, graag hieronder invullen. Het spreekt voor zich
dat deze informatie strikt vertrouwelijk behandeld wordt. Neemt u
bij twijfel even contact met ons op.*

Deelnemer I
Zo ja, welke   ....
Dieetvoorkeuren: ....

Deelnemer II
Zo ja, welke   ....
Dieetvoorkeuren: ....

Deelnemer I
Ik boek deze reis (indien van toepassing en mogelijk):
O Inclusief vluchten en Hotelovernachtingen
O Exclusief vluchten en Hotelovernachtingen
O Eenpersoons kamer   O   Tweepersoons kamer

Deelnemer II
Ik boek deze reis (indien van toepassing en mogelijk):
O Inclusief vluchten en Hotelovernachtingen
O Exclusief vluchten en Hotelovernachtingen
O Eenpersoons kamer   O   Tweepersoonskamer

Expeditiecruises
Ik wens het volgende huttype:
O   A1   A2   B   C   D

Opmerkingen/specifieke vragen of verzoeken: ....
....

Contactpersoon (bij onverwachte gebeurtenissen)
Naam: ....
Adres: ....
Postcode: ....
Woonplaats: ....
Telefoon overdag: ....
Telefoon 's avonds: ....
Faxnummer: ....
E-Mail.   ....
Aard van de relatie: ....

Factuur ontvangst bij twee deelnemers
O Wij willen aparte facturen en reisbescheiden ontvangen.
O Het adres van Deelnemer I is factuur en correspondentieadres.

Verzekeringen
Gezien de aard van de reizen stellen wij een reis- en een annuleringsverzekering verplicht. De reisverzekering dient volledig dek-
kend te zijn voor medische, reddings- en repatriëringskosten. Let u
op de afstemming met uw huidige ziektekosten verzekering en dat
het afsluiten van een annuleringsverzekering binnen 7 dagen na
boeking plaats dient te vinden. Indien u om bepaalde redenen uw
annulerings- en/of reisverzekering niet bij ons wilt afsluiten verzoeken wij u om ons een kopie van de polis van de afgesloten verzekering op te sturen. Wij kunnen u dan, indien gewenst, bijstaan
bij eventuele problemen.

Annuleringsverzekering
O Ik wens een annuleringsverzekering af te sluiten.
    De kosten hiervan bedragen 4.5% van de totale reissom
O Ik wens geen annuleringsverzekering af te sluiten.

Reisverzekering
O Ik wens een reisverzekering af te sluiten
O Ik wens geen reisverzekering bij u af te sluiten.

Deze boeking is juridisch voor u als aanmelder(s) bindend en na
acceptatie ook voor Natuurreiswinkel Wolftrail/¡TIERRA! Behalve
de specifieke voorwaarden gepubliceerd per reis, zijn op al onze
verbintenissen de door de ANVR opgestelde voorwaarden van toepassing.

Handtekening deelnemer I   Handtekening deelnemer I

Datum   Datum

(Ook de achterkant tekenen)